LE SEXE ET LE CERVEAU

LE

SEXE
ET LE
CERVEAU

La réponse
au mystère
de la sexualité
humaine

JO DURDEN-SMITH ET DIANE DESIMONE
Traduit de l'américain par
Annick Duchâtel-Bussière

la presse
●▮●

Éditeurs:
LES ÉDITIONS LA PRESSE, LTÉE
44, rue Saint-Antoine ouest
Montréal H2Y 1J5

Réalisation graphique
JEAN PROVENCHER

Traduction française de *Sex and the Brain*
Les Éditions La Presse, Ltée

Dépôt légal:
BIBLIOTHÈQUE NATIONALE DU QUÉBEC
2e trimestre 1985

ISBN 2-89043-152-5

1 2 3 4 5 6   90 89 88 87 86 85

A Jack, Joan et Adele,
un père et deux mères;
et à Lewis Mumford,
notre père à tous.

Remerciements

Nous tenons à remercier tous les scientifiques qui sont cités dans ce livre, pour le temps qu'ils nous ont accordé sans réserve, pour leur enthousiasme et leur gentillesse. Nous avons essayé de rendre compte le plus fidèlement possible de ce qu'ils nous ont dit à propos de leurs travaux, de leurs attitudes et de ceux des autres. Toute erreur ou toute faute d'interprétation qui aurait été laissée dans le texte par inadvertance serait, bien entendu, attribuable à notre négligence.

Nous aimerions également remercier tous les autres scientifiques qui, bien que non cités dans le texte, ont rendu ce livre possible grâce aux encouragements qu'ils nous ont prodigués à diverses étapes de la recherche : Huda Akil ; Richard Alexander ; Monte Buchsbaum ; Martin Daly ; David de Wied ; Marian Diamond ; Klaus Döhler ; Bernard Dufy ; Robin Fox ; Albert Galaburda ; Ruben et Raquel Gur ; Mark Gurney ; David Margules ; Catherine Mateer ; Bruce McEwen ; Fred Naftolin ; Agu et Candance Pert ; Philip et Mary Seeman ; Roger Short ; Barry Smith ; Roger Sperry ; Julian Stanley ; Larry Stein ; Lois Verbrugge ; Stan Watson ; George Williams ; Margo Wilson et Eran Zaidel. Nos remerciements s'adressent aussi aux trois personnes qui nous ont aidés à obtenir des matériaux de recherche essentiels : Gene Cone et Bard Bardossi de l'université Rockefeller et Richard Thomas de WHET-TV de New York.

Certains passages de ce livre ont été publiés, sous une forme différente, dans le magazine *Playboy.* Nous adressons tout particulièrement nos remerciements à quatre membres de l'équipe de ce magazine : Jim Morfan, pour le crédit qu'il nous a accordé relativement à l'importance du sujet ; Eileen Kent, qui s'est toujours montrée prête à nous aider ; Mary Zion, qui a vérifié chaque fait avec ténacité ; et Arthur Kretchmer qui est entré dans le jeu en nous apportant une suggestion décisive au cours du cinquième mois de la série.

Enfin, nous aimerions exprimer notre gratitude aux deux personnes qui nous ont sans relâche incités à continuer. Notre infatigable agent, Christine Tomasino ; et un ami cher, Richard Hess. L'amitié est un art difficile. Mais dans ce domaine, comme dans les autres, Richard est un artiste.

Sommaire

Quatrième partie: Le cerveau ou le corps: un héritage distinct

Cinquième partie: Le sexe

Sixième partie: La société

Le cerveau

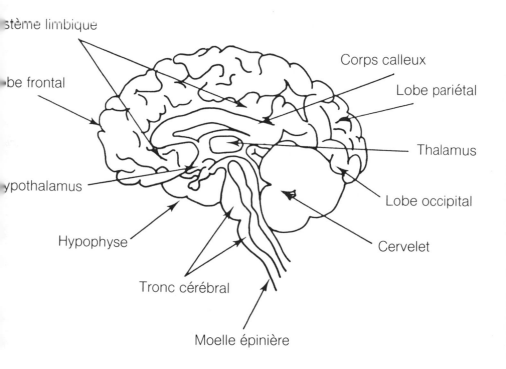

stème limbique

be frontal

Corps calleux

Lobe pariétal

Thalamus

ypothalamus

Lobe occipital

Hypophyse

Cervelet

Tronc cérébral

Moelle épinière

Introduction

Le tranchant de la lame

Vous lirez ce livre comme un roman policier où les savants deviennent détectives. Le corps autour duquel se noue l'énigme, c'est le nôtre, avec ces mystérieuses différences sexuelles et cérébrales qui font de nous des hommes ou des femmes.

Cet ouvrage est l'histoire d'une science en devenir — d'une piste d'indices qui s'enchaînent les uns aux autres pour nous révéler progressivement, dans une image inédite, la signification profonde de la virilité ou de la féminité. Comme la plupart des romans policiers, cet ouvrage expose les problèmes à résoudre, les méthodes d'enquête et les impondérables qui bouleversent les anciennes hypothèses. Mais, contrairement à la majorité des oeuvres de ce type, l'énigme ne sera pas résolue puisqu'elle tourne autour du sujet d'enquête le plus fondamental, et plonge profondément à l'intérieur du cerveau et du corps mâles et femelles afin d'apporter une réponse aux questions les plus essentielles de l'être humain: d'où venons-nous, pourquoi sommes-nous ici et qui sommes-nous?

La science, comme l'a récemment écrit Sir Peter Medawar, prix Nobel de biologie, «débute comme l'histoire d'un monde plausible, une histoire que nous inventons, critiquons et modifions au fur et à mesure afin qu'elle finisse par coïncider le plus précisément possible avec la vie réelle». Pourtant, la science est bien plus qu'une simple histoire. Elle pourfend aussi les mythes et les pulvérise. C'est la lame tranchante avec laquelle nous frayons un chemin vers notre avenir. Et qui nous contraint inexorablement à modifier notre vision du monde et de ceux qui nous entourent.

La révolution copernicienne nous en fournit une illustration limpide. Copernic a proclamé que la Terre, ce gros caillou tourbillonnant, n'était pas, à bien y réfléchir, le centre de l'univers. Cela est également vrai des autres révolutions scientifiques dont Freud et Darwin furent les apôtres subversifs. Et cela se vérifie également avec la révolution dans laquelle nos savants sont à présent engagés et qui trace de nouvelles avenues dans le cerveau humain, mâle et femelle. Cette science remet déjà en question tous nos concepts modernes à propos du sexe et du genre, notions que nous croyions inébranlables. Elle menace les attitudes et les institutions les plus solidement enracinées de la psychologie et de la psychiatrie. Pire encore, elle sape de l'intérieur le principe selon lequel le genre humain échappe à l'état de nature grâce à sa culture, son intelligence et sa panoplie technologique, et plane dans une sorte de stratosphère bien au-dessus du règne animal.

Depuis le début de ce siècle, les hommes et les femmes du monde occidental ont progressivement revendiqué une liberté de plus en plus grande afin de s'affranchir des contraintes biologiques et écologiques. Nous avons répandu notre technologie à travers toute la planète et «industrialisé» nos propres corps. Nous avons établi la séparation entre les fonctions sexuelles et reproductrices et, de plus en plus, nous nous sommes voués à la mécanique démocratique de l'excitation et de l'orgasme. Nous nous sommes rempli la panse de pilules et bourrés d'hormones.

Ce comportement est apparu avec l'affirmation d'un certain type de médecine ayant pour principe que le corps humain est une machine que l'on peut bricoler à loisir; d'un certain type de science qui proclame qu'une substance immatérielle, l'esprit, est le véritable siège des décisions humaines; et d'un certain type de politique qui a déclaré que les hommes et les femmes, créatures issues de ce pur esprit, doivent passer outre à leurs différences biologiques et aspirer à la similitude. Toutes ces hypothèses, comme les institutions et les carrières dont elles sont le fondement, sont désormais prises à partie par une nouvelle science du cerveau mâle et femelle.

Le cerveau humain est une jungle composée d'une centaine de milliards de cellules nerveuses abritées sous votre boîte crânienne. Leurs ramifications, si elles étaient mises bout à bout, couvriraient la distance de la Terre à la Lune, aller et retour. Il s'agit en fait de deux petites masses de matière molle d'un gris rosé, creusées de volutes comme une noix, tournées sur elles-mêmes vers l'intérieur, avides d'oxygène et d'énergie chimique et parcourues par un courant électrique suffisant pour allumer une petite ampoule. Votre cerveau, c'est aussi vous-même.

Que vous soyez homme, femme ou enfant, votre cerveau règle votre comportement, votre manière de réagir à votre environnement, vos plans d'avenir, vos pensées et vos rêves. Si, sous l'influence d'une drogue, le fonctionnement de cette centaine de milliards de cellules était perturbé, votre comportement et vos perceptions s'en trouveraient modifiés. Si, à la suite d'un embolie, d'une tumeur ou d'une blessure par balle ou arme blanche, ces cellules étaient irrémédiablement endommagées, vos facultés seraient amoindries. Si l'on transplantait ces cellules sur un autre organisme — un bon thème de science-fiction — vous seriez dépossédé de votre identité et de votre histoire. Le corps sur lequel elles seraient transplantées serait le donneur et non le receveur. Et le corps qu'elles auraient quitté, désormais loque inutile, serait rendu à son état d'origine : un contenant, brillamment conçu par la nature pour réaliser les aspirations du cerveau et satisfaire ses besoins, suivant le type de monde où il vit, apprend, se déplace, et qu'il désire reproduire.

Ce contenant, comme personne ne l'ignore, est doté, avant la naissance, d'un sexe distinctif; à la puberté, le corps s'épanouit et exprime pleinement ses caractéristiques féminines ou masculines. Mais en va-t-il autrement du siège de sa personnalité, autrement dit le cerveau? Et si, après tout, le cerveau, tout comme le corps, possédait, dès la naissance, une structure féminine ou masculine prête à se développer tandis qu'il se mesure au monde en fonction d'un schéma féminin ou masculin d'aptitudes et d'habiletés, de conduites et de désordres, d'appétits et de répulsions?

C'est précisément cela que la nouvelle science du cerveau humain commence à nous laisser entrevoir, en mettant enfin en oeuvre, pour résoudre l'énigme centrale de la condition humaine, toutes les techniques et les technologies élaborées par les autres disciplines au cours du dernier quart de siècle. Cette nouvelle science nous déclare qu'en fin de compte, il pourrait bien exister une contrainte prépondérante qui limite notre aptitude à modifier à satiété nos fonctions organiques et à changer le monde pour servir nos buts du moment : c'est la contrainte de notre polarité mâle ou femelle, inscrite dès la vie prénatale dans la biochimie et les circuits de notre corps et de notre cerveau mâles ou femelles.

Cette notion foudroie les croyances et les préjugés qui ont, au cours du dernier quart de siècle, conditionné le comportement de la population occidentale. Nous en sommes venus à accepter trop allègrement le fait que la médecine et la science détiennent la vérité en toutes choses — ce qui est à coup sûr l'une des supercheries les plus affligeantes de ce siècle — et que le sexe est une contingence limitée simplement aux mécanismes organiques. Nous tenons pour acquis que l'esprit est l'élément prépondérant et que notre psychisme a été structuré après la naissance d'une manière irréductiblement unique, et *seulement* par nos contacts avec l'environnement culturel qui nous a permis de nous définir nous-mêmes. Ceci posé, nous avons pris pour argent comptant l'idée selon laquelle les différences entre les hommes et les femmes *doivent* être causées par le milieu. Toute autre suggestion équivaut à se rendre coupable d'une forme quelconque de sexisme.

Au début de notre recherche des matériaux nous ayant permis de construire cet ouvrage, nous avons rendu visite à Richard Alexander, un éminent biologiste de l'évolution qui enseigne à l'Université du Michigan à Ann Arbor. Il nous a parlé d'un groupe d'étudiants auquel il a récemment prodigué son enseignement. Il avait demandé à ses étudiants de faire l'inventaire des différences entre les hommes et les femmes. Après de longues palabres, ils en citèrent deux: les hommes produisent des spermatozoïdes et les femmes produisent des ovules; de plus les femmes sont aptes à donner naissance à des bébés et à les nourrir. Cela n'a guère surpris Alexander. Ce qui l'a étonné et ébahi c'est l'échauffement considérable que cet exercice a provoqué et la virulence manifestée en particulier par l'élément féminin. Un peu plus tard l'un de ses collègues lui a suggéré une explication. Les femmes étaient hors d'elles parce qu'elles pensaient peut-être que le fait d'admettre même ces différences évidentes revenait à se priver elles-mêmes du pouvoir — le pouvoir tel que la société le définit. Si cette hypothèse est juste, Alexander trouve cela regrettable. «Les hommes et les femmes *sont* différents, dit-il, à des niveaux divers, mais beaucoup plus que le groupe ne pouvait évidemment l'imaginer. Et nous couper de ces différences et les nier revient à nous couper de la nature et d'un élément essentiel de notre héritage humain.»

Les membres du groupe d'étudiants d'Alexander sont les rejetons des déterminismes culturels. Le concept selon lequel la *nature* elle aussi est à l'oeuvre à l'intérieur de nous semble leur être complètement étranger. Ainsi qu'à la plupart de nos contemporains. Or c'est précisément ce concept que la nouvelle science du cerveau introduit lentement. Diversement alimentée par l'apport des autres disciplines — ethnologie, anthropologie, science de l'évolution biologique, neurologie, immunologie et endocrinologie — cette science nous dit que la nature est aussi active dans le processus de formation de nos personnalités, c'est-à-dire de nous-mêmes, de nos cerveaux. Nous ne sommes pas aussi neufs, aussi «fils de nos oeuvres» que certaines doctrines scientifiques orthodoxes actuelles voudraient nous le faire croire. En fait, nous sommes vieux comme le monde. Parce que nous sommes, avant tout, des animaux. Et dans nos cerveaux mâles et femelles est inscrite la longue épopée du genre humain, des origines jusqu'à nos jours, à travers les autres espèces.

Il en résulte une différence considérable entre les humains mâles et femelles, différence qui s'est précisée tout au long de notre évolution, depuis les premiers organismes multicellulaires qui en furent le premier chaînon. Nous sommes tous les enfants d'enfants — de pères et de mères qui se sont unis pour accomplir leur fonction de reproduction. Et nous portons encore, inscrites dans notre corps et notre cerveau, que nous le voulions ou non, depuis des centaines de milliers de générations, les aptitudes congénitales distinctes nécessaires pour accomplir cette tâche. Un legs distinct.

Donc, ce livre est un roman policier qui remonte le temps à travers notre évolution biologique mais qui commence par examiner et déblayer les hypothèses, mythes et orthodoxies fondés sur un passé *immédiat*. C'est *aussi* une enquête sur le présent — un récit qui expose les conclusions des travaux en laboratoire des spécialistes du cerveau du monde entier, ainsi que les controverses qui entourent souvent ces déductions. Enfin, c'est un roman d'anticipation — à propos d'un futur que la science crée en ce moment même. La science, comme nous l'avons souligné, est le couteau, la lame avec laquelle nous découpons notre avenir. Cependant, comme nous l'avons souvent vérifié au cours du passé, cette lame est à double tranchant. Dans un sens, la nouvelle science de l'homme et de la femme peut nous contraindre à l'avenir à réviser certaines de nos institutions, à remettre en question notre libération fraîchement acquise, et à rectifier la croyance que nous chérissons le plus à propos de l'être humain: notre soi-disant statut d'êtres « civilisés » qui nous place au-dessus du reste de la création. Par ailleurs, cette science peut aussi nous orienter vers un futur où nous serons incités à mécaniser et à industrialiser nos propres corps à outrance, grâce aux nouvelles technologies chimiques et génétiques que la science commence à nous proposer.

Nous vivons à présent une étape révolutionnaire de notre évolution. Les scientifiques spécialistes du cerveau creusent jusqu'aux racines de la créativité et de l'apprentissage, du sommeil et de la sexualité, du plaisir et de la douleur. Et ils seront bientôt en mesure de fournir aux hommes et aux femmes les nouveaux instruments qui leur permettront de modifier la manière dont ils éprouvent, interprètent et appréhendent le monde. Nous disposerons de nouveaux moyens pour maîtriser l'accoutumance, l'appétit et la mémoire; d'une nouvelle approche, par l'intermédiaire du cerveau, pour contrôler nos fonctions reproductrices et les dysfonctions sexuelles; et de nouveaux traitements pour soigner la dépression, la sénilité, la schizophrénie et le stress, soit les Quatre cavaliers de l'Apocalypse de l'homme des temps modernes. Nous nous engageons à vive allure dans une époque où il nous sera possible de changer le monde en modifiant la perception que notre cerveau a de lui. Une époque où la concentration, la protection contre le stress et l'anxiété, la mémoire, le plaisir et même l'orgasme, seront à la disposition de tout un chacun, à l'instant même, sous forme chimique.

Simultanément, nous assistons aux balbutiements d'une nouvelle science dont le but est de s'immiscer directement dans les processus d'évolution qui ont fait de nous des hommes ou des femmes. Les savants ont à leur portée la possibilité de réécrire de fond en comble les scripts génétiques des foetus humains au moment où ceux-ci sont encore dans la matrice. Du reste, il n'est pas utopique d'imaginer une époque, très semblable au *Meilleur des mondes* d'Aldous Huxley, où les cellules reproductrices seront sélectionnées et conservées, où les bébés éprouvettes feront partie de la routine quotidienne, et où le potentiel génétique humain pourra être modifié du tout au tout. Si cela se produit, les caractères mâles et femelles de nos descendants seront considérés comme une incongruité, de même que l'héritage congénital du cerveau mâle et femelle. Dès ce stade, nous aurons supprimé le hasard dans nos fonctions reproductrices et nous serons tout simplement devenus les produits modifiables à loisir de notre propre biotechnologie.

Cet ouvrage n'apporte pas de réponses toutes faites à ces problèmes. Mais ces deux scénarios sont en germe dans la nouvelle science de l'homme et de la femme. Et, face à nos descendants, nous sommes responsables du choix à faire entre les deux. Nous ne pouvons assumer cette responsabilité en reléguant la science dans notre inconscient, où les petites peurs rencontrent les grandes ignorances. Nous ne pouvons non plus tenir pour acquises les vieilles théories scientifiques orthodoxes tout en idolâtrant de loin la nouvelle science. Notre devoir face aux générations futures consiste à tenter de comprendre jusqu'où la science de l'homme et de la femme a poussé, jusqu'à présent, *sa propre* interprétation de notre place au sein de la nature et des différences qui nous séparent, et à déterminer dans quelle mesure elle est capable de surmonter celles-ci petit à petit. C'est en fait le sujet même de ce livre.

Une grande partie des thèses exposées dans cet ouvrage est, nous l'avouons, sujette à controverse. Car le fait même de suggérer qu'il existe des différences fondamentales entre les hommes et les femmes équivaut encore à provoquer des réactions de colère frustes et à se voir opposer la conviction que l'on commet une injustice, un affront contre la santé morale de notre société. De plus, en insinuant que ces différences sont innées, inscrites dès la vie prénatale dans nos fonctions cérébrales, nous commettons, aux yeux de bien des individus, le crime par excellence. Cela est considéré comme purement arbitraire et semble aller à l'encontre des doctrines du courant dominant de la science et des puissantes institutions de la psychologie et de la sociologie.

Tout cela signifie que nombre de savants, avec lesquels vous ferez connaissance dans cet ouvrage, ont souvent dû faire face à des attaques sur deux fronts. Ils ont été traités d'obsédés de la biologie, de dissidents ennemis de la psychologie. Et ils ont été étiquetés comme autocrates, antiféministes virulents ou féministes enragés, selon le groupe d'où provenait l'attaque. Cela a eu un impact considérable sur la manière dont leurs travaux ont été reçus, même par leurs confrères. Un certain nombre de scientifiques — de sexe féminin pour la plupart — nous ont fait part de leurs difficultés à obtenir des subventions et publier des articles dans les journaux spécialisés. Une chercheuse scientifique de renommée internationale nous a raconté qu'une de ses demandes de subvention avait été rejetée. Le motif du refus n'était pas le manque d'intérêt du sujet de recherche — la note obtenue était au contraire très élevée — mais le fait que, selon les termes mêmes d'un des évaluateurs, « ce travail ne devait pas être fait ». Il était perçu comme antihumaniste.

Ce point de vue est très répandu. Il en dit long sur l'atmosphère qui, à notre époque, imprègne les mentalités. Mais il persiste à ignorer que ce que nous avons baptisé *jusqu'à présent* « science de l'homme et de la femme » est essentiellement un château de cartes érigé sur les préjugés du passé. C'est cette structure fragile que la véritable science moderne du cerveau — avec toutes les conséquences que cela implique pour chacun de nous, en tant qu'homme ou femme — est en train de remplacer, lentement mais sûrement.

PREMIÈRE PARTIE

Nature et culture

Chapitre 1

Mort du vieil homme, naissance de l'homme nouveau

Il y a 125 ans, un nouveau dogme scientifique fut lentement introduit. Il devait marquer fortement la mentalité de son époque et persister fort longtemps. En ce temps-là, on ne savait à peu près rien du cerveau humain, si l'on en croit la première édition contemporaine de l'*Anatomy* de Gray. On savait seulement que les gens intelligents possédaient des cerveaux plus lourds et plus volumineux que les débiles mentaux, ce qui était un bien faible point de départ. Cela incita néanmoins tout un groupe de spécialistes du cerveau, dont Samuel George Morton de Philadelphie et Paul Broca de Paris, à se précipiter dans les morgues et dans les infirmeries pour rassembler des vieux os et mesurer au moyen de tout l'attirail anthropométrique une grande variété de crânes humains. Ils parvinrent, à un cas près, à la même conclusion claire et limpide. Les femmes étaient affligées dès la naissance d'une intelligence très inférieure à celle des hommes. Les mesures anthropométriques effectuées par les deux savants, qui avaient même pris en considération la taille des chapeaux des génies disparus, leur permirent de classer l'humanité suivant un ordre de préséance. Les protestants anglosaxons de race blanche et de sexe masculin arrivaient en tête, suivis par d'autres Européens du Nord, puis par les Slaves, puis par les Juifs et, très loin derrière, par les Noirs et les sauvages qui fermaient la marche. Les femmes de race blanche, en raison de la taille de leur cerveau, furent placées au même niveau que les Noirs et les sauvages, et la disposition de certains éléments de leurs crânes permettait d'établir une similitude avec les enfants de race blanche et de sexe masculin.

Cette découverte était en harmonie parfaite avec la notion «d'échelle naturelle», hiérarchie implicite de la création, dont l'homme, doté d'une âme immortelle, était le couronnement, le plus haut degré de perfection. Cela cadrait aussi parfaitement avec les idées révolutionnaires de Darwin au sujet de l'évolution et de l'origine des espèces. Car la loi naturelle pouvait être aisément appliquée aux différences qui avaient été constatées, et les échelons supplémentaires de l'échelle pouvaient être démontrés scientifiquement. Les Européens de sexe masculin avec leur supériorité technologique et leur cerveau plus volumineux, étaient, selon la nouvelle terminologie, nettement plus *évolués* que leurs cousins des autres continents, plongés dans les ténèbres de l'ignorance et soumis à leurs instincts. Ils étaient aussi plus évolués que les femmes de leur propre milieu. Tous les signes et les indices rassemblés par les chercheurs scientifiques de l'ère victorienne allaient dans le même sens. Si les femmes, par leur apparence et par leur absence de poils et de muscles ressemblaient plus aux enfants qu'aux hommes de leur propre race, c'était, selon la théorie de la récapitulation de Ernst Haeckel, une raison supplémentaire d'affirmer que leur développement s'était arrêté à un stade précoce de l'évolution de l'humanité. Si les hommes présentaient plus de variations extrêmes que les femmes (on trouvait parmi eux plus d'idiots et plus de génies, par exemple, comme Havelock Ellis le soulignait) cela prouvait une fois de plus que les hommes étaient le moteur essentiel de l'évolution humaine, la source de la différenciation des espèces, l'origine de tous les progrès. Quant à elles, les femmes constituaient un groupe humain immuable, étant essentiellement vouées à la reproduction. Si la femme, par son cerveau, était plus proche de l'enfant et du primitif, elle était aussi beaucoup plus innocente, plus instinctive, et exigeait plus de protection que l'homme. Et si les différences sexuelles étaient plus accentuées dans la race blanche que dans les races primitives, c'est que ces caractéristiques avaient été creusées au cours de la marche progressive de l'humanité vers sa perfection. La femme, selon toute évidence, était le véhicule qui permettait à l'humanité de poursuivre sa lutte pour l'amélioration de la race à travers tous les stades de l'évolution. Mais les hommes étaient les éléments moteurs. Leur destin était d'assumer la responsabilité de leur intelligence plus développée. Et le destin des femmes était d'assurer les fonctions reproductrices. Si elles refusaient ce rôle, elles commettaient une faute grave contre l'évolution de l'espèce.

Ce dogme scientifique, modelé et engraissé à partir de la synthèse de ces éléments bruts, fut ressassé, sous des formes diverses et en différents endroits, jusqu'à l'aube de la Première Guerre mondiale. Le fait qu'il était basé sur une interprétation confuse de l'oeuvre de Darwin n'avait aucune importance. Cette théorie justifiait les choix politiques et sociaux de l'époque.

Les Européens de sexe masculin dominaient le continent, le monde des affaires et les foyers en vertu du droit divin qui leur était conféré par l'héritage de l'évolution. Et leurs femmes, plus centrées sur leur fonction reproductrice que sur leur cerveau, trouvaient leur place naturelle dans les salles d'accouchement, les chambres d'enfants et les salons, où elles portaient et élevaient leur progéniture et se plaignaient de maux psychosomatiques que les docteurs de sexe masculin diagnostiquaient de plus en plus fréquemment chez elles.

Si le dogme scientifique en question nous semble à présent dépassé et mesquin, le produit typique de l'ignorance et de la bigoterie d'une époque révolue, nous devons cependant marquer un temps d'arrêt afin de nous rappeler que certains des esprits les plus illustres de la science de cette époque ont participé à son élaboration. Pour le meilleur et pour le pire, c'était la science de cette époque, avec son apparence de rigueur, de logique, d'objectivité et de cohérence interne. Nous devons aussi nous souvenir que bien que cette théorie soit rapidement tombée en désuétude, elle a cependant laissé des traces dans l'esprit du public — et même dans une certaine mesure dans la science — jusqu'à nos jours. En vérité, jusqu'en 1960, cette théorie a fait la pluie et le beau temps dans l'opinion publique. Pour parler crûment, après tout, ajoutons que cette théorie soutenait que la nature et la biologie étaient toutes-puissantes. Fonctionnant par l'intermédiaire des unités de développement des caractères héréditaires définis par Gregor Mendel et baptisés gènes par Wilhelm Johannsen en 1909, elles avaient le privilège exclusif de déterminer l'intelligence des hommes et des femmes, leur statut vital et le degré d'accomplissement dont ils étaient capables. Dans ces conditions, les différences sexuelles et la hiérarchie sociale étaient le résultat et l'expression de l'action des forces naturelles. Si on tentait de modifier ces différences, on commettait un crime contre nature et on s'engageait dans le désordre et l'anarchie.

L'argument fondé sur la prééminence de la nature a fait long feu. Et les gens qui s'accrochent encore à des théories comme celles que nous avons évoquées sont considérés le plus souvent comme des êtres réactionnaires et conservateurs, opposés à l'égalité et à la création d'une société meilleure. Nous considérons que ces retardataires nagent dans l'erreur parce que nous sommes fiers de posséder des faits qui sous-tendent un jugement plus éclairé. Nous nous appuyons sur un *nouveau* dogme scientifique qui correspond mieux à notre époque. Cette théorie moderne proclame que les individus de tout sexe et de toute race sont le produit non pas des facteurs biologiques, mais du milieu social dont ils sont issus. La psychologie de chaque être humain est le produit non pas des chromosomes mais du réseau d'influences sociales et de relations interpersonnelles qu'il entretient avec son milieu social. Et les différences sexuelles, entre autres choses, sont progressivement acquises au sein du milieu social. La culture, ou pour utiliser un mot à connotation plus émotive, la nourriture sociale, est l'élément de base du développement de la personnalité humaine, de ses buts et de ses aspirations, de ses fautes et de ses échecs, de ses aptitudes et de ses habiletés. La nature, ce vieil épouvantail, ne joue aucun rôle là-dedans.

Cette théorie scientifique est évidemment beaucoup plus humaine que celle qu'elle a supplantée ; elle représente l'incarnation dans la science non seulement d'un Adam chauviniste et d'une Ève soumise, mais aussi des enfants de Caïn maudits à jamais et réduits en esclavage. Elle est aussi démocratique. Elle contient en germe l'argument selon lequel les différences entre les individus et les classes sociales peuvent être éliminées à jamais. Elle nous fait entrevoir la possibilité d'établir dès la naissance des conditions égalitaires pour tous. Dans cette mesure, donc, cette théorie exprime l'idéologie fondamentale du pays où elle a vu le jour. La vieille théorie — ou plutôt la vieille idéologie — était le rejeton d'une Europe colonialiste et impérialiste, obsédée par la hiérarchie sociale et par la nécessité d'assurer la transmission des noms et des fortunes. La nouvelle théorie, par contre, était l'enfant du Nouveau Monde. Elle reflétait les aspirations libérales et progressistes de l'Amérique qui désirait se libérer de l'histoire, de la hiérarchie sociale, du désir de domination et enfin du fardeau des préjugés raciaux et sexuels. C'est, bien sûr, fort louable. Mais cela ne signifie pas que la nouvelle théorie, qui prédomine actuellement dans l'opinion publique, soit moins entachée d'idéologie que celle qui l'a précédée. Cela ne signifie pas non plus qu'elle n'ait pas favorisé et fait surgir, de la même manière, de nouveaux compromis politiques et sociaux en Amérique et dans d'autres parties du monde.

Mais avant tout, peut-être, même si nous considérons cette théorie comme un acquis, même si nous constatons qu'elle est enchâssée dans les institutions et les attitudes propres à notre culture, cela ne signifie pas qu'elle représente la vérité suprême. Les théories scientifiques, comme nous le voyons parfaitement dans le domaine de la physique, sont construites à partir de matériaux de base — données, outils et techniques — qui peuvent servir à tout moment. Ces théories fournissent une explication cohérente du monde au détriment de certains éléments qui sont rejetés dans l'ombre. Il se peut alors qu'elles soient éliminées par l'apparition et l'adoption de nouvelles techniques, de nouvelles découvertes et de nouveaux domaines de recherches. Car ces théories ne représentent pas seulement le savoir et le confort intellectuel, mais aussi les compromis, l'ignorance et les voies non explorées.

Pour une vision plus claire de cette situation, pour comprendre comment la science de l'homme et de la femme a effectué un découpage constant entre la psychologie individuelle et les influences culturelles, et afin de saisir la raison des levées de boucliers que provoquent souvent les travaux des spécialistes du cerveau dont nous parlerons dans cet ouvrage, nous devons revenir en arrière et voir comment le nouveau dogme scientifique s'est construit sur les ruines de l'ancien dogme et où il nous a menés.

Le monument érigé aux valeurs mâles bourgeoises, qui fut la contribution de l'anthropologie victorienne à la thèse de la différenciation des sexes, s'est effondré pour une multitude de raisons. D'une part, cette théorie s'est écroulée parce qu'une fois éteinte sa fièvre de mensurations, la science du cerveau s'est trouvée dans l'incapacité de fournir de nouveaux arguments. Les savants se mirent à comparer quelques subdivisions du cerveau chez l'homme et chez la femme et les résultats, comme on pouvait s'y attendre, attribuaient à l'homme le privilège des facultés mentales plus élevées tandis que le domaine de «l'intuition» était concédé à la femme. Mais les scientifiques furent très tôt confrontés à une dure vérité : bien qu'ils possédaient une vision globale des fonctions des différentes zones du cerveau chez l'homme, la femme et le primitif, ils ignoraient tout de la manière dont le cerveau de chacun d'eux fonctionnait. Ainsi, ils quittèrent le devant de la scène et retournèrent dans leur laboratoire ; les trente ou quarante années qui suivirent furent consacrées à l'étude du code utilisé par le système nerveux masculin et féminin. Cela laissait le champ libre aux anthropologues et aux partisans de la théorie évolutionniste qui faisaient preuve d'une plus grande prudence dans leur exégèse des travaux de Darwin. Ce fut eux, en fin de compte, qui dynamitèrent la théorie de l'histoire de l'humanité centrée abusivement sur l'homme européen.

Tout d'abord, ils comprirent rapidement que les primitifs avec qui ils étaient entrés en contact ne correspondaient pas du tout à l'image de sous-humains uniformément arriérés que les savants manipulateurs de crânes avaient imposée. Ils étaient aussi différents les uns des autres que les habitants du nord de l'Europe, et en dépit de leurs méthodes primitives de production, ils n'en étaient pas moins humains. Deuxièmement, puisqu'il devenait de plus en plus clair que les cultures raffinées étaient apparues très tôt dans l'histoire de l'humanité, il devenait inutile de continuer à croire que la culture victorienne se trouvait au sommet de l'échelle de l'évolution humaine, conçue comme une ligne droite harmonieusement ascendante. Et troisièmement, une lecture plus objective des travaux de Darwin confirmait que l'évolution n'était pas en fait une échelle au sommet de laquelle se trouvaient les habitants de Paris et de Londres, mais ressemblait plutôt à un arbre généalogique. Les hommes, les femmes et les primitifs, quelle que soit leur provenance, se trouvaient tous sur la même branche. Ils appartenaient à la même espèce, possédaient les mêmes fonctions biologiques et étaient issus du même primate.

Cette conclusion aurait pu conduire à l'avènement d'une science fondée sur la place de l'homme dans le règne animal. Elle aurait pu replacer d'autorité l'homme et la femme au sein de la nature. Mais il aurait fallu pour cela renier la conviction victorienne de la bassesse de l'instinct et de l'intolérable démangeaison de la chair. Il aurait fallu jeter l'homme Blanc, si fier de son âme immortelle, au bas de son trône, et l'humilier en lui faisant prendre conscience qu'il n'était qu'un singe nu, bipède, doté d'un gros cerveau, d'un sexe masculin ou féminin. Et par-dessus tout, il aurait fallu combattre la force des préjugés raciaux. Car si tous les hommes étaient des frères, quelle que soit la couleur de leur peau, comment pouvait-on justifier la supériorité évidente de certains d'entre eux?

La réponse, bien entendu, se trouvait dans la culture. La culture est ce qui sépare l'homme des animaux et rend un groupe d'hommes supérieur à un autre. Les hommes et les femmes sont à la fois créateurs et produits des sociétés où ils vivent. Les fonctions naturelles et biologiques qu'ils partagent sont, dans ce domaine, hors de propos. C'était un moyen commode de se tirer du dilemme; l'homme gardait un rôle dominant dans l'élaboration de la culture et les sauvages, en tant que primitifs, restaient à leur place. Cette théorie se figea alors rapidement dans un dogme scientifique conventionnel, ce qui devait avoir des conséquences importantes. Cela provoqua en effet une scission entre la théorie de l'évolution biologique et la théorie de l'évolution culturelle, et la séparation de l'anthropologie en deux disciplines distinctes, soit l'anthropologie physique et l'anthropologie culturelle. Pendant les 70 années qui suivirent, particulièrement en Amérique du Nord, les deux sciences humaines que sont la théorie de l'évolution et l'anthropologie devaient occuper la tribune d'honneur, avec à leur tête des vedettes comme Margaret Mead et Bronislaw Malinowski. Leurs parents pauvres, l'anthropologie physique et la théorie de l'évolution biologique, furent relégués à l'arrière-plan.

La période que nous évoquons coïncida avec l'émergence d'une nouvelle science intuitive du cerveau qui prit la relève de la science des caractéristiques physiques du cerveau, alors en pleine décadence. Cette nouvelle science du cerveau, faute de mieux, considérait le cerveau, ou l'esprit, comme une boîte noire, où des fils entraient (expérience) et sortaient (comportement). Le contenu de cette boîte noire pouvait être déterminé en établissant des liens entre des données initiales erronées et un résultat anormal (Sigmund Freud, père de la psychanalyse). On pouvait également déclarer à l'instar de John B. Watson, père du behaviorisme, que ce contenu, sorte de pont jeté entre le stimulus et la réponse, ne pouvait être connu et, par conséquent, ne présentait aucun intérêt. Les deux théoriciens accordaient l'un et l'autre peu d'importance à ce qui se trouvait dans la boîte noire avant la naissance. Pour John Watson, dont la théorie fondée de manière absolue sur le milieu social ne tenait même pas compte de la pensée et de la conscience, seuls comptaient les comportements acquis. Leurs opposés, les comportements innés ou instinctifs, quoique admis par Freud, étaient considérés par ce dernier comme une force qui perturbait l'ardent besoin de socialisation de l'individu. Cela peut sembler un peu injuste envers Freud qui proclama, après tout, la primauté des pulsions sexuelles tout en considérant l'inconscient comme un champ de bataille entre l'instinct et la culture ; il croyait par conséquent à l'existence de caractères biologiques innés du cerveau, peut-être différents chez l'homme et chez la femme. Mais c'est précisément cet aspect de sa pensée qui a été le plus mutilé par ses disciples, souvent de tendance socialiste ou féministe, qui devaient fonder l'école américaine de psychanalyse. Quoi qu'il en soit, le problème n'est pas que Freud n'accordait aucune importance à l'instinct, mais qu'il le considérait comme suspect sur le plan moral. C'était, selon Freud, la culture et la marche progressive de l'individu et de la société vers la civilisation qui permettaient de domestiquer l'anarchisme latent des instincts. Voilà pourquoi la culture, pour lui comme pour Watson, était l'élément déterminant de la formation de la personnalité individuelle.

La culture donc, ou ses avatars (nourriture sociale, expérience, comportements acquis, réflexes conditionnés) devint dans les trois ou quatre premières décennies du vingtième siècle, le point de mire de tout anthropologue digne de ce nom et, simultanément, la cible commune des deux principales écoles de pensée psychologiques engendrées par notre siècle. Cet accord, qui consacrait un nouveau dogme scientifique, provoqua une fermentation grisante des idées à laquelle une nouvelle discipline, la sociologie, qui devait par la suite exercer une influence considérable, apportait une saveur particulière. Au cours de la période qui a précédé la Première Guerre mondiale, la sociologie n'était que le faible rejeton de l'anthropologie culturelle. Les sociologues de cette époque se consacraient à l'étude des primitifs et de la préhistoire. Ils débattaient avec ardeur des problèmes tels que la date d'apparition de la cellule familiale humaine, très récente d'après eux, et l'existence, très vraisemblable, d'une phase matriarcale dans l'évolution humaine. Les preuves mises de l'avant dans chaque cas étaient pour le moins disparates mais ces théories eurent le mérite de soulever l'enthousiasme des intellectuels radicaux. Puis, dans les années 1920, une nouvelle science s'organisa.

Sous la ferme autorité d'hommes tels que Émile Durkheim et Charles Horton-Cooley, la sociologie prit sa forme moderne. A partir de ce moment, la théorie évolutionniste et les spéculations sur l'histoire furent abandonnées et considérées comme inutiles et peu rentables. Les considérations générales durent plier bagage. Désormais l'ambition de cette science balbutiante fut de décrire le réseau de relations — interpersonnelles et institutionnelles — qui participaient à la formation de l'individu mâle ou femelle. L'individu n'était-il pas le véhicule de la culture de sa société? Il pouvait être décrit, à peu de chose près, comme le résultat d'un processus de socialisation. Pour comprendre le fonctionnement de la société, l'individu — en tant qu'enfant, étudiant, citoyen, parent, produit social — devait devenir un sujet d'expérience et d'étude approfondie. Ses motivations et ses sentiments, sans parler bien entendu de ses instincts, se trouvaient en dehors du champ d'investigation de la sociologie. Seules comptaient les influences, saines ou malsaines, de la famille, de l'école, de la communauté urbaine, etc.

En d'autres termes, sur les ruines du vieux dogme scientifique, surgirent, après être passées par quelques théories bouche-trou du cerveau et dans une impasse, les trois sciences «modernes» de l'homme et de la femme, lesquelles professaient la même vision du monde, étaient embarquées dans le même projet et se fondaient sur les mêmes hypothèses. Ces trois sciences considéraient que la théorie évolutionniste n'était d'aucune utilité lorsqu'elle était appliquée au comportement humain. Les facteurs déterminants et les causes de ce dernier étaient toujours d'origine culturelle et non d'origine biologique. Appliquer la théorie évolutionniste au comportement humain était aussi absurde que d'expliquer l'attraction interplanétaire en fonction des variations des cours de la Bourse. La théorie évolutionniste, dans ce domaine, était inapplicable. La biologie était immatérielle. Et l'histoire était simplement le récit des erreurs qui avaient été commises dans le passé. Les hommes et les femmes n'étaient prisonniers ni de l'un ni de l'autre. Au contraire, ils venaient au monde libres et intacts, et c'était les influences culturelles auxquelles ils étaient exposés qui faisaient d'eux des êtres sains ou malsains.

C'est cette idée de climat social sain qui finalement fondit les trois sciences en une seule. La santé sociale — le changement, le traitement et la prévention des troubles à la fois sociaux et individuels — devint fondamentale dans le rôle que joua chacune d'elles dans les années 1930, 1940 et 1950. L'anthropologie culturelle s'efforça d'étudier à travers le monde entier les systèmes d'éducation des enfants et de parenté, et par-dessus tout, les comportements sexuels afin de les faire connaître, à titre d'exemples, à une Amérique qui fut déclarée, dans les années 1940, comme l'une des trois sociétés au monde où le sexe était tabou. Les sociologues se mirent à fureter dans les familles et dans les corridors des écoles, analysant, jugeant et suggérant des méthodes plus hygiéniques pour élever et éduquer les enfants. La psychologie, de même que la psychiatrie et la psychothérapie, en vint à se considérer comme une science dont le rôle était de réparer les dommages causés par les erreurs de la société, de soulager la douleur morale des hommes et des femmes et le cas échéant, de corriger les maux collectifs. Au fur et à mesure que leur influence grandissait au sein du public, les trois disciplines furent auréolées d'un prestige incomparable. Sociologues, anthropologues et psychologues devinrent les « experts » par excellence, qui examinaient et soignaient le psychisme individuel et se penchaient sur le corps malade du système politique. Les trois sciences créèrent, d'un commun accord, l'idéologie qui a été le pivot de notre époque.

Chapitre 2

Vérités ou conséquences

Cette idéologie, qui a de nos jours imprégné tous les recoins de notre société, soutient qu'à chaque trouble psychologique ou à chaque échec correspond une explication sociale, et vice versa. Elle soutient que les hommes et les femmes viennent au monde avec un psychisme vierge comme une feuille de papier blanc qui sera marquée du sceau de la personnalité par les institutions culturelles et les structures sociales existantes. A l'heure actuelle, les pays occidentaux considèrent de plus en plus la liberté comme l'absence de troubles psychologiques causés par des influences sociales malsaines ou des contraintes et des tabous sociaux. L'égalité a effectivement été redéfinie comme la similitude ou une véritable égalité des chances pour tous dans le domaine de la santé mentale.

Les efforts accomplis en Occident pour la réadaptation psychologique des prisonniers, les services massifs de bien-être et d'assistance sociale, et les centaines de types de psychothérapies peuvent être expliqués par cette idéologie. Soutenue solidement par les dogmes scientifiques, elle dicte également aux hommes et aux femmes la manière dont ils doivent se percevoir eux-mêmes et concevoir leurs relations avec autrui.

Par le truchement de la soi-disant révolution sexuelle et l'avènement du féminisme, elle a progressivement imprégné et teinté toutes nos relations et responsabilités — en tant que travailleurs, amants, conjoints et parents.

D'emblée, la révolution sexuelle et l'avènement du féminisme étaient simplement l'extension, dans les domaines de la sexualité et du genre, de l'idéologie introduite par les sciences sociales favorisant les activités susceptibles d'aider les individus à trouver ou à garder leur équilibre psychologique. En effet, la période de 1960 à 1970, où cette idéologie commença à être utilisée comme un instrument de politique sociale, coïncidait avec la période où les femmes de toutes classes et de tous âges commençaient à se présenter en grand nombre sur le marché du travail et où de nouvelles formes plus efficaces de contraception féminine étaient largement mises à leur disposition. Elles se mirent alors à réclamer de nombreux métiers jusqu'alors réservés aux hommes. Un grand nombre d'entre elles se sentirent libres d'adopter un comportement sexuel semblable à celui des hommes, et qu'elles avaient longtemps refoulé. Brusquement, les contraintes biologiques qui avaient été la base traditionnelle du rôle qui leur était attribué au sein de la société, ne coïncidaient nettement plus avec ce qu'elles étaient et ce qu'elles désiraient être. Aussi revendiquaient-elles le type d'égalité et de liberté défini par l'idéologie. Car si les caractéristiques biologiques n'étaient pas pertinentes et que les femmes étaient, comme les hommes, le produit de déterminismes culturels, alors toutes les différences entre les attitudes, les attentes et les aptitudes des deux sexes avaient été imposées par le milieu culturel. Ces différences devaient être le résultat des préjudices psychologiques subis par les femmes tout comme des contraintes et des limitations imposées artificiellement par la société.

Au même titre que les différences de classe, d'intelligence et de personnalité, par exemple, la véritable nature des différences sexuelles était enfin publiquement dévoilée : elles avaient été créées de toutes pièces par l'environnement social, par l'intermédiaire d'un système d'éducation partial et discriminatoire. Leur existence même était une injustice. Au sein d'un système authentiquement démocratique, elles auraient pu, et auraient dû, être éliminées. Dans une telle démocratie, la petite Jeanne serait libre de jouer avec des camions et le petit Jean avec des poupées, au mépris des conventions qui, tout au long de l'histoire, ont modelé le comportement des garçons et des filles. Dans une telle démocratie, les hommes et les femmes, libérés des déterminismes sociaux et des contraintes biologiques, seraient libres d'avoir des relations sexuelles avec les partenaires de leur choix, au moment et à l'endroit où ils le désireraient. Les relations sexuelles seraient devenues un échange riche et complet entre individus sains, une expression de leur santé mentale et physique. Et l'égalité des hommes et des femmes se serait enfin propagée de la banque à la chambre à coucher, en passant par la salle du conseil.

Cette séduisante équation entre liberté sexuelle, égalité des sexes, justice et hygiène sociale permit à la science de passer rapidement de l'orthodoxie à l'idéologie, puis à l'opinion publique. Sous cette forme, elle couvrait finalement tous les tenants et aboutissants de la vie humaine, toutes les activités privées ou publiques. Au-delà de *toutes* les divisions politiques et sociales de race et de classe, elle atteignait finalement la distinction la plus fondamentale de toutes: le genre. A travers toute la gamme des activités humaines, elle atteignait la plus essentielle de toutes: les relations sexuelles. Certaines conséquences de cette idéologie peuvent peut-être prêter le flanc aux controverses. Le rôle le plus important de l'école est-il vraiment de fournir à l'élève un milieu protecteur favorable à l'épanouissement de sa santé mentale? Le criminel est-il *seulement* le produit des aliénations de son environnement social? A tout le moins, dans les pays occidentaux, nous sommes de plus en plus convaincus de la proposition suivante: les hommes et les femmes sont égaux et semblables, plutôt qu'égaux et différents. Bien sûr, la nature les a pourvus d'organes sexuels et reproducteurs différents. Et bien sûr, les femmes doivent faire face aux risques d'une grossesse, avec tous les inconvénients que cela représente. Mais ces facteurs ne sont pas plus pertinents: ils peuvent être modifiés grâce à des moyens de protection efficaces, comme un interrupteur que l'on ouvre ou que l'on ferme.

Tant que la science du cerveau a joué un rôle secondaire, que l'anthropologie physique a continué à labourer son étroit sillon et que les évolutionnistes se sont tenus à une distance prudente de l'homme, cette vision de l'homme et de la femme comme de purs produits de la culture et de l'esprit, libres des contraintes biologiques, était adéquate. En vérité, les nouvelles qui parvenaient des chercheurs scientifiques de première ligne contribuaient à maintenir en place le dogme scientifique, protégé par l'écran de l'opinion publique. Au-delà de cet écran, les éthologistes pouvaient continuer leurs interminables études sur les mouettes, les oies, les chimpanzés et les singes. Mais ces créatures sans culture, dominées par leurs instincts, ne pouvaient qu'offrir une parodie ridicule de la complexité humaine. Au-delà de l'écran, les endocrinologues pouvaient utilement examiner les systèmes hormonaux qui, chez les chiens et les rats, contrôlent la tension artérielle, le métabolisme du glucose et le cycle sexuel de la femelle. Mais cela avait pour le moins un rapport très lointain avec les problèmes plus nobles de l'esprit humain et les influences de la culture; ces études concernaient un domaine tout à fait distinct, celui du corps. Non, en deçà de l'écran protecteur, le sujet d'études adéquat ne peut être que l'homme, et son esprit. Et les nouvelles qui circulent tout autour de cette place forte sont presque toujours excellentes. On apprend ainsi que les hommes et les femmes peuvent changer de sexe à loisir, en fonction de l'orientation sexuelle qu'ils choisissent à l'âge adulte. La seule forme d'aide dont ils ont besoin est la psychothérapie

et une bonne injection d'hormones. Les enfants affligés à leur naissance de parties génitales ambiguës peuvent, selon l'humeur du
chirurgien, être amputés d'un sexe ou de l'autre. Il leur suffira, au
cours de leur croissance, d'absorber la quantité adéquate d'hormones et de recevoir l'éducation qui correspond à leur sexe. Les êtres
humains, en tant que produits de la culture et de la pensée, peuvent apprendre n'importe quoi s'ils reçoivent l'aide appropriée. Ils
peuvent apprendre à éliminer leurs propres troubles, déviations et
anomalies. La seule condition est qu'ils doivent se soumettre au
nouveau système de valeurs — à ses hypothèses, ses méthodes, ses
spécialistes.

Durant les vingt dernières années, en d'autres termes, le nouveau système de valeurs est demeuré invulnérable. Car c'est un
grand bienfaiteur. Il peut délivrer les femmes de la servitude congénitale de leurs voies naturelles. Il peut libérer les transsexuels et les
enfants anormaux de l'esclavage de leurs parties génitales. Les thé-
rapies et les méthodes analytiques peuvent guérir la folie, la névrose et la dépression. Grâce aux statistiques, aux enquêtes et aux
études sur le comportement, la société peut connaître avec précision les domaines qui nécessitent des changements. Alimenté, forti-
fié et protégé de tous côtés, le système de valeurs qui a dominé au
cours de ces vingt dernières années a fortement influencé l'orientation des recherches sur l'homme et la femme, voire imposé les domaines, les sujets et les méthodes de recherche. Les conclusions
tirées de ces études, et la manière dont elles ont été appliquées, ont
été infléchies par le système de valeurs. Les problèmes organiques
restent en dehors du terrain, de l'autre côté de l'écran. Les problèmes des différences fondamentales entre les hommes et les femmes
sont également mis à l'index. Ainsi, le principal courant, à la fois de
la science et de la société dans son ensemble, est obsédé par des
statistiques qui montrent le côté éphémère du mariage et le taux
élevé des divorces et par les effets de la culture sur l'anxiété et
l'agression, le retard mental et l'éducation des enfants, les cocktails
et le comportement lors d'un choix par sélection du type «jelly-
beans».

Durant les vingt dernières années, donc — comme au cours du
grand bal de Bruxelles avant la bataille de Waterloo évoqué par
Byron dans Le Chevalier Harold — il n'y a pas eu une seule fausse
note durant le concert. Mais à présent, brusquement, au début des
années 1980, au moment même où le dogme scientifique et l'idéologie à laquelle il a donné naissance ont atteint les sommets de l'influence et du prestige, la science du cerveau est finalement parve-
nue à mettre au point une nouvelle vision de l'être humain. Les
scientifiques, qui ont longtemps et laborieusement vendangé dans
les vignes des différentes disciplines, se sont tout à coup aperçus
qu'ils avaient énormément de choses à échanger avec leurs confrè-

res et avec le public, si ce dernier ne refusait pas de les entendre. Ils avaient de nouvelles techniques et de nouvelles inventions à partager, une nouvelle histoire de l'homme et de la femme à raconter. Prudemment au début, mais à présent avec une vitesse croissante, la science du cerveau entre dans l'ère moderne aux côtés d'une nouvelle science de l'évolution. Et tous les petits ruisseaux de ces deux disciplines sont réunis en une grande rivière qui inonde à présent les places fortes de l'orthodoxie scientifique et menace de balayer trois idées pseudo-scientifiques qui orientent à présent la manière dont nous nous concevons en tant qu'hommes et femmes : l'idée des états psychologiques en tant que produits de l'esprit, l'idée de la séparation du corps et de l'esprit et l'idée selon laquelle le genre n'est pas inné mais acquis, et peut être modifié.

Au dix-neuvième siècle, sur la base de l'ignorance générale et d'une hypothèse bouche-trou sur le cerveau humain, la science nous a dicté la « manière adéquate » de nous concevoir en tant qu'hommes et femmes. Le même phénomène s'est répété au vingtième siècle. Sous l'impulsion et la direction de Freud et des réformateurs sociaux et sexuels qu'ils ont attirés, soit des sociologues comme Charles Horton-Cooley, des anthropologues comme Edward Sapir et des psychanalystes féministes comme Karen Horney, les projets conjoints de la psychologie et de la sociologie en sont venus à dominer tout notre système de pensée relatif à la signification du mot « humain ». Ils ont concentré notre attention sur l'esprit et la culture. Ils ont ignoré ou dédaigné tous les éléments qui n'entrent pas dans ces deux catégories — gènes, biologie et par-dessus tout, le sexe et la chimie particulière du cerveau humain.

Par conséquent, sous l'égide de ce que nous considérons comme la science officielle, nous avons appris à censurer et à rejeter entre nous toute allusion aux différences congénitales, y compris les différences sexuelles. Nous avons de la difficulté à prendre conscience des grands titres que la nouvelle science nous fournit presque quotidiennement. Par contre, nous dévorons des rapports statistiques et psychologiques qui deviennent rapidement périmés, comme si c'étaient les seules sciences dignes de parler de l'homme et de la femme — « 72 p. 100 d'hommes contre 63 p. 100 de femmes souffrent de stress »... « veulent vivre une histoire d'amour »... « sont infidèles »... « rejettent l'idée d'une femme président »... « font ou ne font pas la lessive ». Nous nous percevons de plus en plus comme des êtres passifs au psychisme fragile, qui se déplacent dans une galerie de miroirs où les explications sociales et psychologiques jaillissent les unes derrière les autres. Si on gratte un peu, croit-on, sous une dépression ou une agression, on risque de trouver un problème d'éducation. Si on dissèque une impuissance ou un manque d'ambition, on trouve une enfance malheureuse. Si on examine un échec ou une déception ou un problème sexuel, on trouve une culpabilité.

Ce mode de pensée est tellement enraciné en nous que l'appréciation des trouvailles de la nouvelle science nous demande un effort de concentration énorme. On nous apprend, en effet, que tous ces phénomènes que sont l'impuissance, l'éducation, l'échec, l'insatisfaction et les problèmes sexuels, sont gravés dans la structure et la chimie du cerveau mâle et femelle. Tout ce qui nous arrive dans notre environnement sera enregistré et codé d'une manière ou d'une autre par le cerveau. Cela modifie la conductivité électrique des cellules nerveuses dans les différentes parties du système. Cela modifie notre réceptivité ou notre sensibilité aux messages chimiques sur les différents réseaux du système nerveux. Ou bien cela change la manière dont les cellules nerveuses se courbent, se ramifient et entrent en contact les unes avec les autres par l'intermédiaire de milliers de liaisons synaptiques. Il est vrai que le cerveau est extrêmement complexe et qu'il est très difficile de trouver des points qui permettent d'en explorer l'intérieur; mais il possède aussi des caractéristiques physiques, des limites et des frontières. Du reste, tout ce qui se déroule à l'intérieur du cerveau peut être réduit, en théorie et en pratique, à un mécanisme physique observable. Votre mémoire fonctionne à l'intérieur d'une zone donnée par l'intermédiaire d'un mécanisme physique, d'une réorganisation des molécules et d'un ensemble de réactions chimiques. Il en va de même de votre expérience du plaisir. Ou de vos sensations douloureuses. Chaque lien que vous établissez avec le monde — chaque conversation, chaque action — est mis en oeuvre, favorisé, enregistré, contrôlé et stocké par des modifications électriques et chimiques dans les cellules nerveuses et aux points de contact entre celles-ci.

Au risque de nous répéter, ajoutons que le cerveau, c'est vous-même. L'esprit ne se trouve pas là où Descartes le situait, dans ce que Colin Blakemore, de l'Université d'Oxford, avait surnommé «le bouton énigmatique» de l'épiphyse. Nous ne sommes pas manipulés comme des marionnettes par des esprits suspendus au-dessus de notre crâne ou dispersés, de manière intangible, dans tout notre organisme. Il n'y a en fait que le corps et le cerveau, mâle ou femelle, qui forment un ensemble interdépendant. Vos défauts et vos sentiments s'inscrivent dans votre cerveau au fur et à mesure qù'ils se développent au contact du monde et par l'intermédiaire de votre propre corps. Et la biochimie cérébrale, c'est-à-dire l'interaction entre les centres nerveux de transmission, les hormones, les sécrétions chimiques et les systèmes de transmission de centaines de milliards de cellules cérébrales, détermine vos aptitudes, acquises cependant, à jouer au billard, au baseball, au don Juan, et à interpréter Chopin ou Shakespeare.

L'expérience, donc, ou la culture se trouvent dans le cerveau. Mais, bien entendu, la nature a aussi sa part : le programme génétique dévoilé qui est à la base de la formation de nos cerveaux, les racines de toute virilité ou féminité. Si cette pensée vous met mal à l'aise, si vous acceptez difficilement que la nature joue un rôle en vous, si vous jugez que toutes les différences cérébrales fondamentales entre les hommes et les femmes doivent être ignorées, même si elles existent, et que le dogme scientifique dominant correspond plus à la vérité et qu'il est plus gratifiant et plus humain que tout autre, vous devez prendre ceci en considération : le système de valeurs qui prévalait au début du siècle proclamait que le cerveau était par nature l'organe dominant chez l'homme, alors que la femme, possédant un cerveau plus faible et une quantité moindre de tissu cérébral, était par nature essentiellement centrée sur son utérus. Ce sophisme était le produit des préjugés et de l'ignorance, puisque, dans les études frénétiques de la taille du cerveau, aucune place n'a été accordée à la comparaison corps-masse et corps-poids. Outre les effets sur le plan politique et social, *cela a eu des conséquences médicales.*

Chez les femmes, tous les symptômes, de la dépression à l'irritabilité en passant par la tuberculose et la boulimie, étaient considérés comme les signes d'une dysfonction des organes reproducteurs. Les traitements furent variables selon les époques. On appliqua des sangsues sur la vulve et sur le col de l'utérus ; la matrice fut lavée avec des infusions de lait et de graines de lin ou bien cautérisée sinon brûlée, pour éliminer définitivement les problèmes, par des produits chimiques. Pendant une certaine période, la clitoridectomie fut à la mode. Et l'ablation de l'utérus demeurera longtemps un dernier recours dans les cas particulièrement réfractaires. En 1906, un gynécologue estimait que 150 000 femmes, aux États-Unis seulement, avaient perdu leurs ovaires sous le scalpel. On présume qu'un grand nombre d'entre elles étaient les victimes de « l'hystérie » — la maladie de l'utérus — qui était, bien entendu, la maladie par excellence de la femme à cette époque.

Il est vrai que nous sommes plus prudents de nos jours. Mais le système de valeurs de *notre époque* a eu aussi des conséquences médicales que nous commençons tout juste à percevoir. Des milliers de transsexuels en puissance, attirés par la libération d'un sexe que le système de valeurs favorisait, ont été physiquement floués par une métamorphose qui ne correspondait pas à leurs aspirations ; et les cliniques universitaires où ces transformations s'étaient opérées, avec la bénédiction des autorités scientifiques, ont été progressivement fermées pour la plupart. Un nombre indéterminé d'enfants souffrant à la naissance de graves malformations ont subi, semble-t-il, des transformations dans le mauvais sens qui ont fait d'eux des adultes écartelés, mal dans leur peau, incapables d'assumer le sexe qui leur a été attribué. Un nombre indéterminé de femmes, convaincues par certains décrets scientifiques — les explorations de Kinsey au moyen d'instruments semblables à des tampons, confirmées par les études de Masters et Johnson avec un matériel perfectionné — que le vagin était insensible et que son rôle dans l'atteinte de l'orgasme était nul, subirent des opérations visant à réduire la taille de leurs vagins. Il semble à présent que les tissus qui ont été méthodiquement enlevés étaient précisément le siège de la sensibilité vaginale et de son aptitude à l'orgasme.

Pour Masters et Johnson, le corps était une machine, une mécanique contrôlée par un esprit inorganique alimenté par des expériences, bonnes ou mauvaises. Et la représentation du corps comme une simple machine sexuelle et reproductrice, sans lien avec l'esprit, a remporté un franc succès et continue de se propager dans toutes les parties du monde. Dans les années 1950-1960, et jusque dans la décennie 1970, par exemple, les hormones étaient administrées systématiquement non seulement dans les cas de grossesse difficile mais aussi dans les cas de grossesse normale. Il semble que cela ait engendré chez certains enfants des troubles au niveau de l'expression du sexe, à la fois dans le cerveau et dans l'apparence physique. De même, on sait à présent que les hormones administrées sous forme de pilules anticonceptionnelles ont eu des effets secondaires affectant non seulement la santé du corps — phlébites et maladies cardiaques — mais aussi l'humeur et l'appétit sexuel directement liés au cerveau — irritabilité, dépression et perte de libido. Les études sur les effets à long terme de l'état artificiel de grossesse créé par la pilule brillent par leur absence. Et trop souvent, ces effets ont été traités comme s'ils étaient le résultat de troubles psychologiques plutôt qu'organiques, alors qu'ils étaient provoqués par les hormones contenues dans la pilule. Cette même hypothèse, selon laquelle les troubles psychologiques ont toujours des causes psychologiques, a condamné les parents à assumer l'entière responsabilité des troubles congénitaux de leurs enfants : l'autisme et même la schizophrénie ont été, jusqu'à une date récente, attribués à une forme d'éducation froide et intellectuelle. Et des centaines de milliers d'individus sont toujours condamnés à se plier aux coûteux rituels du confessionnal psychothérapeutique ou psychanalytique, alors qu'ils souffrent de *troubles organiques* du système cerveau-corps, qui peuvent être diagnostiqués et traités objectivement.

Tous ces faits constituent l'héritage d'une hypothèse selon laquelle l'assimilation, l'apprentissage, l'éducation et l'expérience sont les éléments essentiels. Les données inédites que la nouvelle science de l'homme et de la femme commence à nous fournir et qui constituent la matière de ce livre ont jusqu'à présent été laissées dans l'ombre. Nous sommes, comme nous l'avons déjà souligné, au début d'une ère nouvelle, qui nous force à rejeter les anciennes hypothèses. Pour bien saisir la portée de cette nouvelle science, il nous faut remettre en question «même les vérités les plus criantes» comme Norman Geschwind, professeur à Harvard, l'exige de ses étudiants de première année de médecine. Et revenir au point de départ en portant sur le monde un regard neuf.

DEUXIÈME PARTIE

Le cerveau

Chapitre 3

Une glande douée de raison

Tout en lisant ces lignes, pensez à votre cerveau. Vos yeux se déplacent à présent le long de cette ligne, effectuent le mouvement en sens inverse jusqu'au début de la ligne suivante. Vous traduisez en mots les symboles imprimés sur cette page. Vous les agencez en phrases, en pensées cohérentes. Vous êtes conscient des personnes qui les ont écrites dans le passé, vous entendez leur voix et concevez leurs objectifs. Vous êtes également conscient de vous-même. Vous tenez ces pages d'une main, entre le pouce et l'index, peut-être, tandis que l'autre main repose, prête à tourner la page au moment opportun. Vous remarquez, un peu à l'avance, que le paragraphe tire à sa fin. Et vos yeux s'abaissent et tournent vers la gauche pour prendre le paragraphe suivant à son début.

Vous êtes maintenant conscient des mouvements de vos yeux, et vous les sentez bouger dans vos orbites. Vous êtes conscient à la fois de cet effort de concentration et de votre environnement: la pièce où vous vous trouvez, l'angle de la lumière, la présence d'une autre personne, le son particulier du poste de radio ou de télévision. Votre main cherche à tâtons une tasse de café ou de thé dont vous identifiez le contenu par l'odeur, le goût et le souvenir des gestes que vous avez accomplis récemment pour sa préparation. Vous vous concentrez à présent sur la pièce où vous vous trouvez. Vous vous déplacez légèrement en vous demandant combien de temps vous pourrez être défini ainsi: une personne réelle dans un environnement réel et non imaginaire.

Pendant ces dernières trente secondes environ, vous avez lu ces mots d'un seul trait, et vous y avez réagi, même superficiellement;

vous avez été votre propre auditoire et votre propre spectateur. Grâce à votre cerveau, vous vous êtes déplacé en imagination à travers l'espace et le temps, passé ou à venir. Vous avez utilisé la faculté la plus importante de l'homme et fait usage (peut-être) de vos cinq sens. Et d'une certaine manière, grâce au pouvoir évocateur des mots, vous avez passé en revue l'histoire de l'humanité. Le langage et les sens, suivis dans l'histoire par leurs prolongements — l'écriture, le papier, l'imprimerie, la radio, la télévision et tout l'attirail que vous avez à votre portée dans cette pièce — tous ces objets qui définissent l'homme moderne.

Ce voyage à travers le temps et l'espace n'a pas été fait par vous en chair et en os mais par votre cerveau. Car ce dernier n'est pas un organe isolé; il fait partie intégrante de ce qu'on pourrait appeler le territoire périphérique de votre corps. La rétine, par exemple, que vous avez utilisée pour lire ces lignes, est l'un des instruments utilisés par le cerveau pour recueillir des informations au sujet de l'environnement. Les nerfs sensitifs de vos doigts, au moment où vous tenez ce livre ouvert, apportent à votre cerveau des renseignements sur la matière que vous touchez. Et les nerfs de vos muscles, au moment où vous levez votre bras et pliez votre jambe, ne sont rien d'autres que les agents du cerveau qui vous permettent de bouger. A l'une des extrémités de votre échelle vitale, tandis que vous vous asseyez, vous vous allongez ou fainéantez, se trouve le monde des sens, c'est-à-dire les renseignements fournis à votre cerveau par la lumière (vue), les produits chimiques (goût et odorat), les forces et les pressions mécaniques (ouïe et toucher). A l'autre extrémité de l'échelle, se trouvent les réponses de votre cerveau à cet environnement et ses tentatives pour l'influencer: parcourir un paragraphe ou prendre une tasse. Et à mi-chemin, se trouvent la pensée, la mémoire, le plaisir, l'ennui, la prévoyance, la personnalité et l'identité sexuelle: en un mot, tout ce qui fait de vous un être humain masculin ou féminin, tout ce qui caractérise votre cerveau.

Encore une fois, votre cerveau, c'est vous-même. « Vous » est une manière brève de dire « votre cerveau »; « je » signifie « mon cerveau ». Lorsque vous ressentez de la douleur, c'est votre cerveau qui la ressent; lorsque vous prenez un analgésique, c'est votre cerveau que vous traitez. Lorsque vous prenez un verre, une cigarette ou une drogue qui modifie votre humeur, c'est votre cerveau qui cherche à modifier sa propre biochimie. Et lorsque vous êtes excité sexuellement, c'est votre cerveau qui orchestre le comportement qui vous conduira à votre plaisir et à son accomplissement. Au moment même de votre mort, c'est votre cerveau qui décide de votre décès, en privant votre corps d'oxygène et d'éléments nutritifs. Votre mort pourrait ainsi être définie comme la fin de votre personnalité.

Votre cerveau, donc, n'est pas un organe mécanique comme votre coeur, votre rate, votre foie et vos reins. C'est le siège de votre personnalité, de vos aspirations et de vos besoins. Et c'est en lui que se trouve la réponse à la question : « Comment mes traits de personnalité sont-ils mis en oeuvre, conservés, réglés et exprimés ? » Car, tout comme dans la création le cerveau humain contribue par son évolution à la survie de l'espèce, votre propre cerveau est progressivement, matériellement modulé par l'expérience, en vue de votre propre survie. Après tout, un homme ou une femme incapable de se souvenir de ses expériences passées et, par conséquent, incapable d'apprentissage, aura toujours l'impression qu'il rencontre pour la première fois tout événement, toute lettre de l'alphabet, toute rue, toute automobile, toute source de chaleur, de froid ou de douleur et devra donc, pour survivre, faire face à d'énormes difficultés. D'autre part, un homme ou une femme qui posséderait justement votre expérience de toutes ces choses — votre mémoire, votre souvenir et *votre* capacité d'apprentissage — ne peut *être* que vous, une créature douée d'un cerveau adapté à la survie dans l'environnement qui correspond à votre vie quotidienne.

Votre cerveau contient aussi, cependant, la réponse à une question plus vaste : « Quelle est, dans mon cerveau, la part héritée qui me distingue du reste de l'humanité ? » L'homme, après tout, est le produit de ses gènes. Tout en exprimant et en enregistrant votre interaction avec le monde, votre cerveau est aussi le produit d'un héritage génétique individuel, qui remonte à la nuit des temps à travers les dizaines de milliers de générations successives qui ont contribué à élaborer les caractéristiques essentielles de votre individualité, plan de base de votre corps et de votre cerveau. Tout en étant un homme ou une femme en particulier, vous êtes aussi, dans un sens, tous les hommes ou toutes les femmes. Le nombre de cellules cérébrales dont vous avez disposé tout au long de votre vie, par exemple, a été déterminé trois mois avant votre naissance, tout à fait indépendamment de la manière dont ces cellules se sont ramifiées et développées par la suite en contact avec le monde. Et la faculté du langage s'est fixée dans un des hémisphères de votre cerveau avant même que vous ne voyiez le jour. En d'autres termes, le cerveau est un organe extrêmement souple, à l'intérieur d'une certaine spécificité déterminée par les processus, les habilités et les aptitudes enfermés et préenregistrés dans ses circuits nerveux. Nos caractéristiques individuelles côtoient les caractéristiques que nous partageons avec l'ensemble de notre espèce : nos caractéristiques sexuelles. A côté des caractéristiques acquises par l'expérience, il y a les caractéristiques naturelles. C'est en fin de compte ces deux aspects du cerveau humain, indissociables l'un de l'autre, qui lui donnent une place unique au sein de la création. Ainsi, votre cerveau est le lieu où convergent l'évolution culturelle et génétique et la science qui les explore. Ce double aspect fait surgir dans un système défini, votre cerveau, les réponses aux deux questions que nous avons soulevées. Et cela nous permet d'apprécier au moment même où nous apprenons à en déchiffrer la signification, non seulement de quelle manière le cerveau d'un individu mâle ou femelle apprend, se développe, essuie des échecs et glisse dans la folie, mais aussi de quelle manière le cerveau humain, sur le plan collectif, représente l'incarnation d'une longue association reproductrice qui a permis à notre espèce de dominer cette planète.

Au cours des trois ou quatre dernières années, nous avons consacré beaucoup de temps et d'énergie à suivre le fil tendu par des savants à travers ce que le prix Nobel Charles Sherrington a appelé «le métier à tisser magique» du cerveau. Nous avons visité des laboratoires des deux côtés de l'Atlantique. Des savants nous ont permis d'assister à des réunions qui se tiennent ordinairement à huis clos. Nous avons observé des expériences, rôdé dans les couloirs des conférences et nous avons parfois été submergés sous la masse de ce que les scientifiques appellent «la littérature». Il nous a ainsi été donné de constater l'incroyable ingéniosité dont ont fait preuve ces hommes et ces femmes pour tracer leur itinéraire de recherche à travers les complexités de l'organe essentiel de l'homme. «Par des voies détournées, trouvez la sortie du labyrinthe», disait Hamlet. La règle d'Hamlet est aussi la règle de la science du cerveau. Ces itinéraires passent par le Pacifique où des savants ont étudié un virus à incubation lente transmis de cerveau à cerveau par le cannibalisme. Ces voies détournées ont permis à Carleton Gajdusek, notamment, de gagner un prix Nobel en proposant une nouvelle approche d'étude pour l'un des troubles du cerveau humain les plus difficiles à traiter. Ces voies détournées passent aussi par l'étude des cellules nerveuses d'un mollusque qui vit sur le littoral marin. Ce détour scientifique a apporté d'importants indices sur les lois de l'apprentissage humain et sur le mécanisme biologique qui règle la plupart de nos hormones. La science du cerveau humain a également louvoyé du côté des mathématiques et de l'univers mystérieux des algorithmes. Ce détour apparemment gratuit permet de mieux comprendre comment le cerveau doit accomplir ses fonctions et de prédire les nouveaux groupes de cellules qui devront nécessairement être découverts.

Voilà au cours de nos recherches, la première leçon que nous avons tirée de la science du cerveau: dans ce domaine, la science doit adopter, par la force des choses, des voies détournées. Il est évident que les savants ne peuvent découper un organisme humain vivant au scalpel pour voir ce qui se passe à l'intérieur. Et les voies d'accès direct au cerveau humain sont très limitées. Les savants, bien entendu, peuvent observer directement les effets physiques des tumeurs au cerveau, des attaques apoplectiques et des blessures par balle et étudier la manière dont celles-ci affectent les aptitudes du patient; ils peuvent ensuite schématiser les zones du cerveau qui contrôlent ces aptitudes. En appliquant des électrodes au cerveau d'un patient trépané au cours d'une intervention chirurgicale, ils peuvent établir des schémas semblables, parfois plus détaillés. (Les tissus cérébraux sont insensibles à la douleur et les patients sont souvent éveillés et conscients au cours d'une intervention chirurgicale au cerveau.) Les chercheurs scientifiques peuvent également, au cours d'autopsies, distinguer les structures distinctes du cerveau et analyser leur taille, leurs connexions et leur biochimie. Mais, à part ces quelques voies directes, les savants doivent, ou devaient, jusqu'à une date très récente, se contenter d'observer le cerveau humain de l'extérieur du crâne et travailler sur les cerveaux d'animaux.

L'étude de la manière dont le cerveau humain réagit à l'environnement, c'est-à-dire le comportement, constitue une forme d'observation indirecte. L'étude des aptitudes dont le cerveau fait preuve lorsqu'il est confronté à des tâches déterminées dans un environnement déterminé en est une autre. C'est la voie qui a été adoptée par les psychologues du comportement et de la fonction cognitive pour explorer les mystères du cerveau. On peut également ajouter les voies détournées de l'électrophysiologie, dans la mesure où cette branche étudie l'enregistrement externe des rythmes et des ondes cérébrales humaines et les études des hémisphères, qui déterminent la spécialisation des hémisphères gauche et droit du cerveau humain, à l'aide d'indices comme le mouvement automatique des yeux, l'utilisation de la main droite ou gauche, la réponse à différents signaux visuels et la sensibilité différentielle des deux oreilles. Récemment, la portée de ces études a été élargie par l'utilisation de produits chimiques et de techniques qui peuvent bloquer le fonctionnement d'un des hémisphères et permettre la mesure de l'énergie cérébrale et du flux sanguin nécessaire au cours de la lecture, de la conversation, du calcul mathématique et ainsi de suite.

Quant à l'autre voie détournée fréquemment empruntée par les savants — l'étude sur les animaux —, elle se présente sous différents «modèles», comme disent les spécialistes, en fonction du problème étudié: les chèvres pour le sommeil, les chats pour les rêves et la vision, les primates pour l'étude de l'orgasme et des effets des hormones sexuelles sur le développement du cerveau, par exemple; les poissons électriques pour l'uniformité de leurs cellules nerveuses; les lièvres marins pour la taille et la simplicité de ces mêmes cellules; et les inévitables rats, qui ont l'avantage de posséder un cerveau de petit volume, tout en présentant un vaste répertoire sur le plan du comportement. Tous ces modèles reposent sur l'hypothèse que la nature est économique, que les systèmes nerveux fonctionnent selon le même principe, quel que soit leur degré de complexité, et que les cerveaux des autres mammifères sont assez semblables à celui de l'homme pour que l'on puisse généraliser les conclusions. Cela a permis aux chercheurs scientifiques d'effectuer sur le cerveau animal des mesures impossibles à réaliser sur le cerveau humain: l'enregistrement de la décharge d'une cellule unique dans le cortex d'un jeune chat — la plupart de nos connaissances sur le fonctionnement de la vision découlent de cette approche — et l'injection d'hormones sexuelles à des rats et à des singes afin de déterminer la zone du cerveau sur laquelle elles agissent au point de modifier le comportement. Cela leur a également permis d'expérimenter sur des animaux les médicaments propres à soulager chez les humains le stress, la dépression, la schizophrénie, la douleur et la perte de libido, qui avaient le plus souvent été découverts par accident. Grâce aux études sur le cerveau animal, ils peuvent commencer à découvrir la manière dont ces médicaments agissent: les réseaux chimiques et cérébraux reliés chez l'homme à l'accoutumance, à l'anxiété, à la folie et à l'appétit sexuel.

Les études sur les animaux, cependant, ne sont que d'une médiocre utilité lorsqu'il s'agit de faire la lumière sur les fonctions cérébrales et les aptitudes qui sont le privilège exclusif de l'être humain. C'est précisément la seconde leçon que la science du cerveau nous a inculquée au cours de nos travaux: cette science progresse non seulement par les voies détournées mais aussi par l'étude des anomalies car, en fin de compte, c'est seulement par l'examen de celles-ci que le déroulement normal des fonctions les plus élevées du cerveau humain peut être appréhendé. Une personne qui parle, écrit et enregistre normalement des souvenirs ne peut apporter aux chercheurs scientifiques que très peu d'éléments sur la manière dont le cerveau accomplit ses fonctions. Par contre, l'individu qui, en raison d'une lésion cérébrale, peut écrire sans être capable de lire ce qu'il a écrit (alexie sans agraphie), est pour eux beaucoup plus significatif. Le fameux M.H.M. étudié par Brenda Milner à Montréal — un homme qui, en raison d'une opération du cerveau visant à contrôler son épilepsie, était désormais incapable de conserver à long terme dans sa mémoire son expérience vécue et devait être présenté à nouveau à son médecin, à chacune de leur rencontre, même s'ils s'étaient vus une demi-heure auparavant — est un cas dont l'étude a été très importante dans la recherche sur le fonctionnement et la localisation de la mémoire. Cela est également vrai des animaux anormaux qu'on a élevés spécialement pour l'étude des troubles congénitaux de l'obésité, de la motricité, de l'apprentissage, de l'immunité, du sexe et de l'absence d'hormones particulières. Tout comme cela vaut pour une étonnante variété de comportements et d'états chez l'être humain. Comment ces comportements et ces états diffèrent-ils de la normale? Comment peut-on définir cette différence en termes de courbures et de ramifications des cellules du cerveau et du système nerveux, d'impulsions électriques et de sécrétions chimiques? Ce sont les questions auxquelles le chercheur scientifique doit répondre.

Toutes sortes de déviations par rapport à la normale apportent de l'eau au moulin de la science du cerveau. C'est le cas de la femme qui, au moment où elle a subi un test dans une clinique de New York, présentait le seuil de tolérance à la douleur le plus élevé qu'on ait jamais relevé (elle venait de passer dix ans comme infirmière chez les Esquimaux), alors que six mois plus tard, son seuil de tolérance atteignait celui d'une femme américaine moyenne. C'est aussi le cas de la jeune Canadienne absolument insensible à la douleur qui, puisque la douleur est la meilleure amie de l'homme et son premier système d'alarme, avait mâché sa propre langue jusqu'au sang lorsqu'elle était bébé, s'était gravement brûlée en s'agenouillant tranquillement sur un radiateur à l'âge de deux ans, et mourut finalement, à l'âge de 28 ans, de multiples infections non identifiées. Et c'est enfin le cas des villageois grecs qui, une fois l'an, marchent sans douleur sur des charbons ardents en l'honneur d'un saint reconnu localement en suscitant à chaque fois la curiosité des chercheurs allemands de l'Institut Max Planck.

A tous ces cas, on pourrait ajouter ceux de l'homme aveugle enfermé dans un « jour » de plus de vingt-cinq heures, des spéléologues au cycle ralenti en l'absence de la lumière du jour et des insomniaques chroniques. Une question s'impose: quels facteurs contrôlent le mécanisme biologique et comment celui-ci est-il relié à des troubles cycliques comme la folie et la dépression? Les enfants, nés de parents schizophréniques mais adoptés par des familles différentes, schizophréniques ou non, nous aident à répondre à la question suivante: la schizophrénie est-elle congénitale ou transmise par l'environnement? L'homme qui s'est guéri lui-même d'une maladie réputée incurable en s'imposant un état d'hilarité continuel par un régime à base de films comiques, nous amène à la question suivante: quel est le lien entre le cerveau, la santé et le système immunologique? A tous ces cas, on peut ajouter les effets étranges des blessures à la tête, des tumeurs au cerveau et des attaques apoplectiques sur les êtres humains, dont nous avons déjà parlé, car ces troubles peuvent affecter des groupes de cellules distants de quelques centimètres seulement ou même de quelques millimètres dans la géographie générale du cerveau et avoir ainsi des effets extrêmement différents sur les individus qui en sont les victimes.

Ainsi, il existe des individus incapables de parler et des individus qui peuvent parler mais sont totalement incohérents dans ce qu'ils disent; des gens qui sont paralysés d'un côté et des gens qui, quoi qu'ils puissent bouger leurs mains, par exemple, s'imaginent qu'elles appartiennent à quelqu'un d'autre; des gens incapables de reconnaître les visages, des gens qui ne peuvent pas dormir, des gens qui ne peuvent rester éveillés. Il y a des cabotins tonitruants, des névrosés du journal intime, des obsédés sexuels, des automutilateurs, tous par ailleurs honnêtes citoyens mais qui deviennent par moment d'une stupéfiante grossièreté en raison d'une lésion parfaitement identifiable de l'une ou l'autre des structures de leur cerveau.

Bien sûr, avant les études effectuées de nos jours sur le cerveau, ces changements de personnalité parfois radicaux étaient considérés à l'origine comme «psychologiques» ou même comme des phénomènes de possession démoniaque. Dans un passé récent, en 1947, ce fut le cas d'une jeune fille du Maryland qui parlait avec des voix étranges, utilisait un langage obscène, déformait horriblement ses traits et devait être maîtrisée au cours d'accès d'une extrême violence tournée contre elle-même et contre les autres. Elle souffrait très probablement d'une maladie cérébrale appelée le syndrome de Gilles de la Tourette. C'est ce cas qui a inspiré à Peter Blatty son célèbre *Exorciste*, qui fut vendu à des milliers d'exemplaires.

Le syndrome de la Tourette, lorsqu'il se manifeste, touche surtout les individus du sexe masculin, généralement des enfants entre 2 et 14 ans. Il est beaucoup plus rare chez les individus de sexe féminin. Il peut se répercuter sur plusieurs générations puisque, dans une certaine mesure, ce syndrome a une base génétique. En outre, ce syndrome partage certaines caractéristiques avec trois autres troubles qui frappent eux aussi plusieurs générations de la même famille et s'attaquent surtout aux individus de sexe masculin: l'hyperactivité, l'autisme et un type particulier de difficultés d'apprentissage. C'est la troisième leçon que nous avons tirée de la science du cerveau, en passant de clinique en clinique et de laboratoire en laboratoire. Dans ces études qui passent au crible le monde naturel à la recherche d'indices et de modèles que nous trouverons ici, et dans cet examen incessant de toutes les bizarreries du comportement humain, la différence entre les individus mâles et femelles constitue une voie d'accès de première importance. A chaque étape de recherche, en d'autres termes, la science du cerveau utilise des individus de sexe masculin et féminin à titre de «groupes de contrôle» pour l'étude des comportements, des aptitudes, des habiletés, des troubles, de l'expression génétique et de la biochimie des individus du sexe opposé.

La science du cerveau tente de déterminer l'existence et la nature des différences éventuelles entre les systèmes immunologiques mâle et femelle. Cela permettra de déterminer les facteurs qui influencent l'efficacité générale du système immunologique. La science du cerveau tente de déterminer s'il existe des différences entre les comportements non sexuels des animaux mâles et femelles, et si ces différences peuvent être modifiées par les hormones sexuelles. Cela permettra de clarifier les effets des hormones sexuelles sur le développement du cerveau et sur le comportement. Enfin, la science du cerveau tente de cerner les anomalies génétiques propres à chaque sexe, et la manière dont elles se traduisent dans l'organisation et la biochimie du cerveau. Cela permettra de connaître les réseaux génético-chimiques qui contrôlent l'expression des caractéristiques sexuelles normales.

« En fin de compte, nous déclare la remarquable jeune biopsychologue Jerre Levy, au cours de l'une de nos nombreuses visites à son laboratoire de l'Université de Chicago, nous voulons en savoir le plus possible au sujet des liens entre les gènes, le développement du cerveau, la biochimie, les hormones, l'environnement et le comportement. Bon, cela peut sembler ambitieux, étant donné que nous avons un cerveau composé de centaines de milliards de cellules nerveuses, et des gènes par centaines de milliers et que, par ailleurs, notre environnement varie sans cesse et suscite tous les types de comportements et tous les types de structures psychologiques. C'est pourquoi nous devons nous concentrer sur des points précis. Nous pouvons, par exemple, comparer et distinguer différentes catégories d'individus : les gauchers et les droitiers, les schizophrènes et les non-schizophrènes, les dyslexiques — qui ont de la difficulté à lire — et les non-dyslexiques, etc. Mais, parmi ces catégories opposées, les plus importantes sont les hommes et les femmes. En effet, le sexe est la dimension la plus importante de la différenciation des êtres humains, au même titre que dans l'ensemble du règne animal. Et nous savons que les gènes ainsi que les hormones sexuelles jouent un rôle capital dans l'établissement de cette différence fondamentale du fonctionnement sexuel. Si nous trouvons d'*autres* différences entre mâles et femelles, soit les différences de comportement, nous avons alors une hypothèse de départ selon laquelle ces différences sont l'expression des gènes et des hormones dans le développement et le fonctionnement du cerveau, qui peut être vérifiée à la fois chez les humains et les animaux.

« Nous sommes aujourd'hui bien renseignés sur la manière dont les gènes — les chromosomes sexuels — influencent le développement du corps et du cerveau, mâle et femelle. Nous possédons des données très précises sur la manière dont les hormones sexuelles sont sécrétées et comment elles agissent à l'intérieur des cellules. Et nous commençons à recueillir quelques données au sujet de la manière dont les hormones interagissent avec les messagers chimiques du cerveau, les neurotransmetteurs. Parallèlement, nous avons accumulé un bon nombre de connaissances au sujet des différents comportements, attitudes et habiletés que les mâles et les femelles — humains ou animaux — présentent de manière caractéristique. Nous commençons à comprendre pourquoi et comment ces aptitudes, habiletés et autres caractéristiques s'altèrent en anomalies et en troubles. En d'autres termes, nous possédons des données à différents niveaux. Et nous nous efforçons présentement d'échanger des données d'un niveau à un autre, afin d'établir autant de liens que nous le pouvons. Cela n'est pas facile. C'est un peu comme si nous faisions un casse-tête en trois dimensions d'une taille inconnue, en essayant de nous dépêtrer dans une avalanche quotidienne de morceaux différents appartenant à différents niveaux et à différentes parties de l'image. Beaucoup de temps s'écoulera avant que le casse-tête entier ne soit terminé, plusieurs dizaines d'années peut-être; même dans les domaines restreints où je travaille, les recherches prendront au moins cinq ans. Mais d'ores et déjà, certains morceaux du casse-tête commencent à s'emboîter les uns dans les autres. Nous entrevoyons déjà quelque chose de l'ensemble. »

L'un des niveaux de recherche de Jerre Levy est évidemment l'anatomie globale du cerveau mâle et femelle. Mais dans ce cas, le cerveau humain mort — conservé dans le formol ou congelé, entier ou découpé en sections — ne nous fournit que peu de renseignements au sujet des différences entre les hommes et les femmes et de leur signification. Le cerveau de l'homme contemporain pèse en moyenne 1 375 grammes, presque trois livres. Il est à la fois légèrement plus lourd et légèrement plus large que le cerveau moyen de la femme contemporaine, différence qui peut être attribuée en grande partie aux différences de masse et de poids de l'ensemble du corps. Les circonvolutions que l'on observe à la surface du cerveau, d'une couleur gris rosé — le cortex cérébral ou écorce — peuvent aussi être plus simples et plus régulières dans les cerveaux féminins que dans les cerveaux masculins. Mais là se terminent les différences qui peuvent être constatées sur-le-champ. Les cerveaux des hommes et des femmes contiennent exactement les mêmes structures, pour autant que l'on sache, et présentent exactement la même apparence générale.

Lorsque vous envisagez, si je puis m'exprimer ainsi, un cerveau d'homme ou de femme prélevé sur un corps sans vie, la première chose que vous remarquez est l'interruption des circonvolutions du cortex sur la ligne médiane. Le cerveau, comme la chair d'une noix, est divisé de l'avant vers l'arrière en deux moitiés à peu près symétriques (les deux hémisphères cérébraux) chacune d'elles étant en gros responsable du fonctionnement sensorimoteur de la moitié opposée du corps. Les lobes pariétaux des deux hémisphères, qui s'étendent à la surface supérieure du cerveau, ont pour fonction de traiter les renseignements transmis par le système nerveux périphérique et de mettre en oeuvre les processus qui permettent aux membres et aux différentes parties du corps de se déplacer. Les autres lobes assurent d'autres fonctions. Les lobes occipitaux, à l'arrière du cerveau, contrôlent les processus de perception des impressions visuelles. Les lobes temporaux, situés au-dessus des oreilles lorsque le cerveau est à sa place sous le crâne, jouent un rôle dans la mémoire, la parole et l'ouïe. Enfin, les lobes frontaux sont reliés à l'apprentissage du comportement social, à l'intelligence et à la stabilisation des émotions.

A l'arrière et en dessous des hémisphères cérébraux, si vous retournez le cerveau, vous apercevez le cervelet. Le cervelet est à peu près de la taille d'une pomme. Il possède son propre cortex, une surface qui présente elle aussi des circonvolutions et des invaginations, ainsi qu'une division en deux parties symétriques. Le cervelet est l'une des rares structures du cerveau dont on peut définir la fonction avec précision et certitude. Cet organe contrôle l'activité motrice et la coordination musculaire. Il fait en sorte que les plus légers mouvements musculaires correspondent aux intentions du cerveau afin que, par exemple, lorsque nous voulons saisir un objet fragile ou un récipient qui contient du liquide, nous évitions de le rater, de l'ébranler, de le briser ou de le renverser, comme le font souvent certains vieillards ou certains individus qui souffrent d'un trouble du cervelet.

Si vous voulez regarder plus profondément à l'intérieur d'un cerveau humain, vous devez maintenant cueillir la pomme du cervelet afin de dévoiler le tronc cérébral. Le tronc cérébral est le prolongement de la moelle épinière à l'endroit où celle-ci atteint la boîte crânienne qui contient le cerveau. Le tronc cérébral se présente sous la forme d'une épaisse tige blanche, dont les fibres nerveuses transmettent les informations du système nerveux central au système nerveux périphérique et vice versa. Au fur et à mesure que le tronc cérébral s'élève sous la voûte des hémisphères cérébraux, il s'épaissit et s'élargit. Il reçoit des influx nerveux des nerfs faciaux et des réseaux nerveux qui contrôlent la vue, le goût et l'odorat. Il se termine par un anneau évasé, formé de plusieurs structures rassemblées sous le nom de système limbique. Le système limbique gouverne de nombreuses fonctions corporelles involontaires ainsi que les émotions et les motivations. Son élément le plus important est l'hypothalamus qui règle ce que les scientifiques aiment appeler «les quatre A»: l'alimentation, l'accès.de fuite, l'agressivité et l'activité sexuelle.

La plupart de ces données assez schématiques sur l'architecture du cerveau humain et les différentes fonctions de ces éléments distinctifs nous sont fournies par deux sources principales: les travaux effectués sur les animaux, en stimulant électriquement ou en retirant certaines parties de leur cerveau afin d'en déterminer les conséquences, et l'observation d'humains atteints de lésions cérébrales. Les guerres ont fourni l'apport le plus important à la deuxième source. En fait, l'âge d'or des anatomistes du cerveau a coïncidé, en gros, avec la période allant de la guerre franco-prussienne aux lendemains de la Première Guerre mondiale. On raconte que deux des plus grands spécialistes du cerveau de cette époque écumaient littéralement le champ de bataille de Sedan afin d'enrichir leurs travaux sur les animaux en fixant des électrodes aux cerveaux mis à nu des soldats blessés ou morts. Jusqu'à l'invention des techniques modernes, il n'y avait pas d'autres moyens d'étudier les cerveaux humains.

Ou plutôt si, il y en avait une autre. Cela nous amène à évoquer un autre niveau d'étude de Jerre Levy : le cerveau humain (mâle le plus souvent) vu non plus de l'intérieur mais de l'extérieur. Il s'agit de l'étude quantitative de la manière dont les cerveaux mâle et femelle normaux réagissent et résolvent les problèmes posés par leur environnement. C'est le domaine favori de la psychologie cognitive et behavioriste. Aussi, pour commencer à entrevoir des liens entre les différentes dimensions de cette nouvelle science du cerveau, c'est ce niveau d'étude que nous devons maintenant examiner. Tout d'abord, il s'agit de l'approche la plus simple du cerveau et de ses différences complexes en fonction du sexe. De plus, cette étude constitue la base sur laquelle les autres approches du casse-tête ont été progressivement construites. Au commencement, était, non pas le verbe, mais l'observation...

L'observation des différences entre les hommes et les femmes — sur le plan de leur comportement, de leurs aptitudes et de leur mode de vie — n'est pas une chose nouvelle, bien entendu. En 1894, Francis Galton soulignait que les femmes avaient un seuil de la douleur et du toucher plus bas que celui des hommes. Au cours de la même année, Havelock Ellis effectuait des études détaillées sur ce qu'étaient à son avis les différences sexuelles au niveau des aptitudes linguistiques. Et à peu près à la même époque, Joseph Jastrow, spécialiste en psychologie expérimentale à l'Université du Wisconsin, a fait surgir des différences entre les hommes et les femmes grâce à des listes de centaines de mots qu'il a demandé à ses étudiants d'écrire aussi rapidement que possible. En fonction de ces mots qui étaient choisis au hasard, Jastrow est arrivé à la conclusion que les femmes concentraient leur attention « sur l'environnement immédiat, le produit fini, l'aspect esthétique, individuel et concret » tandis que les hommes étaient attirés par « les mots plus flous, l'aspect constructif, utile, général et abstrait ».

A cette époque, il n'existait aucun cadre scientifique dans lequel des observations aussi éparpillées et brutes pouvaient être structurées, à l'exception d'un seul dont le but était de démontrer l'infériorité naturelle de la femme. Dans les années qui suivirent, ce type d'étude tomba en désuétude sauf pour démontrer, comme nous l'avons vu, que les différences sexuelles étaient imposées par la culture, soit l'attitude des parents et l'éducation. En fait, c'est seulement au cours des vingt dernières années, grâce à l'apparition d'une science du cerveau mieux outillée, qu'un nombre croissant de spécialistes de la psychologie expérimentale commencèrent à découvrir des différences sexuelles révélatrices de notions plus profondes. Dès lors, un certain nombre de chercheurs, dont Vera Danchikova et un groupe dirigé par l'Américain William Young, avaient démontré que le comportement sexuel adulte de certains animaux pouvait être dévié de son expression sexuelle normale si on donnait aux sujets des hormones avant ou tout juste après la naissance. Tout au long des années 1960, il devint de plus en plus clair que l'organe du cerveau jouait un rôle prédominant d'abord comme glande, une glande pensante, mais aussi comme glande sexuelle. Il dirigeait le comportement sexuel du mâle et de la femelle.

« Finalement, à la fin des années 1960, explique Diane McGuinness à Palo Alto, en Californie, la science du cerveau a réussi à déterminer avec une certitude *absolue* la partie du cerveau qui influence le comportement sexuel: l'hypothalamus. L'hypothalamus exerce un contrôle suprême sur la circulation des hormones dans le corps. Il est responsable de la manière dont les comportements sexuels et reproducteurs sont structurés, l'oestrus ou cycle menstruel chez les femelles, par exemple, et le schéma de comportement tout à fait différent que nous constatons chez les mâles. On peut affirmer avec une quasi-certitude que l'hypothalamus est marqué différemment par les hormones sexuelles avant la naissance. Cet organe se comporte comme une plaque photographique qui est exposée avant la naissance et qui est développée par la suite par un afflux d'hormones fraîches à la puberté. Bien entendu, il faut préciser que cette découverte ne peut pas être vérifiée visuellement et qu'elle ne se manifeste d'aucune manière dans l'anatomie globale. Mais elle soulève toutes sortes de nouvelles possibilités. Car si l'hypothalamus contrôle le comportement sexuel, il se peut qu'il contrôle également d'autres types de comportements reliés au sexe. Au demeurant, si une partie du cerveau est différenciée en fonction du sexe, que dire des autres? Les autres parties du cerveau sont-elles sexuellement différenciées chez les mâles et les femelles? Et s'il en est ainsi, comment cela se manifeste-t-il dans les diverses aptitudes et habiletés de l'homme et de la femme? »

Diane McGuinness fait des recherches en psychologie. Cette femme élégante et volubile cumule des postes à l'Université de Stanford et à l'Université de Californie de Santa Cruz; elle est l'une des rares scientifiques au monde à travailler exclusivement dans le domaine du comportement mâle opposé au comportement femelle et à persévérer avec obstination en dépit de la critique des savants orthodoxes qui s'inquiètent des conséquences de ses travaux. Au cours de la dernière décennie, elle et ses collègues de Stanford, Eleanor Maccoby et Jacklin Carol Nagy, ont observé séparément et soumis à des tests des milliers de bébés, des enfants d'âge préscolaire, des élèves du secondaire et des étudiants universitaires. Leurs observations ainsi que d'autres recherches effectuées dans le même domaine, ont permis de dresser un tableau tout à fait exhaustif des différences statistiques entre les cerveaux humains mâle et femelle.

« Certaines de ces différences, dit-elle, apparaissent extrêmement tôt dans la vie. D'autres sont plus évidentes après la puberté. Mais le plus fascinant est qu'elles semblent être *indépendantes* de la culture, et être aussi vraies au Ghana, en Écosse et en Nouvelle-Zélande qu'en Amérique. Premièrement, les femmes sont plus sensibles au toucher. Leur coordination motrice et leur dextérité sont bien meilleures : il doit donc exister des différences au niveau du cervelet. Deuxièmement, on relève des différences dans la manière dont les renseignements sont classés et les problèmes résolus. Les hommes sont plus respectueux des règles et semblent être moins sensibles aux variables des situations ; ils sont ainsi plus résolus, moins éparpillés, et plus persévérants. Les femmes, par contraste, sont *très* sensibles au contexte. Elles sont moins bornées par les exigences d'une tâche particulière. Elles excellent à rassembler des informations périphériques et traitent cette information plus rapidement.

« En bref, les femmes sont axées sur la communication et les hommes sur l'action. C'est la conséquence de la plus *importante* différence entre eux, celle qui est le plus largement acceptée. Les hommes sont supérieurs dans les tâches qui exigent des aptitudes visuo-spatiales tandis que les femmes brillent dans les tâches qui mettent en oeuvre des aptitudes qui ont trait au langage. Les hommes se montrent plus habiles à décoder les cartes, les labyrinthes et les mathématiques ; pour faire tourner les objets en pensée et pour localiser des objets à trois dimensions dans des représentations à deux dimensions. Leur perception des objets dans l'espace est meilleure, tout comme leur habileté à les manipuler. Ils parviennent plus facilement à se situer dans l'espace. Ils ont un bon sens de l'orientation.

« Les femmes, d'un autre côté, excellent dans les domaines où les hommes sont faibles, spécialement ceux qui font intervenir le langage. D'une manière générale, elles sont moins aptes que les hommes à toute activité qui exige la manipulation d'objets et l'acuité visuelle ; partant, elles sont moins sensibles à la lumière. Mais elles sont supérieures dans toutes les tâches qui font intervenir la parole : la facilité d'élocution, par exemple, le raisonnement verbal, la prose écrite et la lecture — les garçons sont trois fois plus nombreux que les filles dans les classes de rattrapage en lecture. Leur mémoire verbale est aussi meilleure. Et elles peuvent chanter juste, six fois plus souvent que les individus de sexe masculin. »

L'explication habituelle de ces différences est que dans toutes les cultures, les garçons sont poussés vers les activités physiques et exploratrices, tandis que les filles sont incitées à adopter une attitude passive, et à se diriger vers les activités verbales et musicales; elles adoptent ainsi progressivement le modèle que la culture leur impose. Pourtant, cette explication traditionnelle est démentie par le fait que ces différences apparaissent très tôt dans la vie; les tests mis au point par des chercheurs comme Diane McGuinness le prouvent en s'efforçant de remonter aussi loin que possible. Les bébés de sexe masculin réagissent aux stimuli visuels de leur environnement qui sont pour eux les lumières, les structures et les objets à trois dimensions. Ils acceptent leur environnement physique plus facilement que les bébés de sexe féminin en faisant preuve d'une plus grande curiosité. Ils jouent avec les objets de leur environnement aussi volontiers qu'avec des jouets. Ils ont tendance à être *attirés* par les objets plutôt que par les gens.

Les bébés de sexe féminin réagissent d'une tout autre manière. Les filles réagissent de préférence aux *personnes* de leur environnement. Les visages retiennent plus leur attention que les objets. Elles sont aussi plus sensibles au son. Elles gazouillent davantage et sont plus réconfortées par la parole que les garçons. Elles réagissent aussi beaucoup plus à leur environnement social sonore, à l'intonation vocale et musicale. Diane McGuinness est persuadée qu'il s'agit là d'une différence fondamentale. Car la sensibilité au son est une caractéristique qui persiste tout au long de la vie des femmes; d'une manière générale, les sons leur paraissent deux fois plus forts qu'aux hommes; ces derniers auraient d'ailleurs intérêt à s'en souvenir. Très certainement, ce facteur contribue de manière importante au développement précoce chez la femme des aptitudes verbales. En bref, les sons et les gens sont opposés aux objets situés dans l'espace. La communication s'oppose à l'action et à la manipulation. Toutes ces constatations tendent à confirmer l'hypothèse selon laquelle ces deux tendances opposées sont présentes, dès le départ, dans les cerveaux mâle et femelle. Les études ont montré que les filles ne sont pas particulièrement incitées par leurs parents à faire preuve d'habileté sur le plan du langage. L'aptitude au langage des filles n'est pas non plus affectée par un environnement précoce traumatisant, comme chez les garçons. Ces aptitudes fournissent aussi un excellent indice du degré d'intelligence futur, alors que ce n'est *pas* le cas chez les garçons.

Diane McGuinness étend les mains: « Vous savez, on m'a dit à plusieurs reprises, pour une raison ou pour une autre, qu'il était *inconvenant* d'effectuer des travaux comme les miens. Je recueille quelques manifestations de sympathie de la part des biologistes, mais aucune en vérité dans mon propre champ de recherche en psychologie. La raison de tout ceci est que la conclusion de mes travaux semble inéluctable et qu'elle va à l'encontre de la direction générale prise par la science au cours des vingt ou trente dernières années. Ces différences sexuelles ne sont pas imposées par la culture. Elles sont *biologiques.* De même que l'*aptitude* au langage est inscrite dans nos cerveaux avant la naissance — comme Noam Chomsky, entre autres, l'a démontré — les individus de sexe féminin possèdent une aptitude supérieure dans ce domaine. Pour les mêmes raisons, les individus de sexe masculin sont plus doués pour les activités visuelles et spatiales. Il en va de même, peut-être, de tous les autres comportements et aptitudes dont nous avons parlé. Les choses qui paraissent faciles à l'un ou l'autre sexe sont vraisemblablement programmées biologiquement, comme l'hypothalamus: ces aptitudes sont innées, gravées dans le cerveau, et ne demandent qu'à être développées. »

Chapitre 4

Conte des deux hémisphères

Nous voici de retour à Chicago. Jerre Levy est assise dans son bureau encombré de l'université, une jambe repliée sous elle. De temps à autre, elle se précipite vers une tasse de café. « Ainsi, il existe différentes aptitudes chez les hommes et les femmes que des scientifiques comme Diane McGuinness, moi-même et d'autres avons trouvées — les aptitudes à la communication et à la manipulation, les aptitudes verbales et visuo-spatiales. Il faut aussi souligner le fait non négligeable que les hommes et les femmes souffrent aussi, de manière caractéristique, de troubles différents : les femmes sont plus sujettes à la dépression et à l'hystérie, et accusent une faiblesse en mathématiques, un domaine qui exige des aptitudes visuo-spatiales. Les hommes sont plus enclins à l'hyperactivité mais aussi à l'autisme, à la dyslexie et au bégaiement, qui sont tous des troubles du langage. Nous ne pouvons pas encore affirmer avec une absolue certitude que ces différences sont innées, pas plus que nous ne pouvons nous prononcer sur l'orientation et l'identité sexuelles. Mais nous pouvons dire que, quelle que soit leur origine, ces différences sont certainement exprimées dans le cerveau mâle et femelle.

« Ceci dit, cependant, il y a deux choses à retenir à propos de ces deux différences. Premièrement, il s'agit de différences *statistiques* ou, si vous voulez, de moyennes. Et elles sont plutôt secondaires en comparaison des différences qui existent entre les individus de même sexe : 80 à 95 p. 100 de toutes les variations que nous observons entre les individus sont des différences *entre hommes* et *entre femmes*. Elles ne sont pas inscrites de manière immuable dans chaque homme et chaque femme. Deuxièmement, *aucune des* différences sexuelles moyennes que nous observons ne devrait servir de prétexte pour modifier la politique sociale qui encourage, par exemple, les filles à abandonner les maths et les garçons à abandonner les langues. Après tout, si les différences biologiques devaient former la base d'une politique sociale, la première chose que nous devrions faire est de mettre en prison tous les *hommes* puisque ce sont eux qui commettent presque tous les crimes — meurtres, vols, conduite en état d'ivresse, etc. Ils sont plus agressifs. Et ce sont *eux* qui sont des psychopathes en puissance. »

Jerre Levy est une femme aux cheveux sombres, au début de la quarantaine, dont l'accent chantant séduit par les voyelles modulées et les inflexions étonnantes de son Alabama natal. Aussi, la voie qu'elle emprunte pour pénétrer dans le cerveau humain explore un tout nouvel aspect de la science de l'homme et de la femme : il ne s'agit plus d'une observation générale des manifestations extérieures du fonctionnement cérébral, ou de son comportement, mais d'une observation *particulière* des deux hémisphères cérébraux, tout comme des aptitudes et des habiletés reliées à chacun d'eux. A la fin des années 1960, en Californie, les docteurs Joseph Bogen et Philip Vogel séparèrent par une opération chirurgicale les hémisphères d'un certain nombre de patients épileptiques afin de restreindre leurs violentes crises électriques à l'une des moitiés de leur cerveau. Ils formèrent ainsi un groupe expérimental unique qui fut étudié par Roger Sperry, lauréat du prix Nobel en 1981, au California Institute of Technology à Passadena. Jerre Levy a été l'étudiante de Sperry, ainsi que Michael Gazzaniga, Eran Zaidel et Colwen Trevarthen, qui effectuent également des recherches de pointe dans ce domaine.

Les patients furent guéris de ces crises qui ravageaient leur cerveau tout entier et purent mener une vie normale sans difficulté apparente. Mais leur hémisphère gauche n'était plus en mesure de communiquer avec son homologue de droite et vice versa. Quoique cela ne posait pas de problème dans leurs allées et venues quotidiennes, cette séparation fut très rapidement mise en évidence par les tests que Sperry et ses collègues leur firent passer. L'un de ces tests, par exemple, leur demandait de fixer du regard un point situé devant eux. On leur montrait alors brièvement des images représentant des objets, soit à gauche, soit à droite du point. Lorsqu'un objet était projeté à la droite du point, ils pouvaient aisément l'identifier. Mais lorsqu'il était projeté à la gauche du point, ils étaient incapables de *dire* ce qu'ils avaient vu, même s'ils pouvaient correctement sélectionner l'objet en question, à tâtons, avec la main gauche, parmi un groupe d'objets placés devant eux. On connaît le cas célèbre d'une femme, connue sous les initiales N.G., dont le cerveau avait été séparé en deux et à qui on avait montré, au cours d'un test, l'image d'une femme nue placée à la droite du point central. Lorsqu'on lui demanda ce qu'elle avait vu, elle répondit : « Rien, juste un éclair lumineux. » Mais elle se mit à rire nerveusement et à rougir, réagissant ainsi *émotivement* plutôt que verbalement. A la fin, elle déclara : « Oh, docteur, quel appareil vous avez là ! »

C'est grâce à des tests comme celui-ci que le groupe de Sperry détermina progressivement la manière dont les fonctions cérébrales sont réparties latéralement : l'hémisphère gauche analytique se spécialise, en gros, dans le langage et l'hémisphère droit holistique — incapable d'utiliser le langage dans les tests — se spécialise dans l'expression des émotions, la perception des visages et de la musique, peut-être, mais surtout dans l'exécution des tâches visuelles et la perception des relations spatiales. En d'autres termes, chez la plupart des gens, les aptitudes reliées au langage et les aptitudes visuo-spatiales se partagent entre les deux hémisphères en fonction d'une division générale du travail. Et puisqu'il s'agit des domaines dans lesquels les hommes et les femmes semblent respectivement être supérieurs les uns aux autres, cela suggère immédiatement une nouvelle voie de recherche : l'étude des différences structurelles entre les cerveaux normaux masculins et féminins. Au cours des dix dernières années, Jerre Levy et certains de ses collègues ont adapté les tests d'origine et conçu une nouvelle batterie de tests visant à étudier les modèles de latéralité chez les individus normaux. Elle a ainsi contribué à ouvrir une nouvelle avenue de recherche dans le domaine des différences sexuelles, non seulement en ce qui concerne les différences d'aptitudes mais aussi quant à la manière dont ces aptitudes sont organisées dans le cerveau.

« D'accord. Nous venons de parler de l'*activation* sélective d'un hémisphère ou de l'autre », souligne Jerre Levy. « Je vous ai expliqué dans les grandes lignes quel est l'hémisphère qui, chez l'homme et chez la femme, réagit à certains types de stimuli. L'hémisphère *gauche*, comme vous le savez, contrôle et reçoit des messages du côté *droit* du corps et vice versa. Or il est aussi activé par des objets situés dans le champ de vision droit et par des sons perçus par l'oreille droite. Il y a un échange croisé. Bon. Cela signifie donc que nous pouvons transmettre directement des informations à l'un ou l'autre des hémisphères. Nous pouvons, par exemple, utiliser une technique élaborée par Doreen Kimura de l'université Western Ontario. Il s'agit de soumettre simultanément les deux oreilles à des sons différents, parfois verbaux et parfois non verbaux, afin de voir quel type de son est signalé par l'auditeur. Et, par conséquent, quel *hémisphère* est spécialisé dans le traitement et l'interprétation de ce type de son. Nous pouvons aussi, pendant quelques millièmes de seconde, projeter devant les sujets, des images, des mots, des chiffres, des lettres, des points et des lignes orientés vers un point central, soit dans le champ de vision droit soit dans le champ de vision gauche ou bien simultanément dans les deux champs de vision. Cela nous permettra à nouveau de vérifier quel hémisphère reconnaît et traite ce *type* d'information — verbal, non verbal, spatial, etc. — avec le plus de rapidité et de facilité. Cela dépendra de quelle main le sujet se sert le mieux. Dans le cas de presque tous les droitiers, la zone du langage est située dans la partie gauche du cerveau et certains types d'aptitudes visuo-spatiales sont situés dans l'hémisphère droit; la répartition des fonctions cérébrales par hémisphère chez les gauchers est beaucoup plus complexe. Enfin, cette répartition est *également* influencée par un autre facteur: le sexe du sujet.»

Elle s'arrête un moment, comme elle doit le faire devant ses étudiants, pour vérifier s'ils ont bien saisi ses propos. «Voyez-vous, poursuit-elle, les preuves que nous avançons sont très minces. C'est un domaine d'étude *très* neuf; nos techniques sont rudimentaires, mais nous nous efforçons, au fur et à mesure que nous progressons, de mettre au point une technologie plus perfectionnée. Quoi qu'il en soit, différentes études et différentes expériences de laboratoire effectuées à travers le monde semblent indiquer que le cerveau féminin est peut-être moins latéralisé et qu'il est *structuré* de manière plus lâche que le cerveau masculin. Chez les droitiers de sexe masculin, par exemple, le langage semble être cantonné de manière plus *rigoureuse* dans l'hémisphère gauche, tandis que les aptitudes visuo-spatiales sont rigoureusement cantonnées dans l'hémisphère droit. Cela ne semble pas être le cas chez les *femmes* droitières. *Leurs* hémisphères semblent être moins distincts l'un de l'autre sur le plan fonctionnel et être structurés de manière plus floue. D'autre part, chez les femmes, les échanges entre les deux hémisphères semblent s'effectuer plus facilement. Ces différences — et l'on est en droit de se demander ce qu'il est raisonnable de croire, étant donné les preuves que nous avançons — semblent être innées.»

Au début des années 1960, à environ 2 500 milles du laboratoire de Roger Sperry en Californie, Herbert Lansdell, psychologue du National Institutes of Health à Bethesda, dans le Maryland, commença à étudier un autre groupe d'épileptiques dont une partie de l'hémisphère droit avait été enlevée afin de contenir leurs crises. Il soumit certains de ces sujets à un test qui consistait à choisir un dessin parmi un certain nombre de formes abstraites. Il s'attendait à ce que tous les sujets obtiennent des résultats très médiocres. Mais il constata en fait que seuls les *hommes* avaient obtenu des résultats faibles. Intrigué, il continua à étudier des patients dont une partie de l'hémisphère *gauche* avait été retirée. Et il constata un écart semblable: alors que les hommes avaient obtenu des résultats médiocres dans un certain nombre de tâches verbales, il n'en était pas de même des femmes. Lansdell suggéra alors, pour la première fois, que l'organisation cérébrale pouvait être différente en fonction du sexe.

Pendant très longtemps, la proposition de Lansdell resta à l'état de suggestion. Puis, vers le milieu des années 1970, encouragée par les travaux de Jerre Levy et ses collègues, Jeannette McGlone de l'université Western Ontario au Canada examina 85 adultes droitiers qui avaient été admis à la clinique de neurologie en raison d'une lésion à l'un des côtés de leur cerveau. Elle fit avancer la théorie d'un grand pas, en établissant que seuls les hommes présentaient des insuffisances verbales spéciales après une lésion de l'hémisphère gauche et des insuffisances non verbales et spatiales, après une lésion de l'hémisphère droit. Chez les femmes, les carences à la fois au niveau des aptitudes verbales et spatiales étaient moins sérieuses. Et elles seules présentaient un amoindrissement de leurs aptitudes verbales après une lésion d'un des deux hémisphères, *quel qu'il soit*. A partir de cette expérience, qui fut corroborée par d'autres études, Jeannette McGlone a conclu que le cerveau masculin est latéralisé et structuré de manière plus précise que le cerveau féminin, comme Jerre Levy l'a déjà souligné. Le cerveau féminin, au contraire, semble présenter une distribution plus diffuse des aptitudes verbales et spatiales. Cette conclusion a fait l'objet de vives controverses. « Certains scientifiques, vous n'êtes pas sans le savoir, semblent penser que ces travaux ne devraient pas être effectués », déclare Jeannette McGlone. « J'ai dû faire face à des attaques parfois cinglantes. » Cette théorie a néanmoins été récemment confirmée de manière spectaculaire par des études menées dans d'autres laboratoires.

A l'université Queen's de Kingston, en Ontario, James Inglis et J.S. Lawson ont abordé la même question sous deux angles différents. En premier lieu, ils dépouillèrent les travaux scientifiques concernant les effets des lésions cérébrales sur les aptitudes verbales et visuo-spatiales qui avaient été effectuées sur une période de trente ans. Ces documents pléthoriques, cependant, ne faisaient nullement allusion aux différences sexuelles, la suggestion de Lansdell n'ayant éveillé aucun écho. Ils dressèrent donc un tableau de toutes les études examinées, suivant que les sujets étaient des hommes, des femmes ou des individus des deux sexes. Puis ils démontrèrent que la complexité des divers résultats obtenus était entièrement en harmonie avec la théorie de Jeannette McGlone. En fait, les résultats *dépendaient* du nombre précis d'hommes et de femmes qui avaient été utilisés comme sujets dans chaque étude. En deuxième lieu, ils effectuèrent leur propre enquête. Cette fois, ils examinèrent une *centaine* de patients droitiers souffrant d'une lésion au cerveau et arrivèrent à une conclusion presque identique à celle de Jeannette McGlone, soit une latéralisation plus accentuée des fonctions cérébrales chez les sujets mâles et une structure tout à fait différente chez les sujets de sexe féminin. En effet, leurs patientes présentaient des pertes fonctionnelles moindres suite à une lésion à l'un des deux hémisphères. Cependant, l'expérience *prouvait* qu'il y avait chez les patientes une perte, *à la fois* des fonctions verbales et visuelles, suite à une lésion de l'hémisphère gauche.

A la même époque, Jeannette McGlone commença elle-même une autre expérience. Les patients sur le point de subir une opération chirurgicale du cerveau sont souvent soumis à un test qui porte le nom du neurologue Juhn Wada. «Le chirurgien, nous explique Jeannette McGlone, dans son bureau de l'hôpital universitaire, doit savoir dans quel hémisphère se trouve la zone du langage afin de déterminer l'envergure de l'opération chirurgicale. On injecte donc de l'amytal de sodium dans l'une des carotides du patient, injection qui plonge pendant une courte période l'un de ses hémisphères dans le sommeil. On soumet ensuite l'hémisphère éveillé à un certain nombre de tests de langage. Je dois avouer qu'il ne m'a pas été possible de faire passer ces tests à un *grand nombre* de patients de sexes masculin et féminin. Mes résultats sont donc partiels, mais ils ne sont pas moins surprenants, et pourraient mener à des conclusions révolutionnaires, à mon avis. J'ai soumis ces hommes et ces femmes à un test très simple portant sur le vocabulaire : il s'agissait de nommer en trente secondes autant de mots commençant par la lettre «d» qu'ils le pouvaient, d'abord avec les deux hémisphères intacts, puis avec l'un ou l'autre des hémisphères endormis. Nous avons constaté que la manière dont les hommes et les femmes exécutent le test diffère radicalement. Les femmes obtiennent de meilleurs résultats lorsqu'elles peuvent se servir des deux hémisphères, et des résultats plus faibles lorsque *l'un ou l'autre* des hémisphères est endormi. Les hommes obtiennent de meilleurs résultats lorsque leur hémisphère droit est endormi, des résultats moins bons lorsque les deux hémisphères sont intacts et des résultats *très* médiocres — pires que ceux des femmes lorsque leur hémisphère gauche est endormi. En d'autres termes, chez les hommes, la fonction du langage semble être plus fortement localisée dans l'hémisphère gauche. La fonction du langage et sans doute les aptitudes visuo-spatiales sont donc organisées différemment chez les hommes au niveau du cerveau.»

Des personnes bien connues de Jeannette McGlone et faisant partie de son entourage professionnel lui apportent bientôt la preuve qu'elle est sur la bonne voie. L'une d'elles est Doreen Kimura, professeur de psychologie à l'université Western Ontario, avec qui Jeannette McGlone a fait ses études. Doreen Kimura, une petite femme vive dans la quarantaine avancée, est l'inventeur, comme le souligne Jerre Levy, de l'écoute dichotique, l'une des techniques indirectes par laquelle s'est d'abord effectuée l'attribution des différentes responsabilités hémisphériques. Récemment, cependant, elle a mis au point une méthode plus directe d'observation de l'organisation des aptitudes reliées au langage dans l'hémisphère gauche qui, chez la plupart des droitiers, contrôle cette fonction. A nouveau, elle a observé des différences entre les hommes et les femmes.

« Eh bien, dit-elle, je crois que nous avons fait avancer les travaux de Jeannette en concentrant nos expériences sur un seul hémisphère. Nous cherchons à savoir si les hommes et les femmes sont atteints de manière différente, et s'ils deviennent aphasiques (perte du langage) à la suite de lésions des mêmes zones cérébrales ou de zones différentes. Jusqu'à présent, nous avons constaté que si nous divisons l'hémisphère gauche de l'avant vers l'arrière — de la face antérieure à la face postérieure — les individus de sexe masculin deviennent aphasiques à la suite d'une lésion de *l'une ou l'autre* de ces zones. Par ailleurs, il semble que les femmes ne deviennent aphasiques que si la zone *antérieure* est lésée. Chez les femmes, la fonction du langage ne semble pas être affectée par une lésion de la zone postérieure, ou l'arrière du cerveau. Cela nous suggère deux possibilités. Soit que les femmes possèdent certaines fonctions du langage dans l'hémisphère droit alors qu'elles résident toutes dans l'hémisphère gauche chez les hommes. Soit que, chez les femmes, la fonction du langage dans l'hémisphère gauche est plus concentrée et plus restreinte que chez les hommes. D'une manière ou d'une autre, cela indique, je pense, qu'il existe des différences entre les hommes et les femmes dans la manière dont la zone du langage est structurée dans l'hémisphère gauche, des différences intra hémisphériques et inter hémisphériques. Cette hypothèse a été confirmée par des travaux effectués par une autre de mes étudiantes, Katie Mateer, qui nous a quittées, Jeannette et moi, pour travailler avec George Ojemann de l'Université de Washington à Seattle. »

George Ojemann est un neurochirurgien de la génération de Kimura, grand, sûr de lui, les yeux cachés derrière ses lunettes. Au cours des dix dernières années, il a mis au point une technique qui consiste à stimuler électriquement les cerveaux mis à nu des patients avant l'opération chirurgicale. Le but de cette expérience est d'établir des planches anatomiques des fonctions cérébrales, en particulier des fonctions du langage, avec une précision plus grande que le test Wada ne le permet. Au moment où les patients sont allongés sur la table d'opération, on leur fait passer un certain nombre de tests de langage. Lorsque la stimulation électrique à un endroit donné de la surface cérébrale coïncide avec une bonne réponse, cet emplacement est marqué comme une zone importante d'une manière ou d'une autre pour le langage et qui devra, si possible, être évitée au cours de l'opération chirurgicale. Pendant trois ou quatre années, Katie Mateer a étudié, cas par cas, les schémas du cerveau établis selon cette méthode. Elle en a conclu que chez la femme, la zone du langage, dans l'hémisphère gauche, est plus restreinte que chez l'homme. Elle n'a pas trouvé un modèle de distribution du langage de l'avant à l'arrière exactement identique à celui que Doreen Kimura avait observé chez ses patients aphasiques et qui fut par la suite vérifié par les balayages cathodiques des cerveaux de patients aphasiques masculins et féminins. Mais elle a toutefois découvert que dans l'hémisphère gauche féminin, une zone beaucoup plus réduite, à la fois à l'avant et à l'arrière du cerveau, est réservée aux fonctions de base du langage qui faisaient l'objet du test: identification verbale des objets, des expressions, des images et des mots. Cela nous amène une fois de plus à poser la double hypothèse suivante: ou bien la zone réservée au langage dans l'hémisphère gauche féminin est plus concentrée, ou bien certaines fonctions reliées au langage, chez la femme, sont situées ailleurs, c'est-à-dire dans l'hémisphère droit.

Pendant presque tout un après-midi, nous parlons avec Doreen Kimura de ses expériences et des travaux de Levy, Lansdell, McGlone et Mateer. Puis, petit à petit, la conversation prend une tournure plus générale et notre interlocutrice passe en revue toutes les preuves partielles provenant d'autres sources qui appuient son hypothèse d'une différence de structure entre les cerveaux féminin et masculin: le fait que les hommes soient plus sujets aux attaques d'apoplexie en général et à l'aphasie résultant d'une apoplexie en particulier; le fait que les systèmes verbal et visuo-spatial semblent se chevaucher chez la femme et non pas chez l'homme (K. Fukui, Japon); le fait que les hommes soient plus aptes que les femmes à effectuer simultanément des tâches verbales et visuo-spatiales parce que leurs hémisphères gauche et droit fonctionnent de manière plus indépendante que chez la femme (Sandra Witelson de l'université McMaster au Canada); le fait que les hommes aient plus de difficulté que les femmes à effectuer deux tâches concernant l'hémisphère droit — par exemple, effectuer un test visuo-spatial et se servir de la main gauche (Takeshi Hatta de l'Université d'Osaka); et le fait que, d'après les mesures de l'électricité, les femmes réagissent plus aux stimuli, libèrent une énergie électrique plus intense à la fois dans des tâches verbales et visuo-spatiales et parviennent plus facilement que les hommes à régler la fréquence de leurs ondes cérébrales d'un hémisphère à l'autre (Monte Buchsbaum de l'American National Institute of Health et Pierre Flor-Henry de l'Université d'Alberta à Edmonton, entre autres). Nous discutons également des travaux de Ruben et Raquel Gur de l'Université de Pennsylvanie. Il s'agit d'un jeune couple israélien qui a passé de nombreuses années à établir un lien entre les mouvements oculaires vers la droite et vers la gauche et l'activation de l'hémisphère droit et gauche chez l'homme et chez la femme. A l'heure actuelle, cependant, ils ont aussi trouvé des méthodes d'étude plus directes des activités cérébrales grâce à de nouvelles techniques reliées à l'interception par le cerveau des molécules émettrices d'énergie radioactive. Leurs travaux sont à peine ébauchés, mais ils ont déjà démontré que les cerveaux de l'homme et de la femme sont différemment constitués et irrigués. Lorsque les femmes exécutent des tâches verbales et visuo-spatiales, leurs hémisphères gauche et droit semblent utiliser de plus grandes quantités d'énergie que ceux des hommes.

D'un horizon à l'autre, les scientifiques, indépendamment de leurs types d'étude ou de la méthode qu'ils utilisent, constatent des différences dans la manière dont les hommes et les femmes structurent leurs aptitudes verbales et visuo-spatiales. Les résultats de ces études ne coïncident pas toujours exactement mais, globalement, il y a une sorte de cohérence. Chez l'homme et chez la femme, ces aptitudes sont structurées selon un modèle différent. La question fondamentale est : pourquoi ?

Doreen Kimura est consciente de la gravité de cette question et du fait que les réponses possibles peuvent susciter de vives controverses. « Bon, je pense que nous devons prendre en considération l'évolution, et l'influence distincte que celle-ci exerce sur les hommes et sur les femmes. Premièrement, admettons que le langage est une aptitude acquise à une époque relativement récente de l'évolution humaine. Et posons l'hypothèse que lorsque les mâles et les femelles d'une espèce suivent une évolution différente sur le plan de l'acquisition d'une fonction, celle-ci occupera une zone du cerveau plus ou moins grande. Cela est vrai, nous le savons, chez les oiseaux. Cela dit, nous savons aussi que pendant les 99 p. 100 de notre histoire, au cours desquels l'*Homo sapiens* a lentement émergé, la survie de l'espèce humaine reposait sur la chasse et la cueillette. Dans ce type de société, il devait exister des pressions très fortes et très sélectives qui poussaient les individus de sexe masculin à devenir avant tout des chasseurs. Pour exercer avec succès cette activité dont dépendait la survie alimentaire et génétique de l'espèce, ils devaient posséder une vue perçante, une bonne aptitude à viser, un bon contrôle de la motricité et la faculté d'évaluer les distances, de s'orienter et de juger rapidement d'une situation : il s'agissait en fait exactement du type d'aptitudes visuo-spatiales que les scientifiques retrouvent chez l'homme d'aujourd'hui. Cependant, pour acquérir ces aptitudes, ils devaient leur consacrer une grande partie de leur masse cérébrale : l'espace neural. Et lorsque, par la suite, il leur devint nécessaire d'acquérir d'autres aptitudes, cette zone du cerveau ne put être utilisée, ou plutôt, ces nouvelles ont dû se subordonner aux aptitudes spatiales et motrices qu'ils possédaient déjà.

«Pendant ce temps-là, les femmes — faisons travailler notre imagination — étaient soumises à une évolution *différente* et leur sélection s'effectuait en fonction de critères différents. Ces critères, associés à la maternité et à la vie sociale et culturelle, pour n'en citer que quelques-uns, exigeaient des aptitudes motrices différentes, une structure cérébrale différente et probablement une meilleure intégration des hémisphères. Lorsque l'espèce humaine commença à utiliser le langage articulé, cette fonction s'inséra de manière assez différente dans l'architecture du cerveau féminin. Notre hypothèse est que ces facultés pouvaient s'exprimer de manière plus souple dans *les deux* hémisphères, sans être confinées dans l'hémisphère gauche, comme chez les hommes. Mais plus précisément, je pense, elles étaient insérées dans des systèmes de motricité déjà développés de manière très différente du modèle masculin. Le résultat, une fois de plus, est aujourd'hui sous nos yeux: une distribution différente de la fonction du langage dans l'hémisphère gauche et une répartition différente des aptitudes reliées au langage que les scientifiques ont observées chez les femmes de nos jours. Tout cela, vous le voyez, aurait donc été imposé par l'évolution, canalisé par la sélection sexuelle et inscrit dans les cerveaux mâle et femelle. Et cela demeure dans notre cerveau, après des millions d'années, prêt à être découvert.»

Jerre Levy acquiesce. Elle est même prête à aller plus loin, à approfondir les aptitudes «à la maternité et à la vie culturelle et sociale» qui sont devenues, tout au long de l'évolution de l'espèce humaine, des caractéristiques féminines plutôt que masculines. Roger Sperry, lors de notre visite à Pasadena peu avant qu'on lui décerne son prix Nobel, a déclaré au sujet de Jerre Levy: «L'une des rares personnes, à ma connaissance, qui puisse assimiler une telle masse d'information.» Et voici qu'elle cite d'un trait toutes les études, y compris les siennes, ayant démontré de manière persistante les aptitudes des femmes dans certains domaines particuliers. Leur supériorité en ce qui concerne certaines aptitudes verbales importantes; leur meilleure coordination dans les petits mouvements; leur aptitude à rassembler les informations périphériques et à réagir; leur aptitude à lire les émotions sur les visages; leur sensibilité aux odeurs et, par-dessus tout, aux «sons» et aux variations de sons.

Toutes ces aptitudes, selon elle, rendent parfaitement compte d'un contexte social fondé sur la chasse et la cueillette. Dans une telle société, explique Jerre Levy, les hommes auraient eu tendance à être des solitaires. Mais les femmes formaient le noyau social de base, l'élément de cohésion du groupe. Leurs rôles au sein du groupe sur le plan de la cueillette et de l'alimentation leur ont permis d'acquérir une meilleure coordination dans les petits mouvements. Et leurs rôles au sein de la société, axés sur la médiation, les soins, le maintien de la paix et la protection des enfants, leur ont permis d'acquérir une plus grande complexité sur les plans émotionnel et social, des aptitudes à la communication supérieures à celles des hommes et une capacité plus grande de réagir rapidement à toute forme de menace dans l'environnement. Ces qualités, croit-elle, se perpétuent, à un degré ou à un autre, chez les femmes d'aujourd'hui grâce à leurs structures cérébrales. Jerre Levy est persuadée que, sur le plan collectif, ces aptitudes sont à l'origine de « ce phénomène anecdotique omniprésent » : l'intuition féminine.

« Ce qu'il faut retenir, voyez-vous, c'est que les hémisphères du cerveau masculin sont spécialisés ; ils parlent des langages différents, verbaux et visuo-spatiaux. Et il est fort possible qu'ils ne puissent communiquer l'un avec l'autre que d'une manière formelle, selon un code de représentation abstraite. Les hémisphères du cerveau *féminin*, par contre, ne semblent pas être aussi spécialisés. Ils peuvent donc communiquer entre eux d'une manière moins formelle, moins structurée et plus rapide. S'il en est ainsi, il est parfaitement possible que les femmes parviennent mieux que les hommes à assimiler des informations verbales et non verbales. Par exemple, déchiffrer le contenu émotionnel des intonations vocales et les intensités des expressions faciales ; l'interprétation de signes sociaux tels que les postures et les gestes ; et rassembler rapidement toutes sortes d'informations périphériques afin de former une image unique. Il est possible que ce soit là l'origine de ce que nous appelons l'intuition féminine, cette aptitude de la femme, jugée illogique par l'homme, qui consiste à réagir à un danger pressenti plutôt que perçu — « quelque chose menace mon enfant » — ou à produire une analyse complète du caractère d'une personne rencontrée pendant seulement dix minutes, analyse qui, par la suite, se révèle souvent juste. »

Bien entendu, certains arguments de Jerre Levy sont entièrement théoriques. Mais ils sont soutenus par les différences que Doreen Kimura, Katie Mateer et d'autres chercheurs ont récemment relevées à l'intérieur des hémisphères distincts du cerveau masculin et féminin. Dans l'hémisphère gauche du cerveau masculin, comme nous l'avons vu, la zone du langage semble être disposée selon un modèle tout à fait différent de celui du cerveau féminin. Et il est possible que cela révèle chez la femme, que le langage a évolué comme un outil de communication, alors que chez l'homme, il a évolué comme un outil subordonné aux tâches visuo-spatiales — le raisonnement analytique. De même, il semble que chez l'homme, les aptitudes visuo-spatiales occupent dans l'hémisphère droit un espace neural plus grand que chez la femme. Cela peut signifier que les femmes ont pu développer dans leur hémisphère droit *d'autres* aptitudes à la communication non verbale — telles que la sensibilité et l'émotivité — qui ne peuvent trouver de place dans l'hémisphère droit masculin.

« S'il en est ainsi, poursuit Jerre Levy, il se peut alors que les hommes soient doublement désavantagés sur le plan de leur vie émotive. Leurs émotions seront moins complexes et, en raison de la difficulté de communication qui existe entre leurs deux hémisphères, l'accès *verbal* à leur vie émotive sera plus restreint. »

Évolution. Intuition féminine. Démêlés des hommes avec leurs émotions. « Vous savez, dit Jerre Levy, je crois fermement que la nature est économe. Je suis persuadée, d'une manière presque mystique, que la vérité est simple et élégante, et que les choses fausses sont compliquées et troubles. Nous n'en sommes qu'aux balbutiements mais j'ai la certitude que les différences entre les hommes et les femmes de notre espèce trouveront leur explication dans la disposition cellulaire et l'anatomie du cerveau humain. »

Chapitre 5

Les liens logiques

Jusqu'à tout récemment, pratiquement aucune différence anatomique, comme nous l'avons souligné, n'a été constatée entre les cerveaux masculin et féminin. Peu de spécialistes de l'anatomie du cerveau se sont même donné la peine d'aller y voir de plus près; ils estimaient avoir des travaux plus urgents à effectuer sur les cerveaux humains de personnes décédées, d'ailleurs en quantité limitée. En fait, dans l'abondante documentation scientifique, on trouve seulement deux sources pertinentes. En 1880, un savant anglais du nom de J. Crichton-Browne avait observé que chez la femme, les deux hémisphères avaient en général à peu près le même poids, alors que chez l'homme, la différence pondérale était plus marquée. Par ailleurs, un Américain nommé J.D. Conel a démontré que dans les cerveaux des enfants de quatre ans, la croissance des cellules était plus avancée dans certaines zones de l'hémisphère *gauche* chez les filles et dans certaines zones de l'hémisphère *droit* chez les garçons. Outre ces quelques fils conducteurs, les scientifiques constatèrent dans les années 1970 que les hommes présentaient plus fréquemment que les femmes des asymétries de gauche à droite dans les zones du langage de l'hémisphère gauche. Cela n'était pas dénué d'intérêt, mais cela était peu concluant: «Nous n'avons aucune idée de ce que cela signifie», déclarait George Ojemann.

Cependant, le 25 juin 1982, six mois après notre visite à Jerre Levy, un court article parut dans le journal américain *Science*, neuf mois après qu'il ait été soumis au comité de rédaction. Il fut discrètement enseveli, sans tambour ni trompette, sous une foule d'autres articles portant sur toutes sortes de sujets. Cependant, les téléphones des neuropsychologues se mirent à sonner sans relâche. L'article présentait la synthèse des travaux effectués à l'Université du Texas par Christine de Lacoste-Utamsing et Ralph Holloway de l'Université de Columbia. Le titre de l'article était assez terne, comme c'est l'usage dans les revues scientifiques: «Dimorphisme sexuel du corps calleux chez l'humain».

Le corps calleux est le faisceau fibreux allongé qui transmet les informations d'un hémisphère cérébral à l'autre; ce sont précisément ces fibres qui avaient été sectionnées chez les patients épileptiques de Roger Sperry. Et les deux auteurs de l'article avaient découvert, presque par accident, qu'à l'arrière du cerveau, l'extrémité «caudale», ou postérieure, du faisceau fibreux était beaucoup plus large et épaisse chez la femme que chez l'homme. Cette différence était si évidente que «des observateurs impartiaux» pouvaient immédiatement attribuer à l'un des deux sexes — «avec un pourcentage de réussite de l'ordre de 100 p. 100» — les dessins effectués à partir de photographies de coupes transversales. Cinq mois plus tard, à la réunion annuelle de l'American Society for Neuroscience, à Minneapolis, de Lacoste-Utamsing et un collègue de l'Université du Texas, D.J. Woodward, annoncèrent que cette différence pouvait non seulement être constatée dans les cerveaux des adultes mâles et femelles mais aussi dans les cerveaux des *foetus* entre la vingt-sixième et la quarantième semaine de grossesse. En d'autres termes, cette différence pouvait être observée dans le cerveau humain dès le commencement *longtemps avant que l'embryon humain ne voit le jour.*

Pour les neuropsychologues, il s'agissait d'une découverte très excitante. On venait de découvrir l'une des pièces principales de ce que Jerre Levy appelait «le casse-tête»; de plus, celle-ci s'imbriquait parfaitement dans les autres. En effet, d'après les travaux effectués sur les animaux, et dans une certaine mesure, sur les humains, les savants étaient à peu près certains que la partie arrière du corps calleux servait à transmettre entre les deux hémisphères les informations visuelles et peut-être spatiales. «Si l'on considère, déclare Sandra Witelson, que, d'après les travaux qui ont été effectués, les fonctions visuo-spatiales sont latéralisées chez *l'homme* et organisées de manière beaucoup plus bilatérale chez la *femme,* c'est donc dans cette zone du corps calleux que l'on doit s'attendre à en trouver la preuve. Que l'on ait pu *réellement* prouver qu'il existe une différence — et que, de plus, cette différence soit innée — c'est tout simplement stupéfiant!»

Sandra Witelson est une neuropsychologue de tout premier rang, d'un caractère enthousiaste, qui possède une solide formation en anatomie. Vers le milieu des années 1970, en tant que membre du département de psychiatrie de l'université McMaster au Canada, elle a mis au point le test de simulation dichotactile, grâce auquel la latéralisation des différentes fonctions de perception peut être déterminée sur des individus neurologiquement normaux. Une partie de ce test consiste à sentir avec chaque main deux objets de forme différente placés hors de la vue du sujet et à tenter alors de les identifier parmi un groupe de six formes présentées sur une image. Sandra Witelson a fait passer ce test à 200 enfants droitiers âgés de six à treize ans, et les résultats ont été réunis dans une étude souvent citée. Du reste, ces résultats étaient d'une cohérence remarquable. Dans le cas des filles, la perception tactile était la même, quelle que soit la main utilisée; la fréquence avec laquelle elles reconnaissaient les objets était la même pour la main droite et pour la main gauche. Mais à n'importe quel âge situé entre six et treize ans, les garçons faisaient preuve d'une plus grande habileté pour identifier les objets avec la main *gauche*, même s'ils étaient droitiers. Sandra Witelson posa alors l'hypothèse qu'à partir d'un âge très précoce, les garçons utilisent principalement leur hémisphère droit dans la mesure où cela concerne leurs aptitudes visuo-spatiales, ce qui n'est pas le cas des filles. Ces dernières peuvent utiliser n'importe lequel de leurs hémisphères.

« C'est cela, bien entendu, qui rend l'étude de Lacoste si fascinante », souligne Sandra Witelson. « En effet, elle confirme l'hypothèse selon laquelle, chez les femmes, la communication interhémisphérique est plus accentuée que chez les hommes. Puisque chez les hommes, l'hémisphère droit domine à ce point, il est bien possible que la liaison entre les deux hémisphères soit plus faible. Et cela soulève toutes sortes de possibilités qui, nous le découvrons à présent ont une origine anatomique. J'ai déjà souligné, par exemple, que les hommes font preuve d'une plus grande habileté à effectuer deux tâches cognitives simultanément, à condition que ces tâches dépendent principalement d'hémisphères différents, comme tenir une conversation tout en cherchant sa route et en conduisant, et que les femmes sont plus habiles pour effectuer des tâches cognitives *uniques* qui impliquent les deux hémisphères et exigent une communication interhémisphérique, comme par exemple l'interprétation ou l'évaluation d'une personne en fonction d'indices à la fois verbaux et visuels: les inflexions des voix, les expressions des visages, le langage corporel, etc. Il se peut que la plus grande largeur du passage interhémisphérique chez la femme permette d'expliquer ces deux cas. La différence sexuelle pourrait être reliée à la distribution différente du langage dans l'hémisphère gauche chez les femmes comme le docteur Doreen Kimura et ses collègues l'ont déjà suggéré. Et il est possible que, grâce à ces facteurs, les femmes puissent accéder plus facilement, sur le plan *verbal*, à la sphère émotionnelle de leur hémisphère droit, comme Jerre Levy le suggère. »

Le rapport de Lacoste met en relief un autre phénomène. A partir des travaux de Jerre Levy sur des groupes d'enfants et des observations de Conel sur les cerveaux d'enfants de quatre ans, il est raisonnable de conclure que l'hémisphère droit et ses aptitudes propres se développent plus vite chez les garçons que chez les filles, tandis que l'hémisphère *gauche* et ses aptitude se développent plus vite chez les filles que chez les garçons. On constate que les filles sont plus habiles sur le plan du langage à un âge plus précoce. Cela leur donne un net avantage à leur entrée à l'école. Certaines études ont démontré qu'elles ont environ douze mois d'avance sur les garçons à l'âge de six ans et environ dix-huit mois d'avance à l'âge de neuf ans. Les garçons ne prennent le dessus, semble-t-il, qu'après l'école primaire. Et ceci presque uniquement dans des domaines qui demandent des aptitudes mathématiques et mécaniques. Bien que cela soulève de fortes controverses, il est possible que les individus de sexe masculin soient plus habiles dans les tâches mathématiques et mécaniques parce que ces tâches sont avant tout visuo-spatiales, c'est-à-dire qu'elles dépendent étroitement du fonctionnement de l'hémisphère droit. De même que les garçons éprouvent des difficultés au cours de l'apprentissage de la *lecture,* par exemple — parce que cette activité dépend de la communication interhémisphérique pour laquelle ils ne sont pas suffisamment équipés en connexions — les filles éprouvent des difficultés semblables par la suite au cours de leur apprentissage des *mathématiques,* précisément parce qu'elles *possèdent* ces connexions interhémisphériques. En d'autres termes, puisqu'elles peuvent avoir plus facilement accès, sur le plan verbal, à leur hémisphère droit, les filles ont tendance à appliquer des stratégies *verbales* pour résoudre des problèmes visuo-spatiaux, méthode qui se révèle plutôt inefficace.

En décembre 1980, Camilla Persson Benbow et Julian Stanley de l'université Johns Hopkins de Baltimore publièrent les résultats d'une étude qui avait duré huit ans. Celle-ci portait sur l'écart entre les deux sexes sur le plan des aptitudes aux mathématiques et sur l'origine de cette différence. Ce document était rédigé en des termes extraordinairement modérés et prudents. La conclusion était la suivante: «Nous approuvons l'hypothèse selon laquelle les individus de sexe opposé ont des attitudes différentes envers les mathématiques et obtiennent des résultats sensiblement différents, en raison de la supériorité masculine dans ce domaine, qui est elle-même reliée au fait que les individus de sexe masculin ont plus de facilité dans les tâches spatiales.»

Trois mois plus tard, après un tollé dans les rubriques des journaux scientifiques, Diane McGuinness rencontra les deux auteurs à un congrès scientifique. Ils paraissaient pâles et hagards et, de leur propre aveu, épuisés par la violence des attaques souvent insensées dont ils avaient été la cible, à la suite de la publication de leur rapport. Depuis lors, ils avaient été boycottés, traînés dans la boue, et, dans une certaine mesure, ignorés par les psychologues du courant orthodoxe qui effectuaient des recherches dans leur domaine. Une année plus tard, Camilla Benbow n'est pas encore revenue de sa surprise.

«Vous devez comprendre, dit-elle doucement, avec une vague trace d'accent scandinave dans la voix, qu'au départ, notre but n'était pas de rechercher les différences d'aptitudes des deux sexes dans le domaine des mathématiques. Notre étude, intitulée *The Johns Hopkins Study of Mathematically Precocious Youth* (SMPY) consistait simplement en six recherches successives, échelonnées entre 1972 et 1977, d'enfants doués en mathématiques dans les États de la région centre-Atlantique. Nous recherchions des élèves très doués de septième et de huitième année du secondaire, âgés pour la plupart de douze ans, et qui, quoiqu'ils n'aient pas encore appris les mathématiques avancées, pouvaient cependant obtenir une note très élevée à la partie mathématique du *Scholastic Aptitudes Test* conçu pour les élèves brillants, en fin d'études supérieures, âgés de 17 et de 18 ans. En d'autres termes, nous étions à la recherche de talents innés pour le raisonnement mathématique. Nous avons sélectionné environ 10 000 enfants au cours de ces six années.»

Cependant, ils firent du même coup une découverte plutôt surprenante: parmi leurs sujets, il y avait beaucoup plus de garçons que de filles. Les résultats obtenus par les garçons étaient en moyenne beaucoup plus élevés que ceux des filles. Et jamais une fille n'a obtenu la meilleure note à un test. Ils se sentirent obligés d'en chercher la cause; après tout, leur travail consistait non seulement à identifier mais aussi à *aider* les enfants doués pour les mathématiques. C'est pourquoi ils étudièrent les garçons et les filles et les comparèrent les uns aux autres en fonction des variables possibles qui pouvaient expliquer l'écart qui les séparait: préparation du raisonnement mathématique, goût pour les mathématiques, encouragement, nombre de cours pris, etc. Ils ne purent relever aucune différence significative sauf au niveau de l'aptitude globale, de la faculté de raisonnement mathématique. Depuis 1979, ils ont examiné 24 000 autres enfants et ont trouvé la même différence d'aptitudes en fonction du sexe. Ils ont également mené une recherche visant à trouver des enfants surdoués à l'échelle nationale. «Nous avons trouvé 63 garçons — et aucune fille.»

Camilla Benbow, étonnante jeune femme d'environ 25 ans, nous déclare qu'elle aurait été ravie de trouver ou de se faire indiquer un facteur relié à l'environnement que leur étude aurait négligé. Cela aurait pu être aisément corrigé. Mais elle cite alors une étude de contrôle effectuée sur un groupe de filles élevées en fonction de modèles féminins traditionnels et spécialement encouragées à adopter ces rôles. Même dans ce *cas*, dit-elle, il semblait n'y avoir somme toute aucune différence. On retrouvait encore, à l'origine, la même différence quant à la faculté de raisonnement mathématique. Lorsque vient pour les filles le temps de l'utiliser formellement en classe pour le calcul, les équations différentielles et la géométrie analytique, par exemple, elles semblent tomber bien au-dessous des garçons, même si elles sont douées et ne ressentent aucune anxiété devant cette matière.

« Tout ceci, avance Camilla Benbow avec précaution, nous incite fortement à penser qu'il existe un facteur plus décisif que l'environnement. Et, s'il en est ainsi, il est probable qu'il soit relié à la supériorité de l'hémisphère droit chez l'homme dans les tâches visuo-spatiales. Nous commençons à peine à comprendre que lorsqu'il existe deux approches également valables d'un problème, par l'intermédiaire des mots ou par l'intermédiaire des images, les individus de sexe féminin ont tendance à choisir l'approche verbale et les individus de sexe masculin l'approche par les images. Cependant, l'approche par les images, reliée à l'hémisphère droit et aux aptitudes visuo-spatiales, est incontestablement beaucoup plus efficace que l'approche verbale, particulièrement dans le domaine des mathématiques avancées. Il suffit de voir la manière dont les mathématiciens communiquent les uns avec les autres, grâce à des symboles tracés sur un tableau noir. C'est pourquoi à mon avis les individus de sexe masculin sont favorisés par leur approche centrée sur l'hémisphère droit. Dès le début, ils sont moins orientés vers le langage que les femmes et plus orientés vers les choses et vers les objets situés dans l'espace. Leurs aptitudes visuo-spatiales dépendent moins du contexte où ils vivent ; du reste, cela peut être vérifié chez des enfants de cultures différentes dès l'âge de quatre ans. Et ils possèdent une faculté d'abstraction plus élevée.

« Je pense que cela peut également nous aider à expliquer pourquoi les hommes sont si nombreux dans certaines disciplines scientifiques. C'est un sujet que nous avons également étudié. Pour être un bon physicien ou un bon ingénieur, par exemple, il faut non seulement posséder une bonne faculté de raisonnement mathématique mais aussi des aptitudes pour la formation visuelle d'images à trois dimensions. C'est probablement la raison pour laquelle on trouve si peu de femmes dans ce domaine. En bref, pour être un bon scientifique, il semble en fait qu'il soit nécessaire de posséder un ensemble de dispositions plus caractéristiques des hommes que des femmes — aptitudes aux représentations spatiales, faible intérêt social et capacité d'assimilation des éléments matériels. Voyons les choses en face : les individus de sexe masculin aiment manipuler les *choses*, et cela peut aller des Tinkertoys au cosmos. » Elle éclate de rire. « Les femmes sont plus axées sur la communication, plus sensibles au contexte et plus intéressées aux gens. C'est peut-être la raison pour laquelle il y a beaucoup plus de femmes dans des domaines comme la biologie et la psychologie : c'est d'ailleurs mon cas.

« Je ne veux pas dire que l'environnement ne joue aucun rôle dans les différences que nous constatons chez les hommes et les femmes. Mais j'*insiste* sur le fait qu'il y a quelque chose de plus puissant et de plus fondamental que l'environnement — un facteur *biologique*. Il est vrai que nous ne connaissons pas encore grand-chose au sujet de l'aspect biologique des aptitudes visuo-spatiales chez l'homme. Mais nous savons que ces aptitudes apparaissent à un âge très précoce et que nous pouvons les vérifier par des tests. Nous savons aussi qu'elles sont liées d'une manière ou d'une autre aux chromosomes sexuels et aux hormones sexuelles. »

Chapitre 6

A la recherche d'indices

Essayez de vous représenter la minuscule cellule qui s'est mise en oeuvre et s'est divisée pour devenir la personne que vous êtes aujourd'hui. Cela se passe quelques instants après la conception. L'ovule de votre mère vient d'être pénétré par l'un des millions de spermatozoïdes qui pullulent dans le sperme de votre père. La cellule maintenant formée comporte deux millionièmes d'un millionième d'once d'ADN, contenant toutes les informations nécessaires pour produire un être humain composé d'un trillion de cellules qui aura votre cerveau, votre coeur, votre nez, votre couleur d'yeux et votre sourire au charme unique. Ces informations génétiques sont emmagasinées dans des segments d'ADN appelés les gènes, qui sont stockés dans 46 chromosomes distincts, dont 33 sont fournis par l'ovule maternel et 33 autres sont le don généreux du spermatozoïde paternel. Vous entrez à présent dans la phase où les paires de chromosomes vont s'assembler.

Chaque chromosome peut être défini comme un paquet de cartes génétiques, qui résultent plus ou moins fortuitement d'un battage de gènes provenant de chacune des paires de chromosomes assorties de vos *parents*. Ainsi les 50 p. 100 de chromosomes que vous a transmis chaque géniteur sont le fruit du plus pur hasard. Il y a cependant deux exceptions à cette règle. En effet, il existe deux chromosomes relativement bien protégés qui ne sont pas soumis à cette sélection accidentelle: les chromosomes sexuels. Un chromosome X est automatiquement transmis à la cellule d'origine — donc à vous-même — par l'ovule maternel et l'autre chromosome, qui peut être un X ou un Y, vous est fourni par le spermatozoïde de votre père. Si vous êtes XX, c'est-à-dire si vous avez deux chromosomes X dans chaque cellule de votre corps sauf dans vos ovules, alors vous êtes une femme. Si vous êtes XY, avec un chromosome X et un chromosome Y dans chaque cellule de votre corps, sauf dans vos spermatozoïdes, vous êtes donc un homme. Voilà la règle générale quoiqu'il existe certaines exceptions, comme nous le verrons bientôt.

Cependant, si vous êtes un scientifique qui essaye d'établir un lien entre les chromosomes sexuels, les hormones sexuelles et les aptitudes visuo-spatiales masculines, vous ne pouvez vous contenter d'isoler un chromosome sexuel en espérant y trouver un gène qui déclenche la sécrétion d'une substance visuo-spatiale appropriée que les hommes possèdent, mais qui fait défaut aux femmes. Vous ne pouvez pas non plus injecter simplement des hormones sexuelles mâles aux femmes en espérant que cela améliore immédiatement leurs aptitudes visuo-spatiales. Tout ce que vous pouvez faire, c'est rechercher des preuves indirectes, d'où qu'elles proviennent, et recueillir des indices. Premièrement, vous pouvez vérifier si les modèles particuliers d'aptitudes visuo-spatiales sont héréditaires. Deuxièmement, vous pouvez mesurer par des tests ces aptitudes chez des hommes et des femmes qui présentent une *anomalie* — soit dans l'expression des chromosomes sexuels, soit dans la quantité d'hormones sexuelles qui devraient leur être fournies naturellement. Darrell Bock et Donald Kolakowski sont à notre connaissance les seuls scientifiques à avoir emprunté la première voie. Au début des années 1970, ils ont fait passer des tests aux membres de plusieurs familles et ont découvert des modèles de transmission génétique des aptitudes qui coïncidaient avec la présence d'un gène récessif dans le chromosome X — cela se produisant le plus souvent chez les hommes parce que les femmes possèdent un deuxième chromosome X. Tous les *autres* éléments de preuve provenaient de la deuxième approche. C'est dans les cas anormaux, les accidents de la nature, qu'ils ont été trouvés.

Il n'y a pas très longtemps, une jeune Danoise que nous appellerons Anna M., a été soumise à une batterie de tests. A l'époque, elle était étudiante dans un collège pour futures jardinières d'enfants; c'était une petite bonne femme sensible et tranquille, d'une intelligence normale, douée pour les langues étrangères. Elle adorait faire la cuisine. Anna M., comme nous l'avons dit, avait eu une enfance ordinaire et une scolarité sans problème. Mais à l'époque normale de la puberté, ses règles n'étaient pas venues, ses seins ne s'étaient pas développés et ses poils pubiens n'avaient pas poussé. C'est pourquoi des médecins s'étaient intéressés à son cas, qui n'était pas difficile à diagnostiquer. En raison de son développement anormal, de sa petite stature et de la faible longueur de son cou, de la largeur de ses mamelons, de l'atrophie de ses ovaires et de la faible quantité d'hormones à la fois mâles et femelles qui circulaient dans son organisme, il était clair qu'elle souffrait du syndrome de Turner. Alors que tous les hommes et les femmes normaux possèdent deux chromosomes sexuels, Anna M. n'en avait qu'un, un chromosome X unique. Le second manquait dans chaque cellule de son corps.

Dans des circonstances normales, comme nous l'avons dit, chaque homme et chaque femme hérite d'un chromosome X provenant de la gamète maternelle et d'un chromosome X ou Y, qui proviennent du spermatozoïde paternel. Parfois, cependant, il se produit une anomalie dans la manière dont les chromosomes sont répartis dans chaque géniteur avant la transmission. Un chromosome sexuel, par exemple, ne parvient pas à passer l'étape de la division — c'est ce qui s'est produit dans le cas d'Anna. Ou bien plusieurs chromosomes sont transmis au lieu d'un seul. Ainsi, de la même manière que des femmes comme Anna possèdent un *seul* chromosome sexuel, d'autres individus qui peuvent être de sexe masculin ou féminin, en ont *trois*. Si l'un des chromosomes est un Y, ces individus seront manifestement de sexe masculin (YXY et XYY). Ils seront donc élevés en garçons. S'il n'y a *pas* de chromosome Y (XXX et XO, comme dans le cas d'Anna), ils présenteront des caractères sexuels féminins. Et ils seront élevés comme des filles.

Nous reviendrons dans un moment au cas d'Anna M. Examinons d'abord le cas des individus XY qui ont hérité d'une dose supplémentaire de masculinité — un chromosome Y en plus — ou d'une dose supplémentaire de féminité — un chromosome X en plus. Les individus mâles qui possèdent des chromosomes XYY sont généralement d'une taille supérieure à la moyenne et se montrent également plus agressifs et plus portés à la violence que le commun des mortels. Mais ce qui est plus important pour le sujet que nous abordons dans cet ouvrage, c'est que *leurs aptitudes visuo-spatiales*, relativement à leurs aptitudes verbales, *sont aussi beaucoup plus prononcées que chez les mâles XY ordinaires*. En d'autres termes, en ce qui concerne leurs aptitudes reliées à l'hémisphère droit, leur gène Y supplémentaire les a dotés de caractères masculins exagérés. Cela les distingue des mâles XXY, qui souffrent de ce que l'on nomme le syndrome de Klinefelter. Ce genre d'individu — il en existe environ 400 000 cas aux États-Unis seulement — est généralement plutôt passif et timide. Il a des testicules de petite dimension, son système pileux est peu développé et son appétit sexuel est faible. Néanmoins, ses aptitudes visuo-spatiales ne semblent pas être touchées. Son chromosome Y unique semble être suffisant pour lui garantir des aptitudes visuo-spatiales qui se situent dans la moyenne des individus de son sexe.

A ce stade, nous pouvons donc affirmer que le chromosome Y

joue un rôle dans les aptitudes visuo-spatiales masculines. Maintenant, où situer le cas d'Anna M. dans ce tableau? Lorsqu'elle fut soumise à des tests par des médecins de l'hôpital psychiatrique Artus au Danemark, il devint rapidement évident que son hémisphère gauche fonctionnait beaucoup mieux que son hémisphère droit. Son sens du toucher dans la main gauche, par exemple, était faible. Elle ne parvint pas à reconnaître des objets placés dans cette main et elle éprouvait de la difficulté à mimer avec la main gauche une position dans laquelle sa main droite avait été placée. *Son aptitude visuo-spatiale était également beaucoup plus faible que son aptitude verbale — elle était très inférieure à la moyenne des individus de son sexe.* Elle obtint une note très faible à la partie exécution, appelée ainsi pour distinguer de la partie verbale d'un test de Q.I. Elle ne parvint pas à reconnaître des objets et des modèles dans des tâches visuelles. Elle plaça de manière incorrecte les pointes d'un compas. Et elle fit des erreurs au cours d'un test faisant appel à l'habileté manuelle et comportant des figures géométriques. Elle éprouvait aussi des difficultés en arithmétique, aussi bien lors de tests que dans sa vie quotidienne.

En d'autres termes, le cas d'Anna M. coïncidait au modèle que présentent toutes les femmes affligées du syndrome de Turner et qui est qualifié d'«exagérément féminin» par les savants. Les femmes de ce type sont généralement timides et réservées. Elles aiment se trouver en compagnie d'enfants, sont souvent attirées par les tâches féminines traditionnelles, comme la cuisine, et par les travaux qui font appel au langage. Leurs cerveaux, comme nous l'avons vu dans le cas d'Anna, sont aussi «exagérément féminin», et se caractérisent par une extrême dépendance de l'hémisphère gauche et par une diminution des aptitudes de l'hémisphère droit. La question est: pourquoi? Il est vrai que les femmes affligées du syndrome de Turner ne possèdent pas de chromosome Y et que nous ne pouvons nous attendre, sur la base de notre hypothèse de travail, à ce qu'elles fassent preuve d'une aptitude visuo-spatiale équivalente à celle des *hommes.* Mais pourquoi leur degré d'aptitudes visuo-spatiales est-il inférieur à celui des *femmes* normales? La réponse à cette question ne se trouve pas dans les facteurs reliés à l'environnement puisque les femmes affligées de cette maladie ont été élevées, traitées, éduquées dès le début de leur vie comme des petites filles ordinaires. C'est ailleurs qu'il faut trouver la réponse, soit dans l'absence du *second* chromosome X qui fournit aux femmes normales les hormones sexuelles.

Les femmes qui, comme Anna, souffrent du syndrome de Turner ont, rappelons-le des ovaires atrophiés. Or, ces derniers sont donnés génétiquement par le deuxième chromosome X. Ceci signifie qu'à partir de la sixième semaine environ de la vie foetale, elles ne disposent pas des hormones sexuelles que les ovaires sécrètent et mettent en circulation. Par conséquent, les femmes qui souffrent du syndrome de Turner présentent des taux d'oestrogène *et* de testostérone (principale hormone mâle que les ovaires produisent en petite quantité) inférieurs à la normale. Et cela nous ouvre une *autre* possibilité qui peut à présent s'ajouter à notre hypothèse à propos des liens entre le chromosome Y et les aptitudes visuo-spatiales. Il n'est pas impossible que la testostérone qui, chez les individus de sexe masculin est placée sous le contrôle du chromosome Y, soit responsable du développement des aptitudes visuo-spatiales chez la *femme*. Se pourrait-il que la testostérone soit à l'origine de tout cela ?

Heureusement, pour le savant à la recherche d'indices, il existe encore deux autres curiosités de la nature qui peuvent être utilisées comme éléments de preuve. Premièrement, nous trouvons les individus dotés normalement de chromosomes XY qui, en raison d'un défaut, sont dès le début de la vie foetale complètement insensibles à la testostérone sécrétée par leurs testicules. En conséquence, ils naissent avec une apparence extérieure féminine. De plus, il est possible que dans leur âge adulte, *ils aient des aptitudes visuo-spatiales diminuées et faussées.*

Ces caractéristiques ne peuvent être attribuées à l'environnement. Les individus génétiquement de sexe masculin qui présentent ce syndrome — sur lequel nous reviendrons plus tard — sont élevés comme des filles et sont soumis, sur le plan de la culture et de l'éducation, aux mêmes influences que les filles *normales.*

Mais on ne peut en dire autant d'un *second* groupe d'individus victimes d'un autre accident de la nature et qui souffrent de ce que l'on appelle l'hypogonadisme hypogonadotropique idiopathique. Ces hommes souffrent de ce qui semble être une déficience dans la sécrétion d'une hormone de transmission qui, chez l'homme normal, provoque la production de testostérone dans les testicules. Mais puisque cet état n'est pas perceptible avant la puberté, les hommes qui sont affligés de cette déficience au nom d'une longueur impressionnante sont élevés comme des garçons ordinaires, et sont soumis, sur le plan de la culture et de l'éducation, aux mêmes influences que les enfants de leur âge.

En 1982, Daniel Hier, du Michael Reese Hospital de Chicago et William Crowley, du Massachussetts General Hospital de Boston, ont publié les résultats des tests qu'ils avaient fait passer à dix-neuf hommes qui présentaient cette anomalie et dont le développement anormal au moment de la puberté avait eu pour résultat une atrophie des testicules et des taux de testostérone semblable à ceux des individus de sexe féminin. Ces tests indiquèrent que, quoique leurs attitudes verbales ne soient pas différentes, ces individus avaient des aptitudes visuo-spatiales inférieures à la fois à celles des hommes normaux *et* à celles des hommes qui avaient contracté ce mal — à la suite d'une lésion cérébrale ou d'une maladie — *après* la puberté. Qui plus est, les deux chercheurs établirent ce qui semble être une corrélation directe entre la gravité de leur maladie et l'amoindrissement de leurs aptitudes visuo-spatiales. Plus les testicules de ces malades étaient petits, plus le taux de testostérone était bas; et plus ce taux était bas, plus médiocres étaient leurs aptitudes. Hier et Crowley démontrèrent qu'il était inutile d'essayer d'améliorer les aptitudes visuelles et spatiales de ces malades en leur administrant de la testostérone *après coup*. Leurs facultés visuo-spatiales avaient été fixées «une fois pour toutes, à la puberté, ou avant».

Donc, pourrait conclure notre savant à l'affût d'indices, les aptitudes visuo-spatiales dépendent d'un taux minimal de testostérone. Et chez les hommes, elles semblent être reliées à la présence du chromosome Y et à un taux élevé de testostérone produit par les glandes génitales masculines. De cette manière, le cerveau d'un individu possédera des caractéristiques plus ou moins masculines, qui influenceront son rythme de développement et ses aptitudes particulières. Certaines de ces aptitudes sont plus fréquentes chez les hommes que chez les femmes. Et il semble qu'elles s'épanouissent à la puberté lorsqu'un afflux de testostérone envahit l'organisme et que les individus de sexe masculin, par coïncidence, comme dirait Sandra Witelson, commencent à développer pleinement leurs aptitudes dans les domaines des mathématiques et de la mécanique, si ce n'est sur le plan verbal. Le résultat peut correspondre aux conclusions de Camilla Benbow: la prépondérance des individus de sexe masculin dans des domaines comme les mathématiques avancées, la physique, le génie, et peut-être également la peinture, l'architecture et la planification urbaine découle de ce lointain passé où l'homme s'adonnait à la chasse et à la cueillette et où le mâle ressentait la nécessité d'exercer ses aptitudes visuo-spatiales. Pierre Flor-Henry, autre savant canadien, est convaincu qu'il faut même remonter plus loin dans notre évolution pour rechercher les origines de cette tendance prépondérante.

«A son niveau biologique le plus fondamental, déclare-t-il, le cerveau a évolué de manière à faciliter l'attirance et la sélection d'un partenaire. Aussi, on doit s'attendre à ce que tout élément qui permet d'améliorer l'efficacité visuo-spatiale soit sélectionné et favorisé par le mâle, qui appartient au sexe *chasseur* — sur le plan sexuel, et en premier lieu, bien entendu, au sommet de l'échelle d'activités, sur le plan de la recherche de nourriture. Dans ce cas, la manière de rendre le cerveau plus efficace est de faire en sorte qu'il soit asymétrique, de façon à faciliter l'analyse spatiale. Et un autre moyen, bien entendu, est de posséder des systèmes visuo-spatiaux raffinés à l'intérieur d'un seul hémisphère. On trouve ces deux caractères chez l'humain mâle évolué, mais ces caractéristiques

sont beaucoup moins nettes chez la femme. Quelle en est la raison ?
Parce que, comme chez les autres espèces, le mâle et la femelle sont
des systèmes sexuels *complémentaires* qui, en vue de s'accoupler et
de se reproduire avec succès, doivent avoir des comportements,
des aptitudes et des stratégies différentes. Comment ces différences
sont-elles perpétuées dans les autres espèces ? Par les hormones
sexuelles. Comment ces différences sont-elles maintenues dans *notre* espèce ? Par les hormones sexuelles, bien entendu.»

La sexualisation du cerveau

Chapitre 7

La chimie sexuelle vue de l'extérieur

Les hormones sexuelles sont les substances chimiques les plus subtiles et les plus puissantes de la nature. C'est seulement au cours des dix dernières années que les scientifiques ont commencé à réaliser dans quelle mesure elles affectent profondément, tout au long de la vie, le système cerveau-organisme de l'être humain. L'un des problèmes qu'elles posent est qu'elles jouent des rôles différents à différents moments. Un autre problème est qu'elles agissent simultanément de diverses manières dans différentes parties de notre système. Pour mieux saisir l'énorme portée de leurs *effets,* cependant, il faut se reporter à l'âge de la puberté.

Dans les pays occidentaux, la puberté semble se déclarer quatre ans plus tôt qu'elle ne le faisait y a quatre siècles, probablement en raison d'une meilleure nutrition et d'une exposition constante à la lumière artificielle. Pourtant, il n'y a pas la moindre raison de croire que la puberté se déroule de manière différente. A un moment donné, entre 9 et 15 ans, (bien que la puberté puisse se produire à l'âge incroyablement précoce de 2 ans, ce qui constitue une autre curiosité de la nature) l'organisme sent, d'une manière ou d'une autre, qu'il a atteint une croissance suffisante pour faire face aux exigences de la reproduction. C'est alors qu'il se produit une série de métamorphoses étonnantes. Les testicules et les ovaires sont informés qu'ils doivent augmenter rapidement la production de leurs hormones sexuelles caractéristiques. Et les individus des deux sexes qui étaient auparavant assez semblables quant à la forme et la dimension de leur corps, se différencient à présent rapidement. Le cycle menstruel se déclenche chez les filles. Leurs seins se développent. Une toison couvre leur pubis, leur bassin s'élargit et elles prennent du poids à l'endroit des hanches; cela abaisse leur centre de gravité et leur donne cette démarche ondulante caractéristique de la femme arrivée à maturité. Les garçons, à un âge un peu plus tardif — les transformations qu'ils subissent à la puberté semblent demander une croissance plus poussée — prennent une voix plus grave, leur front se dégage, une nouvelle musculature se forme, leurs os et leurs glandes sudoripares se développent. Des poils apparaissent sur leur visage, leur pénis s'élargit et leur production de sperme devient permanente. Ils commencent *également* à devenir fortement attirés par les filles. Alors qu'auparavant les deux sexes étaient plutôt indifférents l'un à l'autre, à présent — pendant et après la puberté — ils réagissent à l'activité de leurs hormones sexuelles avec un degré de sensibilité sans cesse croissant.

Certaines de ces caractéristiques sexuelles, sous une forme atténuée cependant, peuvent être provoquées artificiellement chez des individus de sexe masculin ou féminin par la simple administration des hormones adéquates. Si l'on donne des oestrogènes (famille d'hormones sexuelles reliées à l'oestradiol) à un transsexuel homme-femme, il est probable que ses seins se développent et que ses hanches et ses cuisses s'élargissent; si l'on donne des androgènes (famille d'hormones reliées à la testostérone) à un transsexuel femme-homme, son clitoris s'élargira, des poils faciaux paraîtront, sa voix muera et son corps prendra une musculature masculine. Cela se vérifie parfois chez les athlètes féminines qui prennent des stéroïdes anaboliques. Et cela nous amène à évoquer la principale différence entre les hommes et les femmes produite par les hormones sexuelles.

La testostérone est un stéroïde anabolique, c'est-à-dire qu'elle favorise la synthèse de protéines à partir des graisses et des acides aminés de la nourriture, tout en facilitant la rétention de l'azote, du potassium et du phospore. Cette hormone favorise également la croissance et la cicatrisation des tissus dans les muscles et les os et peut-être même dans le foie, les reins et le cerveau. L'oestrogène, au contraire, est un catabolique; son rôle consiste à décomposer les protéines. Il favorise par conséquent le métabolisme des graisses et le stockage des corps gras dans des endroits particuliers du corps: les hanches, les fesses, les seins et les cuisses. (L'oestrogène est utilisé couramment pour engraisser le bétail.) Il abaisse également le taux de corps gras dans le sang, c'est pourquoi les femmes ont tendance à avoir des taux de cholestérol plus faibles que les hommes. Et il ralentit la croissance: de nos jours l'oestrogène est utilisé pour traiter les garçons dont la croissance s'effectue de manière anarchique et qui pourraient atteindre des tailles démesurées.

Nous avons le résultat sous les yeux. Les femmes sont généralement plus petites que les hommes. Puisque les hommes et les femmes traitent les protéines différemment et les distribuent de manière différente aux divers organes et aux endroits où elles sont stockées sous l'influence des hormones sexuelles, leurs organismes ont également une constitution plutôt différente. Les hommes sont constitués de 40 p. 100 de muscles et de 15 p. 100 de graisse; les femmes ont en général 23 p. 100 de muscles et 25 p. 100 de graisse. Les hommes ont les bras plus longs et les épaules plus larges. Ils ont une plus grande capacité cardiaque et pulmonaire et plus d'hémoglobine dans le sang. Ils peuvent ainsi fournir une plus grande quantité d'oxygène à leurs muscles. La partie supérieure de leur corps est deux ou trois fois plus puissante que celle des femmes, livre par livre, ce qui confère aux hommes un avantage énorme face à toute activité professionnelle et sportive qui exige de l'énergie, de la force musculaire (et, pourrions-nous ajouter, une bonne coordination visuo-spatiale). Les femmes, en revanche, peuvent s'avérer supérieures dans la pratique de sports et d'activités qui exigent de l'*endurance*. Elles peuvent, par exemple, nager sur de longues distances parce que leur corps offre moins de résistance à l'eau et que leur graisse les isole mieux que les hommes contre le froid; elles sont également mieux bâties pour la course de fond parce qu'elles peuvent puiser leur énergie dans leurs réserves graisseuses.

Bob Goy du Regional Primate Research Center de l'Université du Wisconsin, à Madison, nous présente l'étape suivante. « Les changements que nous constatons chez l'être humain au moment de la puberté ne nous renseignent pas beaucoup sur les effets des hormones sexuelles dans le *cerveau*, quoiqu'il soit évident qu'elles *doivent* avoir un effet sur le contrôle des pulsions sexuelles et sur le déclenchement du comportement sexuel. Néanmoins, ces changements nous fournissent deux indications de base. Premièrement, les hormones sexuelles *déclenchent* tous ces changements en agissant directement sur le matériel génétique au coeur même des cellules visées. Les cellules cibles possèdent des récepteurs spécialisés, conçus pour absorber les hormones sexuelles et les transporter jusque dans le noyau, où ces substances chimiques modifieront le nombre et la nature des gènes qui sont *présents* dans les cellules. Ainsi, le schéma fonctionnel de chaque cellule est changé et infléchi dans une direction masculine ou féminine, de manière temporaire ou permanente.

« Le second changement qui se produit à la puberté nous indique que les hormones sexuelles sont des agents importants qui jouent un rôle clef au sein d'un programme d'évolution très ancien.

Car les différences très nettes qu'elles produisent à la puberté vont parfaitement dans le sens de l'évolution. Chez la femme, par exemple, la puberté se produit plus tôt et la croissance est ralentie parce que cela ne présente aucun avantage sur le plan de la reproduction. Le développement de ses seins et de ses poils pubiens sont des indices qu'elle a atteint sa maturité sexuelle. Ses réserves graisseuses importantes constituent une protection contre une disette éventuelle afin qu'elle et son futur nourrisson puissent survivre lorsque la nourriture vient à manquer. *De même,* son visage dépourvu de poils prend un aspect plus enfantin que celui des individus de sexe masculin, et ses yeux y occupent une plus grande place. Il est possible que ces dernières caractéristiques physiques aient eu pour fonction de déclencher chez le mâle une attitude protectrice. Ce dernier, bien entendu, *a* de la barbe, qui est un indice du taux de testostérone sécrété dans son organisme. Aussi le corps masculin investit beaucoup plus dans la croissance et la force musculaire que le corps féminin. Cette caractéristique fait partie de l'héritage *distinct* transmis à l'homme par l'évolution qui le pousse à rivaliser avec les autres mâles et à adopter une attitude de prédateur.

« Donc, si vous rapprochez ces deux éléments — le mode de fonctionnement des hormones sexuelles et leur responsabilité sur le plan de l'évolution — vous pouvez commencer à entrevoir, même de l'extérieur, certaines voies et zones où les hormones sexuelles *doivent* exercer une influence sur la biochimie et le réseau nerveux du cerveau humain et, par conséquent, sur le comportement humain. »

Lorsque les savants ont étudié de l'extérieur les effets des hormones sexuelles sur le cerveau et le comportement — ce qui n'est guère facile — voici les quelques éléments de preuve controversées qu'ils ont découverts: les voix de basse sécrètent plus de testostérone et moins d'oestradiol que les ténors et ont aussi des vies sexuelles beaucoup plus actives. Les violeurs et les exhibitionnistes ont des taux de testostérone plus élevés que la moyenne alors que les alcooliques ont des taux plus faibles. Les vieillards de sexe masculin produisent plus d'oestradiol et moins de testostérone active que les jeunes. Il semble que la croissance des poils s'accélère chez l'homme avant les relations sexuelles, comme un scientifique anonyme, qui éprouvait une véritable passion pour les mesures, l'a souligné en 1970. Les taux de testostérone semblent également grimper avant *et* après une relation sexuelle. Dans une certaine partie de l'hémisphère septentrionale, en Allemagne, les taux de testostérone sont plus élevés vers le mois de septembre, période où la plupart des enfants sont conçus. Ainsi, dans cette partie du monde tout au moins, les phantasmes des jeunes hommes s'accomplissent non pas au printemps, mais à la fin de l'été.

Les savants ont établi un lien élémentaire, donc, entre la pulsion sexuelle et la testostérone, non seulement chez l'homme mais aussi chez la femme. Lorsqu'un transsexuel femme-homme reçoit de fortes doses de testostérone, sa libido augmente. C'est aussi le cas des femmes qui pour une raison ou une autre — maladie, traitement médical ou exercice physique soutenu et éreintant — sont exposées à des sécrétions de testostérone plus élevées qu'à l'ordinaire. Chez les femmes *normales,* la période du cycle menstruel durant laquelle la production de testostérone est la plus significative, soit les jours précédant l'ovulation et l'ovulation elle-même, semble coïncider avec la période durant laquelle la pulsion sexuelle est la plus forte. Il *semble* également que, durant cette période, la femme soit plus sensible aux odeurs, plus sensible aux impressions *visuelles* et, ce qui est plus fascinant encore, plus habile à manier les chiffres. Ces variations dans les aptitudes féminines, pour autant qu'elles existent, ne semblent pas se produire chez les femmes qui prennent la pilule.

S'il existe un lien véritable entre la sécrétion de testostérone et les pulsions sexuelles, particulièrement chez les mâles, il y a également une corrélation entre la testostérone, le chromosome Y et un *autre* comportement cérébral caractéristique du sexe masculin: l'agression. De même qu'un poisson japonais peut être plus agressif suite à l'injection expérimentale d'un chromosome Y supplémentaire, les *hommes* qui eux aussi possèdent à la naissance ce chromosome Y supplémentaire (XYY) se révèlent plus impulsifs, plus antisociaux, et peut-être plus agressifs que les hommes normaux. Selon toute vraisemblance, cela peut être relié à leur sécrétion de testostérone. Les jeunes garçons traités à la testostérone deviennent plus agressifs. Chez les délinquants juvéniles, une corrélation positive s'établit entre le taux de testostérone et la précocité de leurs actes délictueux. Les prisonniers affligés d'un dossier criminel très chargé semblent également sécréter des taux de testostérone supérieurs à la population carcérale normale. Même chez les joueurs de hockey, la testostérone et l'agression sont en rapport étroit: une étude a démontré que les joueurs de hockey qui réagissent de manière agressive à une situation menaçante présentent des taux de testostérone supérieurs à la normale.

Une avalanche d'autres études a relié la production de testostérone à un certain nombre d'autres comportements. Il semble que cette hormone augmente la vitesse de réaction. Elle augmente également la ténacité et l'attention. Elle allège la fatigue. Et, sur le plan chimique, elle est intimement liée à un comportement surnommé «la réaction de combat-fuite», c'est-à-dire à la manière dont le corps réagit à un danger inattentu. D'après Bob Goy, toutes ces corrélations sont chargées de sens. Elles nous font comprendre que la pulsion sexuelle, l'agression et la sécrétion de testostérone sont reliées chez l'homme, tout comme l'intensité, la vitesse de réaction et les aptitudes visuo-spatiales, et procèdent d'un héritage transmis par l'évolution. Dans la nature, les mâles doivent souvent se battre pour s'accoupler. Et les hominiens dont nous sommes les descendants devaient par-dessus tout chasser s'ils voulaient garantir la subsistance de leurs rejetons. Pour cela, il leur fallait justement posséder les facultés que la testostérone (et le chromosome Y) semblent leur apporter d'un seul tenant.

Cela dit, il faut cependant préciser que cet ensemble de facultés, si c'en est un, n'est pas particulièrement *bien canalisé*. Sur le plan du comportement, ces caractéristiques peuvent facilement s'exprimer sous une forme dénaturée et antisociale. Il est vrai, après tout, que ce sont les jeunes individus de sexe masculin dont les taux de testostérone sont élevés qui commettent presque tous les crimes violents. En 1977, en Norvège, 94,6 p. 100 de tous les actes criminels avaient été commis par des hommes. Du reste, une grande partie des crimes est naturellement en rapport avec la sexualité; en Afrique comme aux États-Unis, la principale cause des meurtres d'hommes ou de femmes est l'infidélité présumée d'une femme. Il faut se souvenir que c'est avant tout le cerveau qui commet les crimes. Et, outre l'acte criminel violent, il existe d'autres déviations qui mettent en oeuvre simultanément le cerveau, la sexualité, l'agression, la testostérone, etc. A titre d'exemple, ajoutons qu'on enregistre beaucoup plus de cas d'agressions associés à des déviations sexuelles chez les hommes que chez les femmes. Leurs tendances au viol et à l'exhibitionnisme mises à part, les hommes pratiquent fréquemment des perversions qui sont à peu près totalement absentes chez les femmes: l'inceste homosexuel, la pédophilie (relations sexuelles avec des enfants), le sadisme et le masochisme homosexuels. Aussi, l'un des rares moyens, si l'on exclut la lobotomie ou la castration, de soigner à la fois ces perversions et les phantasmes qu'elles font surgir, est d'administrer des médicaments qui vont *bloquer* l'action de la testostérone.

Voilà pour les hommes. Dans le cas des femmes, le tableau est beaucoup moins clair, d'une part parce que leur système hormonal est plus complexe, d'autre part, parce qu'elles sont moins souvent que les hommes affligées de tares génétiques et, de ce fait, leur taux de déviances étant moins élevé, la science est moins souvent appelée à les traiter. Les troubles féminins, s'il en est, sont surtout reliés à *l'humeur*. La «déprime» prémenstruelle, par exemple, est probablement le reflet d'un déséquilibre des deux hormones principales, l'oestradiol et la progestérone, présentes en doses variées dans les nombreux types de pilules contraceptives. Il est presque certain que ces deux hormones sont à l'origine du penchant féminin pour la dépression. Il est probable qu'elles soient également à l'origine du manque d'agressivité du sexe soi-disant faible. Pris sous forme de médicaments, la progestérone et les produits chimiques voisins ont un effet calmant. De même, l'oestradiol et ses dérivés semblent favoriser un état de bien-être. D'une certaine manière, cela est relié au rôle maternel de la femme. Quelques indices séduisants pourraient nous amener à penser qu'une modification de l'équilibre des deux hormones sexuelles avant la naissance d'un bébé est directement responsable du comportement maternel, tout au moins dans un premier temps.

Chez la femme, donc — quoique cela soit moins évident que chez l'homme — l'héritage de l'évolution qui est transmis par l'intermédiaire des hormones sexuelles et des chromosomes X comporte peut-être une certaine aptitude à la maternité mais aussi, et de manière beaucoup plus évidente, une égalité d'humeur, une stabilité de caractère et une absence marquée d'insouciance. Les femmes qui sont nées avec un seul chromosome X — comme Anna M., et toutes celles qui souffrent du syndrome de Turner — sont attirées par les enfants mais elles sont aussi timides, inactives et renfermées, comme nous l'avons déjà souligné. Les hommes qui souffrent du syndrome de Klinefelter — deux chromosomes X et des taux élevés d'oestrogènes — sont d'une passivité inhabituelle. Enfin, les transsexuels féminins ayant reçu de fortes doses d'oestrogènes deviennent *également* moins excitables et moins agressifs sur le plan sexuel. Cet héritage, s'il est bien tel que nous l'avons décrit, est fortement significatif car les individus de sexe féminin sont les principaux agents de la continuation de l'espèce; sur le plan de la reproduction, leurs enjeux sont des plus importants. C'est pourquoi on peut s'attendre à ce que les femmes soient protégées par une barrière hormonale contre les impulsions, l'hostilité et les pulsions sexuelles déchaînées ou déviées. Les mâles, au contraire, sont des joueurs. Les modèles qui leur ont été transmis par l'évolution ainsi que l'influence des hormones sexuelles sur leur organisme sont soumis à un contrôle beaucoup moins strict.

Chapitre 8

Les accidents de la nature

« Sautes d'humeur, instinct d'agression, taille du corps, forme du corps, utilisation de l'énergie, comportement », énumère Günter Dörner dans une chambre empruntée à un étudiant à l'Université de Cambridge. « Toutes ces différences apparaissent chez les êtres humains, mâles et femelles, principalement pendant et après la puberté. C'est surtout ces différences que les gens associent automatiquement aux hormones sexuelles. Ils sont conscients à différents degrés de ce que Bob Goy, par exemple, a surnommé, dans son oeuvre scientifique, les effets d'*activation* de ces hormones — c'est-à-dire la manière dont celles-ci règlent le cycle de reproduction chez la femme et influencent, à la puberté, le système pileux, le développement des seins et des muscles et l'attirance pour le sexe opposé. Cependant, ce qu'ils *ignorent,* ce sont les effets organisationnels des hormones, selon l'expression de Goy. Les hormones sexuelles, voyez-vous, n'apparaissent pas comme par enchantement à la puberté. Elles ne se promènent pas non plus au hasard dans l'organisme. *Elles savent où aller.* Les cellules qui sont leur cible ont déjà été programmées dans l'utérus pour réagir aux hormones qui sont à présent produites. Ces cellules ont déjà, bien auparavant, été structurées par la production précoce des hormones sexuelles *elles-mêmes* en fonction du sexe masculin ou féminin. Cela est vrai de l'ensemble de l'organisme, des organes reproducteurs, du coeur, des poumons, du foie et des reins. Mais c'est également vrai du *cerveau.* Les tissus, le réseau nerveux et la biochimie du cerveau ont déjà été, au cours de la vie foetale, marqués au sceau des hormones sexuelles. Les fondations ont déjà été posées, avant la naissance, afin que l'individu adopte la gamme de comportements qui caractériseront l'organisme mâle ou femelle au cours de la vie adulte. »

Günter Dörner est directeur de l'Institut d'endocrinologie expérimentale de l'université Humboldt, à Berlin-Est. Il est venu récemment de la République démocratique allemande pour assister à un important congrès réunissant des spécialistes renommés des hormones et du cerveau, dans la vieille cité universitaire anglaise. C'est une des rares occasions qu'il a eu de quitter son laboratoire pour les pays occidentaux. Aussi, nous nous sommes envolés vers Cambridge pour le rencontrer, conscients de la vive controverse suscitée par cette personnalité franche, brillante, aux cheveux hirsutes.

Depuis le début des années 1960, Dörner, comme d'autres savants, s'est efforcé de dégager la structure générale des liens qui relient les motivations, le cerveau et le comportement. Comme d'autres savants, il s'est concentré sur la motivation la plus fondamentale de toutes, l'instinct de reproduction, et sur les différences de comportement sexuel chez les hommes et chez les femmes. Lorsque la communauté scientifique a commencé à comprendre que c'est l'hypothalamus qui contrôle la production des hormones et les différents schémas de reproduction de l'homme et de la femme, Dörner découvrit rapidement dans l'hypothalamus des rats ce qui, d'après lui, constituait les différents centres sexuels mâles et femelles. Ces centres, formés sous l'influence des hormones sexuelles à un stade précoce de développement, étaient responsables, selon lui, des comportements sexuels caractéristiques des mâles et des femelles. De plus, il parvint à démontrer que si, chez les rats, la sécrétion d'hormones sexuelles adéquates était insuffisante au cours du développement, la formation de ces centres serait perturbée, entraînant par la suite des conséquences fâcheuses sur le comportement sexuel. Les rats adultes se conduiraient d'une certaine manière comme des membres du sexe opposé. Ils deviendraient, dans un sens « homosexuels ».

A partir de ces données, Dörner a soutenu que le comportement sexuel est également modelé par les hormones dans le cerveau *humain* au cours du développement prénatal, et que l'homosexualité humaine primaire est la conséquence d'une erreur de programmation qui aurait transmis au cerveau des caractéristiques sexuelles erronées. Il se référait à une étude dans laquelle les homosexuels mâles, attirés de manière obsessionnelle par les enfants, ont été « guéris » par une opération portant sur le centre sexuel présumé femelle de leur cerveau. Il a mené lui-même une série d'expériences qui montrent, de manière tout à fait convaincante selon lui, que l'homosexualité masculine et l'homosexualité féminine sont causées par l'influence sur le cerveau, au cours de la vie prénatale, d'une carence ou d'une surabondance de la principale hormone sexuelle masculine, la testostérone.

« Cela ne fait aucun doute, déclare Günter Dörner dans un anglais impeccable mais ponctué d'un fort accent germanique, que cette théorie est sujette à controverses. Et il est vrai également que notre connaissance de ces hormones présente des lacunes. Nous ne savons pas grand-chose des hormones sexuelles prénatales sécrétées par les ovaires. Nous ne savons pas non plus très bien dans quelle mesure les organes de la mère exercent une influence. Mais ma théorie coïncide avec ce que nous savons *réellement* des animaux et des humains. Chez les humains, les singes, les rats, les cochons d'Inde, les oiseaux — pratiquement partout dans la nature — la quantité d'hormones sexuelles fournie au foetus, au cours des périodes décisives de développement, grave dans le cerveau en formation une gamme de comportements sociaux et sexuels masculins et féminins — généralement, *mais non systématiquement,* en harmonie avec le sexe génétique. L'histoire tout entière de l'homme et de la femme, voyez-vous, — ainsi que votre recherche des effets des hormones sexuelles, si je peux l'appeler ainsi — commence non pas à l'extérieur, à la puberté, mais dans la matrice. »

Dieu créa l'être humain mâle et femelle. Et c'est, bien entendu, ce que nous constatons autour de nous: les hommes se distinguent par leurs testicules, leur pénis, leur plus forte corpulence et leur système pileux plus abondant; tandis que les femmes, relativement glabres, ont pour signes distinctifs leurs ovaires, leur vagin et les protubérances de leurs seins. Les hommes représentent le sexe masculin de l'espèce humaine tandis que les femmes en sont le sexe féminin. Tout cela semble clair et net.

Pas tout à fait cependant, comme nous l'avons déjà indiqué. Prenons par exemple le cas de Mme Went. Mme Went est une ménagère anglaise normale, bien adaptée à sa condition, mariée et qui élève des enfants adoptés. En Angleterre, elle est, bien sûr, considérée légalement comme une femme. Or si elle vivait en Écosse, à seulement quelques centaines de milles plus au nord, elle serait considérée par la loi comme un homme. De fait, sur le plan génétique, Mme Went est un homme; toutes ses cellules contiennent à la fois le chromosome X et le chromosome Y. Elle souffre de ce trouble génétique rarissime que nous avons évoqué dans le contexte des aptitudes visuo-spatiales: une maladie surnommée syndrome de la féminisation testiculaire. Ce mal provoque l'insensibilité complète à la principale hormone mâle, la testostérone. Et, pour cette raison, Mme Went est née avec des testicules dissimulés dans son abdomen et l'apparence extérieure d'une fille. Elle fut d'ailleurs élevée en tant que telle, et ainsi elle demeura, imperméable à l'afflux d'hormones produites par ses testicules à la puberté. Elle découvrit son état à l'âge de 23 ans seulement lorsque, perplexe au sujet de son absence de menstruations et de poils pubiens, elle consulta un gynécologue.

Dans le cas de Mme Went, l'identité sexuelle — celle que l'on ressent à l'intérieur de soi-même — n'a pas été reliée au sexe génétique. Et il existe d'autres exemples de ce phénomène. Il y a les transsexuels. Il existe également un sous-groupe d'homosexuels et de travestis qui s'identifient fortement au sexe opposé au leur, comme par exemple ce travesti de New York dont nous avons trouvé la trace et qui a joué successivement le rôle de père et de mère auprès de ses enfants, allant même jusqu'à les nourrir au sein. Il y a aussi le cas des hermaphrodites. Les hermaphrodites sont d'authentiques bisexuels, à la fois mâle et femelle, nés avec un ovaire actif et un testicule actif et la possibilité, dans certaines circonstances, de se féconder eux-mêmes. Généralement, cependant, ils sont élevés comme des filles ou des garçons selon une identité sexuelle ou une autre. Et c'est l'identité sexuelle qu'ils choisissent de garder, même lorsqu'ils n'ont pas subi d'opération chirurgicale au cours de la petite enfance qui est le reflet de ce choix.

A la fin des années 1970, par exemple, un timide jeune homme de 18 ans, originaire du Malawi, qui avait été élevé comme un garçon mais qui était en fait l'un des 303 hermaphrodites véritables connus de la médecine, entra au Stellenbosch University Hospital en Afrique du Sud, où Willem Van Niekerk avait mené une étude spéciale sur les hermaphrodites bantous. Ce jeune homme venu du Malawi, qui s'appelait Blackwell, avait à la fois un pénis et une petite ouverture vaginale. Mais la principale raison pour laquelle il sollicitait l'aide de la médecine était liée au fait qu'au cours de la puberté, il s'était retrouvé avec une opulente poitrine. Certain de son identité d'homme et désirant continuer sa carrière dans ce sens, M. Blackwell demanda aux médecins de fermer son ouverture vaginale et de supprimer ses seins. Ce qui fut fait.

Mme Went, M. Blackwell, travestis, homosexuels et transsexuels comme Renee Richards, médecin et champion de tennis: ce sont des cas comme ceux-ci qui ont consolidé les dogmes conventionnels imposés par la science des années 1960 et 1970 au sujet de l'orientation et de l'identité sexuelles. Premièrement, énonce l'un des axiomes qui sous-tend ce dogme scientifique, l'orientàtion sexuelle n'est pas innée mais *acquise*. Elle peut être acquise d'une manière qui coïncide avec le sexe génétique (XX ou XY) *ou* avec l'identité sexuelle ou avec les deux, comme c'est le cas de la plupart d'entre nous. Lorsque l'orientation sexuelle ne coïncide pas avec ces derniers — c'est le cas des homosexuels et transsexuels, par exemple — cela est uniquement la conséquence d'une expérience aberrante, sur le plan de la psychologie ou de la formation, au cours de l'enfance et de l'adolescence. Deuxièmement, toujours selon ces dogmes, l'identité sexuelle est *également* acquise. Un enfant peut apprendre très facilement à s'identifier à un sexe ou à l'autre, quel que soit son sexe génétique. Mais passé un certain âge, après avoir assimilé les comportements sexuels d'un sexe ou de l'autre, il ne peut changer son orientation sans s'exposer à certains bouleversements psychologiques. Le travail de l'apprentissage, une fois effectué et gravé dans le cerveau, ne peut être facilement défait.

Le cas le plus célèbre de notre époque semble apporter une preuve éclatante à ces affirmations et leur donner force de loi naturelle. Ce cas n'était pas un accident de la nature comme Mme Went et M. Blackwell, mais un accident provoqué par l'homme. Au début des années 1960, aux États-Unis, un enfant de sexe masculin, qui avait un frère jumeau identique, avait eu le pénis gravement endommagé, à l'âge de 7 mois, par une circoncision mal faite. Après s'être longuement interrogés, les parents de l'enfant et un groupe de médecins, dont John Money et l'université Johns Hopkins, décidèrent que l'enfant serait élevé comme une fille et deviendrait donc la soeur de son frère jumeau. A l'âge de 17 mois, ses testicules furent enlevés et les chirurgiens le dotèrent d'une ébauche de vagin. Plus tard, on lui administra des hormones sexuelles en fonction d'un traitement à long terme visant à reproduire les étapes de développement qui conduisent les individus de sexe féminin à la puberté.

Le cas fut considéré comme un triomphe de la science et les médecins furent portés aux nues. «Ce cas spectaculaire, déclarait le magazine *Time* en 1973, étaye solidement l'une des principales affirmations du mouvement de libération de la femme: soit que les modèles conventionnels de comportements masculins et féminins peuvent être modifiés. Il jette également l'ombre d'un doute sur la théorie selon laquelle les principales différences sexuelles, sur le plan psychologique et anatomique, sont fixées de manière immuable par les gènes au moment de la conception.» Masters et Johnson y ont vu la preuve éclatante de l'importance de l'apprentissage dans le processus du développement sexuel. Enfin, John Money, premier à diffuser ce cas, écrivit: «Le dossier médical ultérieur de la jeune fille prouve à quel point ces trois personnes (les parents et l'enfant) parvinrent à s'adapter à cette décision.»

Tout semblait donc tomber en place. Puis, au début des années 1970, les descendants d'Amaranta Ternera furent discrètement découverts. C'est alors que la science commença à être agitée par la controverse.

Amaranta Ternera — le désir en ayant été exprimé, nous avons modifié les noms de cette femme et de ses parents — était née 130 ans auparavant dans une région du sud-ouest de la République dominicaine. Le cas d'Amaranta n'avait rien de suspect, pour autant que nous le sachions ; elle semblait avoir mené une existence normale et ordinaire. Par contre, il y *avait* quelque chose d'étrange dans les gènes qu'elle légua à ses enfants. Cette particularité *se retrouve* même chez un certain nombre de ses descendants. Sept générations plus tard, les gènes d'Amaranta ont été localisés dans 23 familles de trois villages distincts. Et chez 28 membres de ces familles, l'étrange héritage d'Amaranta s'est exprimé de manière concrète. Ces 28 personnes sont nées, selon toute apparence, avec un sexe féminin. Elles ont été élevées comme des filles puis, à la puberté, elles devinrent des garçons.

Prenons, par exemple, les dix enfants de Gerineldo et Pilar Babilonia. Quatre d'entre eux ont subi cette transformation extraordinaire. Le plus âgé, Prudencio, était né avec un vagin apparent et une constitution féminine comme sa soeur cadette (ou son frère cadet), Matilda. Prudencio fut d'abord baptisé Prudencia ; il grandit, d'après Pilar, dans les jupes de sa mère, tenu à l'écart des garçons du village et aidant aux travaux ménagers. C'est alors que son corps subit des transformations étranges. Sa voix commença à devenir plus grave ; à l'âge de douze ans, son « clitoris » devint un véritable pénis et deux testicules jusque-là dissimulés descendirent dans un scrotum formé par les lèvres de son « vagin ». En d'autres termes, il devint un homme. « Il changea de vêtements, raconte son père Gerineldo, et les voisins durent s'y habituer. Il tomba presque immédiatement amoureux d'une jeune fille. » Aujourd'hui, Prudencio est âgé d'un peu plus de trente ans. Comme son frère Mathilda, à présent Mateo, c'est un homme robuste et musclé. Il a un comportement sexuel normal et vit avec sa femme aux États-Unis. Comme 17 des 18 enfants étudiés par un groupe dirigé par Julianne Imperato-McGinley de l'université Cornell — et qui tous, d'après Julianne, avaient reçu une éducation de fille, sans ambiguïté aucune — Prudencio semblait n'avoir eu aucun problème pour s'adapter au sexe masculin, à l'orientation sexuelle masculine et au rôle masculin.

C'est précisément cela qui rend le cas de Prudencio et des autres enfants dominicains si importants. Ils *semblent n'avoir éprouvé aucune difficulté à s'adapter au sexe, à l'orientation sexuelle et au rôle masculins.* Comme Mme Went, Prudencio et ses frères sont, sur le plan génétique, des hommes. Or, contrairement à Mme Went, ils n'avaient pas hérité d'Amaranta une insensibilité générale à la testostérone, mais plutôt de la faculté de transformer cette hormone en une autre, soit la dihydrotestostérone, responsable chez le foetus mâle, de la formation des parties génitales masculines. En l'absence de ces dernières, les enfants dominicains étaient nés avec une apparence féminine et furent donc élevés comme des filles. A la puberté, cependant, leur organisme fut envahi par un afflux d'hormones mâles auxquelles, contrairement à Mme Went, ils étaient sensibles. Leurs parties génitales mâles qui attendaient, si l'on peut. dire, de faire leur entrée, se développèrent enfin. Et la nature termina l'oeuvre qu'elle avait jusque-là laissée en suspens.

Les enfants, cependant, n'eurent pas à souffrir des perturbations psychologiques qui, en vertu des dogmes de la science traditionnelle, auraient dû les bouleverser. Ce point est d'une importance capitale, car son explication se trouve *forcément* parmi les trois hypothèses suivantes. Soit que les enfants ont été élevés dès la petite enfance comme des garçons. Ou que leur éducation fut empreinte de la plus grande confusion au sujet de leur genre, auquel cas on aurait pu s'attendre à ce qu'ils aient une sexualité adulte perturbée. Soit enfin que ces enfants sont nés avec un cerveau masculin déjà sexuellement orienté avant la naissance dans leur «corps féminin», et qui épousa donc facilement sa nouvelle identité, lorsque l'organisme subit ces transformations à la puberté. Si l'on retient cette dernière explication, non seulement le corps mais aussi le cerveau posséderait une orientation sexuelle à la naissance. Cette explication suggère également que la nature est aussi importante que la culture sur le plan du comportement sexuel. Il est même possible que l'apprentissage ait une importance très relative sur ce chapitre.

Comme nous l'avons déjà mentionné, les parents et Julianne Imperato-McGinley ont insisté sur le fait que les enfants dominicains avaient été élevés comme des filles, de manière non équivoque. Cela signifierait que la troisième hypothèse — selon laquelle leurs cerveaux ont été modelés en fonction du sexe masculin par la testostérone, principale hormone mâle — doit être prise sérieusement en considération. Car les effets de la testostérone sur le foetus peuvent non seulement expliquer la facilité avec laquelle Prudencio, Mateo et les autres se sont adaptés à leur changement de sexe, mais ils peuvent également fournir un nouveau type d'explication pour les identités sexuelles de Mme Went et de M. Blackwell. Mme Went, rappelons-le, était, dès la conception, complètement insensible à la testostérone et ses dérivés comme la dihydrotestostérone. Son corps et son cerveau étaient incapables de réagir dans l'utérus aux hormones mâles. Le résultat fut qu'elle vint au monde avec l'apparence d'une fille. Elle assuma harmonieusement l'identité, l'orientation et le rôle féminins, car les individus génétiquement mâles affligés d'une féminisation testiculaire sont ordinairement très féminins, parfaitement capables d'atteindre l'orgasme et portés vers les enfants et les travaux féminins. Quant à M. Blackwell, il *était* sensible, au cours de sa vie prénatale, à la testostérone que son unique testicule produisait. C'est pourquoi, en dépit des anomalies externes dont il était affligé, il accepta sans difficulté d'être élevé comme un garçon; à l'âge adulte, il opta pour une identité et une orientation sexuelles mâles malgré l'apparition d'une poitrine féminine qui aurait pu constituer en soi un sujet d'hésitation.

L'idée selon laquelle le cerveau est influencé par la testostérone peut, d'après Günter Dörner, être appliquée au cas des homosexuels «primaires», selon l'expression de Kinsey, désignant ceux qui n'ont eu aucune expérience hétérosexuelle et ne réagissent pas à une thérapie visant à modifier leur orientation; et aux transsexuels, qui sont persuadés que leur esprit est emprisonné dans un corps ne correspondant pas à leur sexe réel. Il se peut en effet que, dans leur cas aussi, le cerveau, au cours de son développement, ait été exposé dans l'utérus à une dose trop faible ou trop forte de testostérones pour l'expression normale de leur sexe génétique au cours de leur vie ultérieure. Ils ont donc, dans un sens, échappé «aux influences de leur environnement et de leur éducation». Ils ne sont pas non plus le produit d'un choix sexuel délibéré. On pourrait plutôt dire qu'ils sont homosexuels *de naissance* avec un corps et un cerveau, à un degré ou un autre, de sexes différents. Dörner estime que cette hypothèse se vérifie surtout chez les hommes. Aussi, il est persuadé que le temps est venu pour notre société d'envisager sérieusement la possibilité de «traiter» l'homosexualité dans la matrice par l'administration d'hormones mâles aux foetus qui peuvent présenter des carences.

L'opposition entre nature et culture nous amène donc à nous poser la question éthique du libre arbitre dans le choix et le comportement sexuels. C'est justement l'un des points chauds du conflit perpétuel qui dresse les écoles traditionnelles de psychologie et de sociologie contre des savants comme Diane McGuinness, Camilla Benbow et Jeannette McGlone. Il n'est guère étonnant, du reste, que ce débat scientifique permanent, axé particulièrement sur le sort étrange des enfants dominicains, débouche si souvent sur des questions idéologiques. Car ses conséquences éventuelles menacent les hypothèses des féministes et des homosexuels partisans de la libération. Et elles coupent l'herbe sous le pied des adeptes de l'égalité sexuelle absolue.

Le dossier des effets, au cours de la vie prénatale, de la testostérone et des autres hormones sexuelles sur l'identité et le comportement sexuels, cependant, n'est plus seulement alimenté par le cas des enfants dominicains. Il repose également, comme nous le verrons, sur des travaux effectués à la fois sur des animaux et sur des humains, dans des cliniques et des laboratoires du monde entier. Il est aussi étayé par d'autres études signalant des expériences humaines étranges que la science commence à peine à découvrir. Il y a le cas de cette patiente, examinée par Richard Green de la State University of New York, qui était venue au monde avec des parties génitales ambiguës. Elle fut élevée comme une fille mais protesta tout au long de son enfance qu'elle était en réalité un garçon. Elle rejetait ses poupées et réclamait des camions; elle s'intégra à un groupe de garçons et adopta un comportement de « garçon manqué » poussé à l'extrême. Il y a également le cas de cette patiente examinée par Bob Stoller à l'Université de Californie qui avait une apparence de fille et fut élevée en tant que telle, et qui, après avoir réclamé pendant une dizaine d'années qu'on la traite comme un garçon, se vit répondre à la puberté qu'elle avait raison: elle possédait effectivement des testicules qui n'étaient pas descendus. Un autre cas constitue un corollaire étrange de l'histoire des enfants dominicains. Au cours des cinq ou six dernières années, Julianne Imperato-McGinley, dans son laboratoire de l'École de médecine de l'université Cornwell de New York, avait cherché d'autres exemples du rarissime syndrome dominicain. Elle avait constaté que les enfants nés à l'extérieur des États-Unis, et qui étaient passés du sexe féminin au sexe masculin, avaient vécu cette transformation avec une relative sérénité. En Nouvelle-Guinée, dans une tribu où les deux sexes sont séparés à la naissance et élevés isolément, deux « filles » avaient dû être en toute hâte, soumises, comme les autres garçons, aux rites de la puberté et de l'initiation. Mais, aux États-Unis, des enfants de ce type étaient déclarés anormaux peu après la naissance et toute trace de masculinité, y compris un clitoris relativement large, était enlevée lors d'une opération chirurgicale. Huit enfants furent ainsi *transformés* en filles. Ils approchent à présent de la vingtaine et se considèrent des individus de sexe féminin. Pourtant, cinq d'entre eux, déclare Julianne Imperato-McGinley, ont de graves problèmes psychologiques. « Il n'est pas clair qu'ils réussissent jamais à s'identifier au sexe féminin. »

S'ils en sont incapables, c'est sans doute pour une raison toute simple. En fait, le sexe de leur cerveau ne correspond pas à celui de leur corps. Programmé pour être un cerveau d'homme, il se retrouve dans un environnement féminin, incité à adopter des comportements féminins et bombardé d'hormones féminines. C'est plus qu'il n'en peut supporter.

Dans l'autre plateau de la balance, bien sûr, il y a le cas unique de ce jumeau identique américain de sexe masculin, transformé par la chirurgie peu après sa naissance, et ayant reçu avec succès, d'après tous les témoignages, une éducation féminine. « Vous devez comprendre, déclare Milton Diamond de l'Université d'Hawaï, qu'on a accordé à ce cas une importance capitale sur le plan théorique et qu'il en est toujours ainsi. Tout au long des années 1970, ce cas fut cité dans une somme imposante de textes de psychologie et de sociologie. Pratiquement *tous* les ouvrages traitant des différences sexuelles en font mention, ainsi que tous les livres qui traitent des rôles de l'homme et de la femme au sein de notre société. Je dois avouer que, dès le début, j'ai douté de son authenticité. La raison en est que mes propres travaux de recherche sur les animaux ainsi que ceux de mes collègues, sans mentionner tous les cas que j'ai été amené à examiner à titre de membre d'une faculté médicale et directeur du Hawaii Sexual Identity Center, m'ont *incité*, à en douter. En fait, dès 1965, mon opinion, fondée sur mon expérience et sur diverses données scientifiques, était que la nature est très importante dans la formation de l'identité sexuelle d'un individu. L'héritage biologique d'un individu influence fortement son comportement futur. Il fixe dans l'utérus même le degré de variations sexuelles qu'une personne pourra afficher sans en être incommodée. »

En 1965, Milton Diamond rédigea l'un des premiers articles scientifiques qui tentaient de faire la synthèse de tous les éléments pouvant étayer l'hypothèse d'une différenciation prénatale sexuelle du cerveau humain. Au cours des années suivantes, dans une série d'autres articles, il continua à alimenter son dossier. Puis, en 1979, la British Broadcasting Corporation lui demanda de collaborer à un film sur le fameux jumeau américain, que les producteurs désiraient tourner. Ils en avaient déjà discuté avec John Money et s'étaient assurés de sa participation; dans cette émission, il serait le principal porte-parole, alors que Milton Diamond, en raison des opinions qu'il professait, devait en quelque sorte jouer le rôle de repoussoir.

« Eh bien, les producteurs se mirent en frais en vue du tournage, dit-il. Et ils parlèrent à bon nombre de psychiatres qui avaient rencontré l'enfant pour la première fois lorsqu'elle avait 13 ans, soit trois ans auparavant. Il était clair que le changement de sexe de l'enfant *était loin* d'être aussi réussi que certains l'avaient prétendu en son nom. Elle se débattait contre plusieurs problèmes graves. Elle avait refusée de parler de ses difficultés passées et s'était montrée réticente à aborder toute question sexuelle. Son attitude au sujet de sa propre féminité était extrêmement ambivalente. Un psychiatre avait concédé que la jeune fille devait affronter « des difficultés psychologiques non négligeables ». Et d'autres encore, qui connaissaient le cas à fond à l'époque où le film fut tourné, confirmèrent ces diagnostics. A cette époque, elle refusait obstinément de dessiner des personnages féminins, déclarant qu'il était plus facile de dessiner des hommes. Elle avait le sentiment que les garçons avaient une vie meilleure et plus facile et désirait travailler dans la mécanique. Elle avait une apparence tout à fait masculine.

Et elle fut décrite comme malheureuse et insatisfaite de sa condition. Un autre psychiatre déclara : « Elle a des difficultés considérables à s'adapter à sa condition féminine. Au moment présent, elle affiche certains traits de caractère qui me font douter qu'elle y parvienne jamais. »

Lorsque la BBC présenta ses trouvailles à John Money, celui-ci se retira tout simplement du projet et refusa d'être interviewé. L'émission fut néanmoins diffusée en Grande-Bretagne au début de 1980, sans sa participation. Et, depuis lors, Money s'est abstenu de traiter de ce problème dans ses écrits, quoique sa version de ce cas célèbre soit encore citée partout.

Ce cas isolé, déclare Milton Diamond, ne place pas nécessairement sa propre théorie hors de tout doute. A cette fin, il invoque, comme les autres savants, toutes les recherches expérimentales, les accidents de la nature comme les enfants dominicains, Mme Went et M. Blackwell, qui sont des cas bien connus de la littérature scientifique. « Chose certaine, le cas de cette jeune fille, dit-il, ne confirme *certainement pas* la théorie selon laquelle l'identité et l'orientation sexuelles dépendent entièrement de l'*apprentissage social*, seule et unique théorie qui continue d'être obstinément propagée dans le type de livre dont nous avons parlé. C'est un problème auquel tous les individus, y compris les scientifiques, doivent faire face sans faux-fuyants. A ce jour, il devient de plus en plus évident que l'orientation sexuelle de base, sur laquelle la future identité sexuelle d'un homme ou d'une femme sera fondée, est fixée une fois pour toutes dans le cerveau *avant* la naissance. Il serait exagéré de dire que nos comportements futurs sont prédéterminés. Mais ils sont *canalisés* dans un sens donné. De même que nos aptitudes et nos habiletés qui sont les éléments de base de notre comportement social. »

Chapitre 9

Les mécanismes sexuels : perspective interne

Remontez le cours du temps et imaginez à nouveau la minuscule cellule qui sera un jour une personne : vous-même. L'ovule vient d'être pénétré par l'un des spermatozoïdes de votre père. Et tous les autres spermatozoïdes qui ont livré une lutte forcenée dont l'enjeu était les éléments nutritifs de l'ovule sont à présent exclus par un processus chimique et électrique et condamnés à mort. Les dés sont jetés. La sélection naturelle s'est opérée. A l'intérieur de l'ovule, le spermatozoïde victorieux est débarrassé de son enveloppe protéique et son précieux chargement d'un millionième de millionième d'once d'ADN s'échappe maintenant pour s'ajouter à l'ADN contenu dans l'ovule, en quantité équivalente, afin de former 23 paires de chromosomes. Ceci terminé, un phénomène extraordinaire se produit dans la microscopique usine chimique de la cellule. Après avoir trouvé leurs partenaires, les gènes se déroulent et se dédoublent, produisant ainsi des exemplaires identiques des 46 chromosomes. Et la cellule se divise. Là où il y avait auparavant une seule cellule, il s'en trouve deux, puis quatre, puis huit, puis seize.

A chaque série de divisions, les diverses alternatives des cellules descendantes de la cellule unique sont progressivement réduites. Tout en se divisant, les cellules prennent différentes voies, différentes directions. Ainsi, à un stade quelconque du processus de division, apparaît une cellule fille dont la destinée sera de construire, avec toutes les cellules qu'elle engendrera, le cerveau humain, votre cerveau. A l'intérieur de cette cellule, se trouvent toujours 46 chromosomes, dont 44 sont des autosomes (sans action sur la détermination du sexe) et les deux derniers sont les chromosomes sexuels — XX si vous êtes une femme, XY si vous êtes un homme. Ces chromosomes contiennent toute l'information nécessaire pour diriger les 100 milliards de futures cellules cérébrales et vous permettre de faire tout ce que vous pouvez accomplir à l'heure actuelle: marcher, parler, jouer du Chopin, faire des additions et apprécier la beauté d'un matin de septembre. Le seul élément qui imprime une marque féminine ou masculine à cette cellule d'origine, qui sera l'ancêtre de votre cerveau, est l'*un* des 46 chromosomes, qui est le don ambivalent du spermatozoïde paternel, un chromosome X relativement large ou un chromosome Y plus modeste, de plus petite taille que tous les autres.

Vous pouvez penser que cela ne représente pas une grande différence. Génétiquement parlant, vous avez raison. Qu'est-ce après tout qu'un chromosome unique — le X ou le Y hérité de votre père — en comparaison des 45 autres, dont 44 vous ont été fournis en proportion égale par un homme et une femme, votre père et votre mère? Étant donné que notre être propre, c'est-à-dire la manière dont nous nous comportons, sentons, rêvons et aimons, forme un ensemble complexe, ces éléments déterminants doivent donc être éparpillés à travers les 45 autres chromosomes. Et cela signifie sûrement que le cerveau de chacun de nous *doit* avoir hérité d'un potentiel bisexuel, quel que soit notre sexe génétique. Comment un seul chromosome peut-il faire pencher la balance?

Cette ligne de pensée a été adoptée, de manière tout à fait compréhensible, par de nombreux chercheurs. Un chromosome unique peut être responsable, disent-ils, de l'apparence extérieure de nos corps et de la manière dont ils fonctionnent. Mais comment diable peut-il être responsable de *toutes* les prétendues différences entre les hommes et les femmes? Des jouets qu'ils aiment? Des différentes aptitudes qu'ils sont censés avoir? Des rôles sexuels qu'ils sont appelés à jouer et des goûts sexuels qu'ils doivent afficher? Nos cerveaux, disent-ils, doivent être plus *semblables* à la naissance que *dissemblables* — en un mot, plutôt bisexuels. C'est probablement *après* la naissance que les différences sexuelles s'imposent à nous.

A première vue, cela paraît un point de vue tout à fait raisonnable. Et, dans un sens, il soulève un grave problème d'évolution. Car si la nature mélange des traits provenant de chacun des parents, elle obtient forcément en fin de compte des créatures potentiellement bisexuelles. Comment peut-elle, dans ce cas, préserver les immenses avantages de la différenciation sexuelle — c'est-à-dire l'innombrable progéniture à laquelle elle peut donner naissance — tout en s'assurant que les deux sexes demeurent physiquement distincts l'un de l'autre ou adoptent des comportements différents *et,* ce qui revêt une importance considérable, se montrent intéressés à jouer des rôles séparés dans la fonction reproductrice?

L'évolution pouvait, théoriquement, choisir deux directions. Soit que le gène minoritaire mélangé à un nombre écrasant de chromosomes différents était abandonné. Soit que la nature adoptait une solution beaucoup plus économique: les chromosomes X et Y prenaient en charge un système *auxiliaire* qui intervenait *après la conception* pour régler la manière dont les 44 autres chromosomes se manifesteraient. C'est dans cette deuxième voie que l'évolution s'est dirigée. A un stade très précoce de l'histoire du développement des organismes vivants, des substances ont été sécrétées pour porter des messages à des groupes de cellules spécialisées dans la production de cellules sexuelles et pour les aiguiller dans une direction masculine ou féminine. Elles étaient capables, en d'autres termes, de pénétrer à l'intérieur des cellules et de modifier la manière dont leurs gènes se manifesteraient.

Peu après l'apparition de la vie organique sur notre planète, une substance nommée cholestérol — qui est de nos jours l'un de nos pires ennemis — a commencé à jouer un rôle important dans la préservation des caractères individuels. Cette substance chimique, en dépit de sa médiocre réputation, est encore une composante essentielle du cloisonnement cellulaire. De plus, les hormones voisines ou dérivées du cholestérol sont devenues responsables de la formation de tous les caractères primaires mâles et femelles et de tous les signaux nécessaires à la formation des graines du pollen, des ovules ou des spermatozoïdes. Tout au long de l'évolution, de nouvelles substances chimiques remplacèrent les anciennes, et trois d'entre elles — la testostérone, l'oestrogène et la progestérone — jouèrent un rôle de plus en plus central dans la vie sexuelle et la fonction de reproduction des animaux. Elles furent sélectionnées par le processus d'évolution pour assumer la responsabilité pleine et entière de l'*ensemble* des expressions, de plus en plus complexes, du sexe et du comportement sexuel et des dépenses énergétiques reliées d'une manière ou d'une autre à la reproduction. Placées chez les mammifères, sous le contrôle des chromosomes X et Y, ces substances chimiques attribuaient au corps et au cerveau en développement leur identité sexuelle et prenaient en charge toutes les manifestations de la masculinité et de la féminité.

Imaginez à nouveau le petit oeuf fécondé que vous étiez au début de votre vie. Cela se passe au cours du deuxième mois de gestation et vous mesurez en tout et pour tout 15 millimètres. Jusqu'à ce moment précis, il n'y a aucune différence entre un embryon mâle et femelle, les parties génitales masculines et féminines se présentant toutes deux sous leur forme primitive. C'est à cette étape, cependant, que les mâles et les femelles commencent à prendre des chemins séparés. Si vous êtes une femme, les gonades — ces deux ensembles de cellules reproductrices — commencent à se développer dans les ovaires. Le conduit masculin disparaît tandis que l'oviducte féminin s'épaissit pour devenir l'utérus, les trompes de Fallope et les deux tiers supérieurs du vagin.

Si vous êtes du sexe masculin, cependant, votre chromosome Y intervient dans ce processus. Il infléchit le développement dans une autre direction. Il provoque, de l'avis des savants, la sécrétion d'une substance appelée l'antigène H-Y, qui adhère à la surface des cellules virtuellement ovariennes et les transforme en testicules. Et les testicules se mettent alors à sécréter deux hormones. L'une d'elles absorbe les parties génitales féminines qui auraient pu devenir un utérus et ainsi de suite. L'autre, la testostérone, protège les canaux mâles, épaissit le cordon spermatique et, grâce à une troisième hormone, la dihydrotestostérone, favorise la formation des parties génitales masculines externes.

Il est intéressant de remarquer que, dans cette chaîne de transformations qui aboutissent à la formation du sexe masculin, un certain nombre d'incidents de parcours peuvent survenir, ayant *toujours* tendance à inverser le développement sexuel masculin dans une direction féminine. Si l'on élimine, dans une éprouvette, l'antigène H-Y des cellules d'un testicule en développement, un ovaire se reformera. Si l'on enlève les testicules du foetus d'un animal de laboratoire, ce dernier continuera à se développer selon le schéma féminin. Ce développement sexuel inversé, ou reféminisation, peut se produire de manière naturelle chez les humains. Un certain nombre d'individus génétiquement mâles, victimes de cette anomalie du développement sexuel prénatal, sont nés, comme Mme Went, avec des caractéristiques féminines internes et (ou) externes. Cela s'explique par le fait qu'ils ne peuvent pas produire d'antigène H-Y ou l'une des trois hormones dont la sécrétion est déclenchée par cet antigène. Ces individus peuvent également être insensibles à l'une ou plusieurs de ces hormones. En d'autres termes, les cellules cibles de ces substances ne sont pas équipées des récepteurs sans lesquels le processus de développement ne peut se poursuivre normalement. Les hormones sexuelles ne peuvent pénétrer dans les cellules et déclencher les mécanismes qui orientent l'expression de leurs gènes dans la direction masculine. Parfois, cette absence de récepteurs ou de sécrétions hormonales n'est pas totale mais partielle. Cela donne des individus de sexe masculin qui voient apparaître au cours de leur vie des caractéristiques féminines plus ou moins prononcées*. Ils échappent au fléau de l'acné, qui est étroitement associée à la sécrétion de la testostérone. Et ils sont peut-être stériles. D'après Jean Wilson de l'Université du Texas à Dal-

---

* Ils ont des seins plus ou moins volumineux ou un pénis anormalement petit.

las, quatre à huit individus de sexe masculin sur 1 000 sont nés avec une anomalie sexuelle de ce type, qui provient généralement de défauts génétiques perturbant la sécrétion et l'assimilation de la testostérone.

Au dire de certains savants comme Günter Dörner, les anomalies subies par le foetus humain en cours de développement se répercutent à un stade ultérieur sur son cerveau. En l'absence de taux élevés de testostérone et peut-être sous l'influence d'oestrogènes ovariennes, le cerveau adopte un modèle féminin de développement. Cependant, lorsque la testostérone est sécrétée en plus ou moins grande quantité, on voit apparaître chez ces individus des caractères masculins plus ou moins prononcés, en fonction uniquement de la *quantité* d'hormones fournie à leur organisme. Dörner souligne que ces faits ont été observés, au cours de nombreuses expériences effectuées sur les animaux.

Il se peut que vous détestiez les rats. Ils sont pourtant indispensables à la science. En vue d'étudier les effets des hormones sexuelles sur le cerveau, les activités sexuelles, les comportements et les pulsions humaines, la science doit avant tout se pencher sur le rat. Les rats ne coûtent pas cher. Ils se reproduisent rapidement et sont faciles à manipuler. Certaines découvertes récentes prouvent qu'ils ressemblent étrangement aux humains sur certains plans, au point de laisser songeur. Les jeunes rats mâles, par exemple, à l'instar des bébés humains de sexe masculin, sont plus enjoués et plus turbulents que les jeunes rates. Les rats adultes manifestent également des aptitudes différentes de celles des rates adultes. Ces dernières réagissent mieux à certaines formes d'apprentissage et se montrent plus audacieuses dans les espaces ouverts. En revanche, les mâles se montrent plus aptes à trouver la sortie des labyrinthes comme cela a également été constaté chez les humains de sexe masculin. Cela correspond aux aptitudes visuospatiales qui sont situées dans l'hémisphère droit du rat, comme chez les humains, une fois de plus. Chez les rats mâles, l'hémisphère droit semble être favorisé. A cet effet, Marian Diamond, de l'Université de Californie à Berkeley, a récemment observé que, chez le rat mâle, la partie postérieure de l'hémisphère droit est beaucoup plus épaisse que celle de la femelle alors que chez cette dernière, la surface de l'hémisphère gauche est légèrement plus épaisse que celle du mâle. Voilà exactement ce que l'on s'attend à trouver chez les humains, quoique cela n'ait pas encore été fait. Nous avons vu que chez les humains, les aptitudes au langage étaient plus développées chez les femmes et que leurs centres nerveux étaient principalement situés dans l'hémisphère gauche. Nous avons vu également que les individus de sexe masculin avaient des aptitudes visuo-spatiales plus développées et situées dans la partie postérieure de l'hémisphère droit.

Tout cela peut sembler de piètre importance aux yeux des soi-disant seigneurs de la création que nous sommes. En fait, ces constatations sont lourdes de conséquences. Car toutes ces facultés et attributs peuvent être modifiés chez les rats dans une direction masculine ou féminine, par la présence ou l'absence d'hormones durant la période cruciale de développement du rat. Cette période, chez le rat, est courte; elle commence au cours de la vie prénatale et se prolonge après la naissance. Chez les humains, bien entendu, elle est beaucoup plus longue et se déroule probablement *entièrement* avant la naissance.

Les expériences effectuées sur les rats et qui ont permis d'aboutir à ces découvertes ont débuté par une recherche beaucoup plus élémentaire: l'effet sur le comportement sexuel adulte de l'exposition précoce de l'organisme aux hormones. Roger Gorski de l'Université de Californie à Los Angeles fut un pionnier dans ce domaine. «Nous savons depuis longtemps, nous a-t-il déclaré lors de notre visite à son laboratoire de l'UCLA, que si nous administrons des hormones mâles à des rates durant leur période cruciale, elles n'ovuleront pas et ne se comporteront pas comme des femelles adultes normales. D'autre part, si on prive un rat mâle d'hormones mâles et qu'on lui administre par la suite de l'oestrogène, il se comportera sexuellement comme une femelle. Il adoptera la posture caractéristique des femelles, que nous appelons la lordose et qui consiste à se présenter en courbant le dos.

«J'ai d'abord cru que ces changements étaient dûs probablement à une modification de la capacité de réaction du système aux hormones. Je pensais qu'il était peu vraisemblable que l'on découvre dans le cerveau des rats mâles et femelles des différences *structurelles* qui pourraient expliquer ces phénomènes. Mais divers événements se produisirent alors. Tout d'abord, Günter Dörner observa des différences, en fonction du sexe, dans la taille du noyau des cellules nerveuses de l'hypothalamus. Puis Geoffrey Raisman et Pat Field, deux chercheurs anglais, exposèrent dans une étude élégante et approfondie, leurs observations au sujet des effets des diverses hormones sexuelles sur les connexions des cellules nerveuses — travaux qui furent par la suite confirmés par William Greenough de l'Université de l'Illinois pour l'hypothalamus et une autre zone du cerveau. Ensuite, Fernando Nottebohm de l'université Rockefeller découvrit des différences *importantes* dans les cerveaux des oiseaux chanteurs. Cela nous encouragea nettement à poursuivre nos recherches.»

En 1976, Fernando Nottebohm et Arthur Arnold — qui est à l'heure actuelle un collègue de Gorski à l'UCLA — annoncèrent qu'ils avaient découvert deux agrégats de cellules nerveuses dans les cerveaux des canaris, lesquels étaient deux ou trois fois plus volumineux chez le mâle que chez la femelle. Chez le canari, c'est le mâle, et non pas la femelle, qui chante. Les deux chercheurs démontrèrent que ces centres nerveux étaient responsables de l'organisation du chant chez le mâle, aptitude à la fois acquise et reliée principalement à l'hémisphère gauche, comme le langage dans le cerveau humain. Ils démontrèrent également que la formation de ces centres et le chant lui-même étaient fortement influencés par les hormones sexuelles. En effet, lorsqu'on administrait de la testostérone à des canaris femelles adultes, non seulement ces deux centres se développaient dans leur cerveau mais elles se mettaient également à chanter, quoique de manière hésitante.

Le premier lien entre les hormones sexuelles, la structure du cerveau et le comportement venait d'être établi. Et cela conduisit Nottebohm, un homme courtois à la voix douce, à prédire deux choses: premièrement, lorsque le mâle et la femelle d'une espèce diffèrent quant au développement d'une aptitude, leur cerveau présente en conséquence un espace cérébral proportionnel à l'organisation neurale de cette aptitude; deuxièmement, cette aptitude et l'espace neural qui lui est consacré sont déterminés par les hormones sexuelles.

Ce point de départ suffit à Roger Gorski et ses assistants. Ils se mirent aussitôt à la recherche d'agrégats de cellules similaires, ou noyaux, dans une zone de l'hypothalamus du rat qui, à leur connaissance, jouait un rôle dans la régulation de la reproduction. Ils trouvèrent rapidement ce qu'ils cherchaient. « Nous avons aussi trouvé un noyau, avance Roger Gorski, que nous avons surnommé le noyau sexuel dimorphique, lequel est cinq à sept fois plus gros chez le mâle que chez la femelle. Nous ne sommes pas parvenus à modifier cette différence en faisant varier les taux d'hormones à l'âge adulte comme Fernando Nottebohm avait réussi à le faire avec les canaris. Mais nous y sommes parvenus en faisant varier ces taux au cours du développement crucial du rat, à peu près au moment de sa naissance. Les femelles qui ont été « masculinisées » durant cette période possédaient des noyaux plus larges que des femelles normales. Et les mâles castrés avaient un noyau beaucoup plus petit que les mâles normaux. En d'autres termes, la taille du noyau comme d'ailleurs le comportement sexuel adulte, dépend de l'environnement hormonal auquel le cerveau est exposé durant la période cruciale. Cela semble vrai lorsque ce centre est retiré du cerveau. Dominique Toran-Allerand, qui effectue des expériences sur les tissus embryonnaires de souris à l'université Columbia, a étudié une culture en laboratoire de la région qui contient ce centre, et elle a constaté que les tissus se développent différemment. Les cellules nerveuses se développent différemment, selon que des hormones masculines sont présentes ou non. Le sexe génétique du tissu, de même que le sexe génétique de nos animaux, conclut-elle, est *immatériel*. Seules les hormones sexuelles sont importantes.»

A la fin de 1981, Gorski annonça que lui et son groupe avaient réussi à transplanter des noyaux sexuels dimorphiques de cerveaux de rats mâles dans des cerveaux femelles, peu de temps après la naissance. Ce faisant, ils avaient réussi à transmettre *en même temps* à ces femelles des caractéristiques mâles plus accentuées qui s'étaient manifestées par la suite sur le plan du comportement. Dans ce cas également, il y a donc un autre lien étroit entre les hormones, le développement du cerveau, la structure du cerveau et le comportement. D'autres liens ont été établis par la suite. Bruce McEwen, remarquable neurobiologiste de l'université Rockefeller, a découvert, durant la période cruciale, des récepteurs d'hormones sexuelles précisément dans ces zones cérébrales du rat qui, pense-t-on, structurent les différences de comportement non sexuelles : course dans le labyrinthe, apprentissage de l'esquive, etc. Enfin, ce que Gorski, Nottebohm et Arnold ont relevé chez les rats et les oiseaux, un savant que nous avons déjà rencontré, Bob Goy, a commencé à l'observer chez une espèce encore plus proche de nous : les singes rhésus.

Lorsque vous déambulez dans les couloirs du Regional Primate Research Center de l'Université du Wisconsin à Madison, la première chose qui vous frappe, c'est la forte ressemblance du singe rhésus avec l'homme. En gros, les caractéristiques sont les mêmes. Ces animaux sont entreprenants et dynamiques. Leur vie sociale est complexe : ils jouent les uns avec les autres, se font mutuellement la toilette, cherchent à se dominer et se montrent toujours prêts à rétrograder ou à mettre à l'écart un membre de la bande qui ne satisfait pas les attentes collectives. Les jeunes, qui sont logés au cinquième étage par groupes de cinq ou six mères, sont particulièrement attachants. Ils cavalcadent bruyamment tout autour de leurs cages, se retenant tantôt par le pied, tantôt par la main, s'interrompant uniquement pour se livrer à de courtes empoignades ou à des pantomimes sexuelles qui consistent à s'enfourcher les uns les autres, et même à l'occasion leur propre mère.

Lorsqu'il arriva à Madison, Bob Goy mit cinq ans à perfectionner l'habitat des singes rhésus de manière à ménager des conditions de vie sociale aussi libres qu'à l'état sauvage et dans lesquelles leur comportement serait naturel. Or, même dans ces conditions, il trouva qu'il était pratiquement impossible d'étudier les effets des hormones sexuelles sur les comportements sexuels adultes, comme Gorski l'avait fait avec les rats et lui-même avec des cobayes. «Chez des animaux comme les singes rhésus, qui ont une durée de vie assez longue, qui vivent en groupe et se reproduisent de manière saisonnière, dit-il, il faut tenir compte de variables sociales trop nombreuses dont nous ignorons à peu près tout.»

Quoi qu'il en soit, Goy a pu étudier les effets des hormones sexuelles sur les différents types de comportements sexuels *caractéristiques* du singe rhésus. «Nous avons réalisé quelques travaux sur l'instinct de domination, par exemple, dit-il, penché sur une tasse de café dans son bureau de directeur. Les mâles occupent généralement une position dominante dans la bande. Mais nous avons montré que les femelles dont les mères avaient reçu de la testostérone au cours de la grossesse avaient beaucoup plus tendance à dominer dans une bande mixte, à l'âge adulte, que les femelles qui n'avaient pas été traitées. L'effet de l'injection de testostérone au cours de la vie prénatale (je commence à présent à étudier les effets de l'oestrogène) peut *aussi* être observé dans la manière dont le bébé et le jeune singe rhésus réagit à ses congénères. C'est d'ailleurs le principal sujet de mes travaux.»

Le comportement des jeunes singes rhésus mâles diffère de celui des femelles sur quatre plans. Ils donnent plus souvent le signal de départ du jeu collectif. Ils se bagarrent plus souvent. Ils montent plus souvent leurs congénères des deux sexes, tout comme ils montent leur mère plus souvent que ne le font les femelles. Bob Goy et ses assistants ont pu toutefois provoquer ces comportements typiquement mâles chez les jeunes femelles en administrant à leurs mères enceintes de la testostérone ou de la dihydrotestostérone à divers moments de la période cruciale de développement; chez les singes rhésus, celle-ci survient avant la naissance, comme chez l'homme. Ces femelles se révèlent plus turbulentes et adopteront un comportement à peu près semblable à celui des mâles.

«Il faut aussi souligner que ces femelles, explique Bob Goy, sont nées avec des parties génitales qui ont été masculinisées à un degré ou à un autre — il est donc clair qu'au cours de la vie prénatale, il y a une période cruciale pour la formation des parties génitales. Mais il existe *également* une période cruciale — plus longue et plus difficile à cerner — pour chacun des comportements caractéristiques d'un sexe donné: une période pendant laquelle les hormones sexuelles influencent chacun d'eux. Ce qui est fascinant, voyez-vous, c'est que ces comportements innés ne sont pas transmis d'un seul bloc. Nous pouvons réellement les distinguer. Nous pouvons, par exemple, administrer aux sujets de l'androgène pendant une *courte* période et constater que les femelles montent leurs mères plus souvent — mais non leurs partenaires du même âge. Si nous administrons cette hormone à une autre période, nous constatons que les femelles montent leurs partenaires plus souvent ou prennent plus souvent l'initiative du jeu ou se bagarrent plus fréquemment, quoique ces trois types de comportements ne soient jamais simultanés. Nous sommes même parvenus à provoquer séparément — et à mon avis, cela est tout à fait *étonnant* — le simulacre d'acte sexuel sur des mâles et sur des femelles. Il faut comprendre que, dans des circonstances ordinaires, les jeunes mâles rhésus simulent l'acte sexuel sur des congénères pris au hasard. S'il se trouve un nombre égal de mâles et de femelles dans une bande, ils enfourcheront un nombre égal de partenaires des deux sexes. Cependant, nous avons récemment découvert que si nous administrons à des foetus mâles des doses supplémentaires d'hormones pendant une très courte période au début de la gestation, ils monteront uniquement les femelles. Aucun autre comportement mâle ne sera changé.

«Quelle est la signification de tout ceci? Eh bien, cela suppose que, chez ces primates tout au moins, les traits individuels qui traduisent la masculinité sur le plan du comportement, sont contrôlés séparément par les hormones sexuelles durant des périodes de temps bien déterminées. En d'autres termes, la masculinisation du cerveau, qui se produit avant la naissance, est un processus lent, complexe, approximatif. On peut obtenir des mâles agressifs, avec des caractéristiques masculines exacerbées; ou encore des mâles moins «virils». Cela ne semble pas être vrai du processus de féminisation. La féminisation n'est pas un phénomène qui peut être atténué ou exacerbé à différents *degrés*. En fait, il n'y a pas de caractéristiques féminines que nous puissions identifier puis supprimer par des injections d'hormones au foetus. En outre, il n'existe pas de caractéristiques féminines qui ne soient communes aux deux sexes. S'il nous est possible de faire apparaître chez nos femelles des caractéristiques masculines, *nous ne pouvons pas supprimer chez elles des caractéristiques féminines*. Elles restent avant tout des femelles, même si un modèle de comportement mâle a été artificiellement superposé à leur comportement ordinaire par injection d'hormones. La même règle s'applique aux mâles ordinaires. La féminité fondamentale de l'espèce ne peut être transformée, étant de loin beaucoup mieux protégée que la virilité. Il y a, à mon avis, une bonne raison à tout cela. Chez les mâles, la nature peut se permettre des variations sur une gamme assez étendue. Mais comme ce sont les femelles qui assurent la continuation de l'espèce, la nature ne peut prendre aucun risque à leur égard. Le résultat correspond donc à ce que nous avons constaté à la fois chez les singes rhésus et chez les humains. La forme fondamentale de l'espèce, c'est la femelle.»

Ce témoignage ne nous fournit qu'un point de vue partiel. Car certains faits suggèrent qu'il existe *également* des degrés de féminité — et de féminisation du cerveau — plus atténués cependant que dans le cas de la virilité. Certains savants soulignent la différence entre la féminité «exagérée» des femmes affligées du syndrome de Turner et celle des femmes ayant reçu des taux normaux d'hormones ovariennes durant leur vie foetale. Chez les femmes, disent-ils, le cerveau peut évoluer à l'intérieur d'une échelle *positive* de féminité, même si les degrés de cette échelle sont plus réduits et mieux protégés que les degrés menant à la masculinité.

Voilà pourtant l'un des faits auquel Günter Dörner fait allusion lorsqu'il parle de «travaux effectués sur les animaux». Les hormones qui influencent le processus de masculinisation, dit-il, exercent une influence sur la taille, la croissance et les interconnexions des cellules nerveuses dans différentes parties du cerveau en développement chez les animaux. Il a également été démontré qu'au cours de la période cruciale, ces hormones provoquent l'apparition d'aptitudes et de comportements reliés au sexe. Certains de ces comportements se manifestent à un âge précoce, avant la puberté. Mais d'autres attendent l'afflux d'hormones fraîches de la puberté pour atteindre leur expression pleine et entière, comme c'est le cas de la musculature, de la distribution de l'énergie, de la structure du squelette et des caractères sexuels secondaires des êtres humains mâles et femelles. Chez les animaux, le type de comportement sexuel adopté fait partie de ces caractères secondaires. Chez les mâles et les femelles, ces comportements dépendent entièrement de l'influence hormonale à un stade précoce de la vie. Selon Günter Dörner, cela peut également être vérifié chez les humains. Certaines aptitudes, habiletés et comportements sont programmés dans le cerveau humain avant la naissance, et il en va de même de l'orientation future de la vie sexuelle. «Cela a été démontré point par point chez les animaux», nous a-t-il déclaré un soir à Cambridge. Et des expériences cliniques effectuées sur des humains nous permettent d'entrevoir de plus en plus clairement que notre espèce fonctionne de la même manière. Les échos de ces recherches, qui nous parviennent à présent des laboratoires du monde entier, ajoute-t-il avant de disparaître dans l'obscurité, me donnent raison.»

Chapitre 10

Retour au point de départ

Peut-on étendre aux humains des observations faites sur des rats, des oiseaux et des singes? «C'est impossible», disent certains savants. «C'est possible», réfutent prudemment d'autres savants, convaincus avant tout de «l'économie» de la nature. À l'appui de leur affirmation, ils signalent ce que nous connaissons au sujet des accidents de la nature et des erreurs parfois tragiques de l'homme. Ils citent inévitablement le cas des femmes atteintes de HSC.

Avec les victimes de HSC, nous revenons au point de départ où il s'agit à présent d'examiner les résultats des travaux effectués sur les animaux pour décrypter le cerveau humain, à l'instar de Günter Dörner. HSC est l'abréviation de l'hyperplasie surrénale congénitale, maladie des glandes surrénales qui sont situées immédiatement au-dessus des reins et jouent un rôle essentiel, entre autres, dans la manière dont nous réagissons au stress. Le cortisol hormonal est l'une des plus importantes substances sécrétées par ces glandes. Or chez les individus atteints de HSC, il se produit dès la vie prénatale des anomalies dans la manière dont cette substance est synthétisée chimiquement. En raison d'un défaut génétique, le cortisol n'est plus le produit obtenu à l'issue de la biosynthèse. A la place, au cours de la période cruciale du développement foetal, d'abondantes quantités de testostérone sont sécrétées.

Chez les garçons, cela n'a pas d'effet apparent. Mais chez les filles, cette maladie entraîne l'apparition de caractères masculins plus ou moins prononcés dans les organes génitaux externes, comme dans le cas des singes étudiés par Bob Goy. De nos jours, cette maladie est généralement diagnostiquée dès la naissance; les bébés font l'objet d'une opération chirurgicale, si nécessaire, et reçoivent un traitement compensatoire à base de cortisone pour le restant de leurs jours.

Quant à leur comportement, la science découvre néanmoins qu'il a été inéluctablement orienté dans une direction masculine et qu'il échappe à tout traitement chirurgical ou chimique. En d'autres termes, l'hormone mâle a déjà influencé le comportement *avant la naissance,* comme Bob Goy l'avait constaté avec ses singes. *Après* la naissance, cet effet peut être mesuré. D'après une série d'études entreprises à la fin des années 1960 par John Money de l'université Johns Hopkins et Anke A. Ehrhardt, actuellement titulaire d'un poste de recherche à l'université Columbia et au New York State Psychiatric Institute, les filles atteintes de HSC se distinguent généralement par un comportement de « garçons manqués » accomplis. Elles sont athlétiques et pleines d'énergie. Elles préfèrent jouer avec des garçons et s'intègrent rapidement dans des organisations sportives axées sur la compétition. Selon John Money, « elles sont souvent les seules filles de l'équipe masculine de football, de baseball ou de basketball du quartier ».

Ce comportement a été expliqué en partie par le fait que les jeunes filles atteintes de HSC dépensent leur énergie d'une manière typiquement masculine: les hommes, et peut-être aussi les femmes atteintes de cette maladie, ont des poumons et des coeurs plus gros et font une consommation d'oxygène plus élevée que les femmes normales. Pourtant, il existe d'autres *différences* qui ne peuvent être mesurées ainsi. Car les petites filles atteintes de HSC préfèrent *également* les jouets guerriers et les petites autos aux poupées. Sur le plan vestimentaire, elles préfèrent les vêtements fonctionnels aux vêtements typiquement féminins. Elles préfèrent les jeux de grand air aux jeux d'intérieur et les saynètes représentant les métiers aux scènes ménagères. Leur enthousiasme pour les bébés et la garde des enfants est tiède et elles montrent peu d'intérêt pour les activités réservées aux petites filles. Leur puberté est souvent plus tardive que celle des autres filles, quoique cela puisse être attribué au traitement à base de cortisone. Elles ne semblent pas non plus très attirées par des aventures amoureuses avec le sexe opposé. Plus tard dans la vie, les femmes atteintes de HSC semblent d'ailleurs être plutôt portées vers les autres femmes. D'un point de vue statistique, on relève dans ce groupe une proportion plus forte de bisexuelles et même d'homosexuelles que chez la moyenne des femmes. Même si cette orientation sexuelle ne trouve pas d'expression concrète, cette dernière est présente de toute façon dans leurs fantasmes.

Curieusement, tout cela nous reporte non seulement aux études de Bob Goy sur les singes mais aussi aux constatations de Roger Gorski sur les rats. «Pourtant, prévient Anke A. Ehrhardt du New York State Psychiatric Institute, nous devons à ce propos faire preuve d'une *extrême* prudence. Je trouve absolument inacceptable le parallèle établi par Günter Dörner entre les animaux et les humains. Ces caractéristiques sont tout au plus des tendances et elles ne se trouvent pas chez tous les individus. Quant à la bisexualité et la nature des pulsions bisexuelles et homosexuelles, nous ignorons encore si ces orientations sont plus fréquentes chez les femmes atteintes de HSC que dans le reste de la population. Nous manquons de données. Les gens ont tellement de mal à comprendre cela. Ils se contentent d'établir une distinction simple et rapide entre ce qui est déterminé biologiquement et ce qui est déterminé socialement: la nature opposée à la culture. Pourtant, tous ces éléments sont interdépendants. Le comportement d'une personne sera influencé par la désapprobation qu'elle sent ou ne sent pas dans son entourage. Or, l'homosexualité et la bisexualité ne font pas l'objet d'une aussi grande réprobation qu'auparavant. C'est ainsi que nous relevons ces tendances chez les femmes atteintes de HSC, tout comme nous *pouvons* les trouver dans tout autre groupe de femmes considéré comme un ensemble. Quant à leur côté «garçon manqué», il est vrai que les filles atteintes de HSC sont *significativement* plus masculines qu'un échantillon de filles du même âge et de la même origine sociale. Mais en premier lieu, «les garçons manqués» sont tout à fait acceptés dans cette société. Et deuxièmement, ce comportement ne se constate pas chez toutes les filles atteintes de HSC. Au niveau biologique, cela ne paraît pas automatique.»

Anke A. Ehrhardt est professeur de psychologie clinique au département de psychiatrie de l'université Columbia. C'est une scientifique très méticuleuse. Cette femme souriante et précise, âgée d'environ 40 ans, est tout à fait consciente de la controverse qui entoure le domaine où elle travaille. Elle s'empresse d'affirmer l'importance de l'apprentissage chez l'espèce humaine. Et elle désapprouve la théorie selon laquelle notre comportement sexuel et social peut être *dicté* par l'environnement hormonal du foetus dans l'utérus.

Qu'à cela ne tienne, depuis maintenant plus d'une décennie, et plus récemment avec le concours de Heino Meyer-Bahlburg, elle étudie les effets de cet environnement. Tout en observant les individus atteints de HSC, elle a également examiné des échantillons humains totalement différents, soit des enfants dont les mères avaient reçu des hormones pour éviter les fausses couches. Cette pratique médicale commença à être adoptée au cours des années 1950, où la science devenait de plus en plus habile à manipuler les hormones naturelles et à en synthétiser de nouvelles. Pendant une période de 30 ans, ces hormones furent administrées couramment sous diverses formes, non seulement aux femmes qui risquaient la fausse couche, mais aussi à celles dont la grossesse se déroulait normalement. On estime qu'au cours d'une période de 30 ans, 10 millions de femmes, aux États-Unis seulement, ont reçu des hormones au cours de leur grossesse. La plus tristement célèbre de ces hormones fut le diethylstilboestrol (DES), qui en 1971, fut relié à l'apparition du cancer de l'utérus chez les jeunes femmes qui en avaient reçu au cours de leur vie prénatale. On a constaté depuis que chez les hommes, cette hormone était la cause d'un certain nombre de malformations (pénis de taille réduite, testicules non descendues, et faible sécrétion spermatique). Or le DES était seulement l'une des hormones utilisées. Certaines étaient des oestrogènes — hormones parentes de l'oestradiol — administrées, soit sous forme naturelle, soit sous forme synthétique, comme le DES. Les autres appartenaient à un groupe d'hormones appelées progestogènes. Ces hormones étaient, elles aussi, soit naturelles (de source animale ou végétale) soit synthétiques (fabriquées en laboratoire), et se répartissaient en deux catégories principales : celles qui étaient à base de progestérone et celles qui étaient à base d'androgène, donc très proches de la testostérone.

Les enfants dont la mère avait été traitée au cours de sa grossesse avec l'une de ces substances, diffèrent, pour autant qu'on puisse en juger, *uniquement* en fonction du flux hormonal auquel ils ont été exposés dans l'utérus. Ehrhardt et Meyer-Bahlburg, ainsi que des groupes de chercheurs dirigés par June Reinisch, aujourd'hui directrice du Kinsey Institute, et Richard Green de la State University of New York à Stony Brook, entre autres — ont essayé de déterminer leurs effets. Dans le cas des progestogènes, les résultats sont clairs. Les filles exposées à des progestogènes à base d'androgène sont très semblables aux filles atteintes de HSC : elles sont plus « garçons manqués » et robustes que la plupart de leurs compagnes et sont souvent nées avec des parties génitales qui présentent, de manière subtile, des caractères masculins. Les garçons semblent *également* plus énergiques et agressifs que leurs compagnons, comme dans le cas des garçons atteints de HSC. (« Dans mon étude initiale, souligne June Reinisch, les résultats étaient si frappants que j'ai presque été effrayée de les publier. ») L'inverse semble être vrai dans le cas des progestogènes à base de progestérone, qu'ils aient été administrés seuls ou en association avec les oestrogènes. Ces hormones semblent avoir eu un effet de *démasculinisation*. Les garçons dont la mère a reçu ces hormones au cours de la grossesse semblent être *moins* agressifs et moins sûrs d'eux que leurs compagnons. Ils font preuve d'une coordination athlétique médiocre et sont, d'après l'une des études, « peu attirés par les activités typiquement masculines ». Chez les filles, le tableau est à peu près semblable. Elles sont moins actives, moins agressives verbalement et moins enjouées. Elles ont tendance à rechercher des amitiés féminines plutôt que masculines. Et elles s'intéressent énormément à la mode, à la coiffure, au maquillage et aux enfants. Aucune étude n'a encore été faite sur les hommes et les femmes exposés au cours de leur vie prénatale à des oestrogènes comme le DES. Mais d'après des recherches préliminaires, il est fort vraisemblable que les individus de ce groupe soient moins autonomes et moins sûrs d'eux que les individus normaux. Les individus de sexe masculin qui ont été exposés à la DES ont été décrits comme moins agressifs, plus domestiques. Et les femmes exposées à la DES se montrent plus dépendantes de leur hémisphère gauche que leurs soeurs qui ont été soumises au même test.

Tous les faits recueillis jusqu'à présent indiquent clairement que, chez les humains comme chez les singes, les hormones sexuelles — qui agissent dans l'utérus sur le cerveau en développement — sont responsables de ce qu'Ehrhardt nomme prudemment «une sorte de mise au point préalable de la personnalité». Bob Goy est plus tranchant. «Les hormones sexuelles structurent le comportement social des individus des deux sexes, leur orientation face aux problèmes sociaux et la manière dont ils résoudront ces derniers», déclare-t-il. Pourtant, une question reste sans réponse. Dans quelle mesure ces hormones structurent-elles également l'identité et le comportement sexuel adopté par les deux genres humains après la puberté?

Les accidents provoqués par une erreur humaine, dont les foetus exposés à des hormones sexuelles dans l'utérus, ne permettent pas de tirer des conclusions dans un sens ou dans l'autre, quoiqu'il existe un certain lien entre les progestogènes à base de progestérone et la faiblesse de l'appétit sexuel et l'impuissance chez l'homme, et une autre relation possible entre le DES et l'absence de fertilité et de menstruations chez la femme. Pour obtenir des preuves plus substantielles, nous devons nous reporter aux accidents de la nature, comme l'a fait Günter Dörner. Il énumère les cas des jumeaux identiques américains, des individus génétiquement mâles affligés du syndrome de la féminisation testiculaire et des filles-garçons du syndrome dominicain. Il met également de l'avant un autre groupe humain, les homosexuels et les transsexuels, qui sont le résultat, d'après lui, d'un autre *type* d'accident, un accident socio-culturel : le stress. Le jour qui suivit notre première rencontre à Cambridge avec Dörner, nous sommes allés le voir, à l'issue d'une conférence, pour qu'il nous explique son affirmation selon laquelle l'homosexualité est congénitale plutôt qu'imposée par l'environnement ou librement choisie.

«Eh bien, dit-il, j'ai constaté, comme d'autres chercheurs, que les rats pouvaient être rendus homosexuels si on les privait de testostérone au cours de la période cruciale de différenciation cérébrale. J'ai donc voulu administrer une injection d'oestrogène à des rats mâles présentant des caractères homosexuels à l'âge adulte en posant comme hypothèse que, si leurs cerveaux présentaient réellement des caractères féminins, ils réagiraient comme s'ils avaient reçu un signal d'un ovaire inexistant, soit en sécrétant une hormone lutéinique, la LH, qui généralement provoque l'ovulation. C'est effectivement ce qui s'est passé. Leurs cerveaux ont bel et bien été féminisés et ma méthode a donc constitué un excellent moyen de mesurer ce phénomène. Nous avons appliqué cette même méthode à des homosexuels humains de sexe masculin et nous avons abouti à des résultats identiques. Leurs cerveaux réagissaient à cette sécrétion hormonale tardive tandis que les cerveaux des hétérosexuels de sexe masculin restaient absolument neutres. Tout se passait comme si les cerveaux des homosexuels avaient été, en partie tout au moins, féminisés.

« A cette époque, Ingeborg Ward, de l'Université de Villanova en Pennsylvanie, démontrait que si vous soumettiez des rates enceintes au stress, leurs rejetons mâles avaient des taux extrêmement faibles de testostérone à la naissance et adoptaient un comportement sexuel féminisé et démasculinisé à l'âge adulte; en d'autres termes, ils devenaient bisexuels ou homosexuels. Nous nous sommes inspirés de ces expériences pour vérifier, sur un échantillon humain, s'il existait un lien entre le stress prénatal et l'homosexualité mâle. Nous avons tout d'abord examiné les registres des naissances pour vérifier s'il y avait plus d'homosexuels nés durant la période angoissante de la Deuxième Guerre mondiale, qu'avant ou après cette période. Et cela s'est avéré exact. Nos graphiques statistiques démontraient qu'il y avait eu une forte pointe en 1944 et 1945, par exemple. Nous avons alors interviewé une centaine d'hommes bisexuels ou homosexuels, une centaine d'hétérosexuels et le plus grand nombre de mères possible. Ce que nous voulions connaître, c'est le degré de stress auquel les mères et les enfants avaient été soumis au cours de la grossesse et de la vie prénatale. Eh bien, nous avons constaté qu'il s'était produit effectivement une augmentation *significative* du stress maternel avant la naissance des sujets bisexuels et surtout homosexuels. Environ un tiers des homosexuels nous ont raconté que leurs mères avaient vécu, au cours de cette période, des événements particulièrement pénibles — tels que deuils, viols ou angoisses profondes. Dans le cas d'un autre tiers des sujets homosexuels, les mères avaient été soumises à un stress modéré. Rien de tel dans le cas des hétérosexuels: aucun d'eux n'a fait mention d'un degré de stress élevé, et seulement 10 p. 100 d'entre eux ont fait mention d'un stress modéré.

« En conclusion des études que j'effectue en laboratoire depuis 1964, dit-il patiemment, conscient de l'opposition qu'il soulève, je suis forcé de constater que l'homosexualité mâle est la conséquence de changements neurochimiques permanents dans l'hypothalamus causés par la réduction des taux de testostérone durant la vie foetale. Cela produit une féminisation du cerveau qui est accélérée à la puberté, et influence fortement le comportement sexuel. Il est clair, à mon avis, que le stress constitue un facteur de risque puisqu'il provoque dans les glandes surrénales, la sécrétion de substances qui ont pour effet d'abaisser les taux de testostérone chez le foetus mâle. Et il se peut qu'il y ait d'autres facteurs que nous ignorons. Quels qu'ils soient, cependant, ils modifient en permanence le réseau nerveux du cerveau, qui est contrôlé par les hormones *particulières* au cerveau, les neuro-transmetteurs, en particulier la sérotonine, la dopamine et la noradrénaline. C'est grâce à ces trois substances que les cellules nerveuses individuelles situées dans différentes parties du cerveau communiquent entre elles aux points de jonction appelés synapses. Elles permettent aux hormones sexuelles d'agir localement sur les cellules nerveuses et d'influencer le comportement tout au long de la vie.

« Il est à présent possible de démontrer que les taux de ces neuro-transmetteurs sont modifiés de manière radicale dans différentes zones du cerveau, en raison du stress prénatal, chez les rats mâles et femelles. Lorraine Herrenkohl de l'université Temple à Philadelphie, par exemple, a récemment démontré que les rejetons *femelles* des rates soumises à un stress prénatal ont, comme les mâles, des taux de neuro-transmetteurs modifiés à l'âge adulte *et* une médiocre capacité de reproduction. Leur cycle oestral est irrégulier. Leur réceptivité sexuelle est diminuée. Elles ont de la difficulté à devenir enceintes, avortent spontanément de façon beaucoup plus fréquente que les femelles normales, et elles sécrètent souvent très peu de lait pour nourrir leur progéniture. »

Nous demandons à Dörner si, à son avis, le stress prénatal *peut également* expliquer l'homosexualité féminine. « Aucun fait ne nous prouve jusqu'à présent que le *stress* est la cause de ce phénomène », dit-il. Mais certaines constatations nous prouvent indirectement qu'une modification des taux de testostérone exerce une influence sur l'apparition de cette caractéristique. Les lesbiennes et les transsexuels femmes-hommes semblent avoir des taux anormaux, dans certains cas tout au moins, de testostérone et d'oestradiol. Si nous leur administrons de l'oestrogène, leur réaction à l'hormone lutéinique est plus faible que celle des femmes hétérosexuelles, ce qui laisse supposer que leur cerveau a été, d'une certaine manière, masculinisé. En outre, les modèles cognitifs de leur cerveau peuvent être intermédiaires entre ceux des hommes hétérosexuels et ceux des femmes hétérosexuelles. Leur structure corporelle, d'après certaines mesures, peut être plus proche de celle de l'homme. Il est également possible, ajoute-t-il lentement, que leur vieillissement soit plus rapide que celui des femmes normales, caractéristique qui les rapproche également des hommes.»

A la fin de 1981, trois savants attachés au Alfred C. Kinsey Institute for Sex Research, de l'Université de l'Indiana, ont publié un rapport qui allait dans le sens des affirmations de Günter Dörner. Cette étude, fondée sur de longues entrevues avec 979 homosexuels et 474 hétérosexuels, annonçait qu'aucune variable psychologique ou sociale ne pouvait expliquer l'homosexualité mâle ou femelle. Bien au contraire, affirmait le chercheur, « l'homosexualité peut provenir d'un facteur biologique préliminaire qui échappe au contrôle des parents».

Cela ne suffit pas à convaincre Anke A. Ehrhardt. «Je pense que Dörner est passé trop vite aux conclusions, dit-elle. Certaines études qu'il cite sont inadéquates. D'ailleurs, ajoute-t-elle vivement, jusqu'à ce qu'on me présente une série d'études bien structurées et menées avec rigueur sur l'influence des hormones chez les humains, je demeure extrêmement sceptique devant l'affirmation selon laquelle l'apprentissage et l'environnement ne jouent qu'un rôle restreint dans la manière d'être et le comportement des gens.» Tout en dirigeant la première étude importante sur l'influence du DES sur l'homme et la femme, elle cherche également à faire la lumière sur l'influence des taux hormonaux chez les lesbiennes.

Roger Gorski, cependant, n'est pas aussi catégorique. «Je pense, avance-t-il prudemment, que les travaux de Dörner nous font faire un grand pas en avant, et qu'ils peuvent nous aider à déterminer si le comportement sexuel humain est dépendant ou non des sécrétions hormonales. A mon avis, nous ne possédons pas encore de faits suffisants pour trancher la question. Mais il faut avouer que les résultats de ces études sont extrêmement provocants à plusieurs niveaux. Par exemple, vous n'ignorez pas que dans notre société, les femmes vivent plus longtemps que les hommes, quoiqu'on n'en sache pas clairement la raison. Dörner déclare que les rats femelles vivent *également* plus longtemps et que les rats mâles, privés d'hormones mâles durant la période cruciale de développement, ont une durée de vie égale à celle des femelles. Alors...»

QUATRIÈME PARTIE

Le cerveau et le corps: un héritage distinct

Chapitre 11

Une chimie différente

Si vous voulez vivre longtemps, vous pouvez essayer plusieurs recettes. Vous pouvez vous entourer de jeunes vierges et respirer leurs effluves. Ou vous injecter des extraits glandulaires de jeunes animaux. Vous pouvez vous gaver de yaourt, de varech et de germe de blé. Ou, comme les statistiques d'un rapport exhaustif publié en 1964 le suggèrent, vous pouvez obtenir un diplôme d'études supérieures, vous marier, dormir sept heures par nuit, ni plus ni moins, et manger des fritures au moins quinze fois par semaine. Vous pouvez toujours essayer ces solutions. Et si vous voulez être sûr que l'une d'elles va marcher, vous devez d'abord et avant tout vous demander si vous êtes une femme. Si vous avez la malchance d'être du sexe masculin, il faut alors vous faire enlever au plus vite vos testicules. En effet, en 1969, James Hamilton et Gordon Mestler du Down State Medical Center de New Hork ont démontré que seuls les hommes castrés vivent en moyenne aussi longtemps que les femmes. Mais pour chaque année suivant la naissance pendant laquelle la castration a été différée, la durée de vie se rétrécie d'environ trois mois et onze jours.

A quoi cela est-il dû? Aux hormones sexuelles. Après tout, si vous êtes du sexe masculin, il n'y a aucune différence *génétique* essentielle entre vous et un castrat: vous êtes tous deux des mâles XY. Et il y a également une infime différence génétique entre vous et la femme qui vous survivra probablement: au lieu d'un chromosome Y, elle possède un deuxième chromosome X. Il y a cependant une énorme différence entre vous trois quant aux hormones sexuelles que vous fabriquez à partir du cholestérol. Il y a également une grande différence entre les troubles et les maladies qui risquent d'assaillir chacun de vous. Si vous êtes un homme et que votre production de testostérone est intacte, votre système immunitaire, en premier lieu, est relativement faible. Vous êtes moins bien protégé contre l'océan de virus et de bactéries dans lequel nous baignons. De plus, vous êtes vraisemblablement plus vulnérable aux maladies et aux attaques cardiaques. Par contre, si vous êtes une femme qui produit des oestrogènes et de la testostérone en petités quantités seulement *ou* un homme qui a perdu ses principales sources de testostérone, vous serez alors moins sujet aux attaques cardiaques. Vous serez mieux protégé contre une large gamme de maladies variant de la diarrhée infantile et de la leucémie, à la maladie du légionnaire et aux assauts des virus à action lente. Et vous vivrez plus longtemps.

Si vous posez l'hypothèse que la brièveté de la vie n'est que le résultat d'une mauvaise hygiène, vous êtes dans l'erreur. C'est tout simplement la conséquence de différences fondamentales entre les hommes, les femmes — et les castrats. Et ce n'est qu'un commencement...

De nos jours, certains titres d'articles rejetés aux dernières pages des journaux ont de quoi surprendre. DÉCOUVERTE D'UN GÈNE RESPONSABLE DE LA DÉPRESSION. LE COMPORTEMENT CRIMINEL SERAIT CONGÉNITAL DISENT LES SAVANTS. UNE MEURTRIÈRE ACQUITTÉE: LES PSYCHIATRES ACCUSENT LA TENSION PRÉMENSTRUELLE. LA SCHIZOPHRÉNIE: UNE DYSFONCTION DE LA BIOCHIMIE CÉRÉBRALE. Et: Y A-T-IL UN GÈNE RESPONSABLE DU TALENT POUR LES MATHÉMATIQUES?

Nous lisons ces titres, mais sans faire de lien entre eux. C'est ainsi que nous ne voyons pas qu'une révolution se prépare, tapie, dans ces titres secondaires, relégués en dernière page. Et cependant, cettre révolution risque de changer bientôt, une fois pour toutes, notre perspective du comportement humain. Cette révolution concerne tous les sujets que nous avons abordés: l'évolution, les gènes, les hormones sexuelles, les aptitudes — en un mot les héritages distincts des hommes et des femmes — et aussi quelque chose de plus, le système immunitaire, et la biochimie cérébrale. Cela nous mène loin, à l'extrême pointe des découvertes sur l'homme et la femme. En ce point précis, il y a encore peu de certitudes, et au-delà, s'étendent des terres inconnues. Mais quelques points de repère ont déjà permis à un savant d'affirmer, avec jubilation: «Cette recherche a probablement fait reculer la psychiatrie de 100 ans.» Ils ont également incité un autre savant à suggérer: «La culture, la personnalité et la chimie cérébrale recouvrent en fait la même notion. Ce sont seulement des manières différentes d'envisager la même chose. »

Que signifie tout ceci pour l'espèce humaine, mâle ou femelle ? Cela signifie qu'au moment même où nous nous ruons désespérément vers les divans des psychothérapeutes et autres médecins de l'esprit, la science annonce calmement que la partie est terminée, que les dés ont été jetés à nouveau et que les règles sont changées. Nous ne sommes plus les créatures purement «psychologiques» que nous pensions être, encombrées de «problèmes psychologiques» qui exigent un «traitement psychologique» si nous voulons nous en débarrasser. Nous sommes, au contraire, et à un point que nous étions loin d'imaginer jusqu'à présent, le siège de forces *biologiques*. Nos réactions au stress, nos troubles de caractère passagers, nos tendances à la folie, et peut-être même au crime, ont une origine biologique et une expression biologique à l'intérieur du cerveau. Et cela ne vaut pas seulement pour les *principaux* problèmes qui affligent la société : le 1 p. 100 d'individus qui souffrent de schizophrénie, les 5 p. 100 qui sont affligés de troubles caractériels, les 2 p. 100 qui commettent les crimes et les milliards de dollars qui sont dépensés chaque année pour soigner ces fléaux. C'est *également* le cas des problèmes mineurs qui assombrissent nos familles et nos relations sociales : les changements d'humeur des parents, l'hyperactivité et l'agressivité des enfants, les dépressions cycliques féminines, tout comme l'irritabilité et l'instabilité des hommes. L'origine de tout cela est biologique ; ces phénomènes sont fixés dans les gènes, favorisés par les hormones sexuelles et exprimés dans la chimie particulière du siège ultime de notre personnalité : le cerveau.

« Une chimie différente ». Tel est le thème du plus récent chapitre de l'histoire de l'homme et de la femme, la «chimie différente» qui circonscrit notre personnalité et nous prédispose, dès le début de notre vie, à différentes inaptitudes, différents troubles et différentes maladies. Donc, pour le moment, oubliez la psychologie et toutes les hypothèses qui vous ont été inculquées à propos d'un esprit qui vous habite et que vous seul pouvez contrôler. Laissez de côté, pour un moment, les effets de l'environnement sur votre personnalité et votre comportement. Concentrez-vous plutôt sur ce noyau biologique et génétique de votre être, considéré en tant que membre de l'un des sexes de l'espèce humaine — avec sa constitution différente, sa programmation différente, ses circuits différents et ses réactions chimiques différentes, ses «sucs particuliers», comme le résumait un savant. Ainsi, vous commencerez à comprendre pourquoi quelques titres d'articles, pourtant rejetés à la dernière page des journaux, peuvent s'organiser en vue d'une nouvelle perspective de la différenciation des sexes. Vous commencerez à entrevoir les causes d'un grand nombre de malentendus et de tensions qui perturbent les relations hommes-femmes. Et vous commencerez à saisir — en même temps que la science — pourquoi ces points forts et ces points faibles qui déconcertent chacun de nous, homme ou femme, font en fait partie d'un héritage global. Pourquoi le système immunitaire de la femme est supérieur à celui de l'homme, mais est en même temps plus susceptible d'attaquer l'organisme qu'il est censé protéger. Pourquoi les hommes sont généralement plus doués pour le raisonnement mathématique et possèdent des aptitudes visuo-spatiales supérieures, mais sont en même temps plus enclins à devenir des pervers ou des psychopathes. Pourquoi les femmes excellent dans le domaine de la communication, mais sont plus vulnérables aux phobies et à la dépression. Et pourquoi l'on compte plus d'individus de sexe masculin à chaque extrémité de la gamme intellectuelle, parmi les arriérés mais aussi parmi les génies.

Si vous croyez que les psychiatres, les psychologues et tous ceux dont le métier consiste à analyser les effets du milieu social sur l'individu seront horrifiés par le nouveau regard que vous posez sur l'espèce humaine, vous avez raison. Mais si vous pensez que leur père spirituel, Sigmund Freud, serait également scandalisé, vous êtes dans votre tort. Freud traitait toutes sortes de patients et de maladies: parmi elles, les troubles psychosomatiques, la schizophrénie, l'hystérie et la dépression. A plusieurs reprises, il a déclaré, qu'un jour, la science découvrirait « une prédisposition biologique » qui répondrait à toutes les questions laissées en suspens par ses théories. « Une chimie particulière », prophétisait-il, éclairera enfin tous les continents noirs. Les faits que nous avons sous les yeux lui donnent raison. Par des voies indirectes et détournées, une « chimie particulière » du cerveau, des hormones et du système immunitaire a été découverte au coeur même de la nature masculine et féminine. Et devant nous, s'ouvre un chemin que cette interprétation « chimique » défriche pour nous conduire à une explication plus détaillée de nos différences sur le plan des aptitudes et des systèmes de protection et de maladies. Pour connaître le fin mot de l'histoire, vous devrez attendre vingt ans environ. Vingt années marquées — si l'on en croit les premiers symptômes — par des controverses, des conflits, des discussions au sujet du libre arbitre et de la radicalité des nouvelles approches quant à l'éducation, la santé, le traitement de la violence, de l'instabilité émotive et de la folie. En attendant, voici les nouveaux repères et les nouveaux chemins que la science trace entre eux.

Commençons par les maladies et les attaques cardiaques: 40 millions d'Américains souffrent d'une forme quelconque de maladie cardiaque et, cette année, environ un million et demi d'entre eux ont été victimes d'une crise cardiaque. La majorité de ces cas touchent des hommes. L'explication la plus commune, qui émane évidemment d'individus de sexe masculin, est la suivante : « C'est la faute de l'environnement. C'est le stress. Attendez que le même nombre de femmes se lance sur le marché du travail et commence à porter le même fardeau de responsabilités. Elles commenceront alors à ressentir les mêmes effets du stress, qui aboutiront aux mêmes résultats. »

C'est une hypothèse très répandue. Et elle est certainement fausse en partie. Les liens entre le stress cérébral et les problèmes cardiaques ne sont pas encore bien connus; il ne faut jamais perdre de vue que la science ne voit que le sommet de l'iceberg. Néanmoins, il y a trois choses que la science a *pu* déterminer. Premièrement, les femmes qui travaillent sont le plus souvent en meilleure santé que leurs semblables qui restent à la maison. Deuxièmement, elles sont protégées contre les formes les plus communes de maladie cardiaque par leurs hormones sexuelles primaires, les oestrogènes. Et troisièmement, elles semblent réagir au stress, à la fois sur le plan chimique et sur le plan du comportement, tout à fait différemment des hommes.

Les réactions humaines au stress sont déterminées par un groupe de structures cérébrales, dont l'hypothalamus et les organes qui l'entourent, désignés sous le nom de système limbique. On sait que le système limbique contrôle l'émotivité et ce que les savants s'amusent à appeler « les quatre a » : alimentation, accès de fuite, agressivité et activité sexuelle. Il dispose l'organisme à réagir spontanément à un défi ou à un danger. Lorsque le cerveau identifie un risque dans l'environnement — camion roulant à toute vitesse, freins qui lâchent, coup de fusil — l'organisme est immédiatement mis en état d'alerte, et cela de deux manières principales. En réagissant aux renseignements reçus, l'hypothalamus ordonne à l'hypophyse — glande située juste en dessous de lui — de sécréter une hormone qui transmet, par l'intermédiaire de la circulation sanguine, un message aux glandes surrénales, qui à leur tour se mettent à sécréter du cortisol et de l'adrénaline. Ces deux substances se répandent alors à travers le réseau sanguin et parviennent au cerveau et à différents organes. Le cerveau est mis en éveil et préparé pour le combat ou la fuite. Ces substances mobilisent l'énergie sous forme de glucose; sous leur action, le sang se retire partiellement des viscères et afflue vers les muscles. Au même moment, le système nerveux sympathique devient le siège d'une activité débordante. Des impulsions, propagées par la même messagère, l'adrénaline et sa proche parente, la noradrénaline, se déplacent entre les cellules nerveuses, le coeur et les autres organes principaux. Les battements de coeur et la respiration s'accélèrent immédiatement; la consommation d'oxygène augmente également et les déchets s'éliminent plus rapidement. La tension artérielle s'élève. La digestion ralentit. Les paumes des mains se mettent à transpirer et les cheveux se hérissent. Ainsi l'organisme se prépare pour une dépense massive d'énergie, si elle s'avère nécessaire. Si c'est le cas, le cerveau a déjà été mis en alerte et le corps est sur ses gardes. Si le danger s'éloigne, les glandes surrénales reçoivent l'ordre d'arrêter le production hormonale et le système nerveux parasympathique est mis en oeuvre pour rétablir l'état normal de l'organisme. Grâce à son neuro-transmetteur particulier, l'acétylcholine, le système nerveux sympathique est calmé, le rythme cardiaque ralentit et la digestion et la sécrétion sont rétablies. Le système nerveux parasympathique doit être en bon état de fonctionnement afin que les organes soient protégés de la tension.

Dans le cas du stress humain, les mécanismes hormonaux, par lesquels le corps et le cerveau communiquent entre eux en vue de coordonner les réactions de combat ou de fuite, semblent être plus ou moins continuellement excités. Un stress léger n'a rien de nocif: c'est une manifestation vitale nécessaire qui peut même être agréable. A long terme, cependant, cela peut comporter des effets désagréables. Il peut affaiblir la résistance de l'organisme aux infections et vraisemblablement, à certaines formes de cancer. (Chez les rats, le stress réduit la résistance aux virus et aux parasites; chez les humains, on a associé certaines faiblesses de la section du système immunitaire qui défend l'organisme contre les agressions des cellules étrangères et des tumeurs à un taux élevé de cortisol.) Bien entendu, le stress peut également être à l'origine de problèmes cardiaques lorsque le muscle cardiaque, entre autres choses, doit fournir de trop gros efforts. Le stress, peut encore exciter un centre cérébral à tel point que le coeur sera mis dans un état de surmenage pouvant déboucher sur un accident cardiaque *fatal,* fibrillation ou attaque foudroyante. L'apparition de ces symptômes dépend de la constitution génétique de l'individu.

Mais cela dépend également du sexe. Les individus «de type A» qui se définissent par leur obsession du temps, et qui se révèlent autoritaires, combatifs, extravertis et agressifs, sont particulièrement exposés aux ravages du stress. Or, il semble à présent que cela s'applique uniquement aux individus de sexe masculin appartenant à cette catégorie. Des études effectuées en Suède et en Amérique ont montré récemment que les individus de sexe féminin du type A, lorsqu'ils doivent résoudre des problèmes reliés à leur travail, n'ont pas à faire face aux mêmes inconvénients physiques (augmentation du rythme cardiaque, de la tension artérielle et de la sécrétion de cortisol et de noradrénaline) que leurs homologues de sexe masculin. Leur sécrétion d'adrénaline est aussi plus faible. L'adrénaline étant l'un des agents de la coagulation du sang, les femmes de type A seraient mieux protégées contre la formation de caillots (ou thrombose) qui peut être l'une des causes d'accidents cardiaques. (L'aspirine — un autre indice — a une action anticoagulante chez l'homme, mais non pas chez la femme.) Enfin, quoiqu'elles ne jouissent pas de ce type de protection, elles ont toutefois moins de problèmes cardiaques que les individus masculins de type A, même lorsque leur état de santé général est comparable.

Cela ne signifie pas, bien entendu, que les femmes de type A — et les femmes en général — réagissent *moins* au stress. Cela signifie simplement que leur biochimie est différente sur certains plans. D'une manière générale, il semble que les sources de stress soient différentes chez les femmes. Ces dernières paraissent réagir de manière différente au stress provenant de leur environnement. On peut résumer en un seul mot la manière particulière dont elles réagissent aux stimulations de leur milieu: l'émotion. Les femmes ont tendance à être mises en état de stress par la coloration émotionnelle de leur vie; ce ne sont pas les problèmes matériels mais les problèmes de relations individuelles et de communication qui les font réagir. Et lorsqu'elles se heurtent à des contretemps, des échecs ou des pressions émotionnelles, leur organisme n'est pas rongé intérieurement par le surmenage comme celui des hommes. Elles réagissent émotionnellement ou sombrent dans la dépression, ce qui occasionne moins de dommage à l'organisme, même si cela est parfois fort difficile à vivre.

Cela suscite naturellement cette question: quelle est la raison de cette différence globale? De nouveau, la réponse se trouve presque à coup sûr dans les directions différentes que le développement de l'homme et de la femme a suivi au cours de l'évolution.

Il était logique, évidemment, que les hommes, prédestinés par leur héritage biologique à un rôle de chasseur, toujours prêts à lutter pour conquérir leurs partenaires sexuelles et à relever des défis, bénéficient de mécanismes complexes qui permettent à leur organisme de réagir rapidement en présence du danger. Par contre, les femmes ont tout naturellement hérité de la faculté de répondre *émotionnellement* à leur environnement, en raison de leur rôle séculaire consistant à nourrir et à cimenter le groupe social. La dépression et les effets permanents du stress sont peut-être les différents tributs à payer pour ces héritages distincts: ils sont indissociables de notre féminité et de notre masculinité.

La véracité de cette hypothèse, surtout en ce qui concerne les individus de sexe masculin, est corroborée par un certain nombre de preuves scientifiques. Les savants qui travaillent en laboratoire avec des animaux mâles ont démontré que l'instinct de domination — domination sexuelle associée à la défense et à la garde d'un territoire défini — est associé à une tension artérielle élevée et à une artériosclérose qui sont les signes indubitables, chez les humains tout au moins, des effets du stress. Mais ils ont également découvert que les animaux qui manifestent un fort instinct de domination ont aussi des taux élevés de testostérone, tout comme les humains mâles de type A confrontés aux tests des savants. L'affaire se corse. Car c'est précisément la testostérone qui provoque ce durcissement artériel si problématique chez les humains de sexe masculin. Cette hormone déclenche la sécrétion d'une protéine hépatique qui cause à son tour l'accumulation du cholestérol à l'intérieur des parois artérielles. (Chez la femme, l'oestrogène provoque la sécrétion d'une protéine qui disperse le cholestérol de manière beaucoup plus efficace.) Puis, des dépôts graisseux appelés plaques se forment. Plus ces plaques sont épaisses, plus les artères sont étroites, ce qui donne au coeur d'autant plus de mal à remplir son rôle de pompe. Ses récepteurs d'adrénaline et de noradrénaline ne pourront entrer en fonction en raison du surmenage cardiaque et le coeur entrera alors en phase de crise. Ou bien un caillot de sang causera une grave obstruction qui conduira à l'embolie ou à l'attaque.

Des conclusions de ce type sont, nous le soulignons à nouveau, de simples points de repère dans un paysage encore obscurci par les ténèbres. Mais il semble d'ores et déjà évident que, dans le phénomène du stress, le comportement, l'émotion, les gènes, les hormones sexuelles, les neuro-transmetteurs, le corps et le cerveau entretiennent des liens étroits. Et ces constatations laissent supposer que, bientôt, on découvrira une relation beaucoup plus générale entre les émotions et la maladie, le cerveau et le système immunitaire. Pour le moment, les savants ne disposent que de quelques données éparpillées. Les animaux de laboratoire, par exemple, n'atteignent pas le degré d'artériosclérose que les savants essayent de leur infliger s'ils reçoivent beaucoup de caresses — en d'autres termes, s'ils sont traités avec affection. Tout comme les gens mariés, les hommes en particulier, sont généralement plus heureux et en meilleure santé que les célibataires. Ils sont moins sujets aux maladies cardiaques. Une étude effectuée récemment à l'hôpital Mount Sinaï de New York a démontré que les époux dont les femmes étaient mortes du cancer avaient subi une aggravation importante de leur état au niveau des cellules de leur système immunitaire.

Après avoir mis le doigt sur les faiblesses du soi-disant sexe fort et avoir semé l'inquiétude chez nos lecteurs de sexe masculin, il était temps de regarder la contrepartie du stress qui menace nos compagnes: la dépression. Chaque année, 40 millions d'Américains sont victimes de dépression ou de maladies reliées à des troubles du caractère. Les deux tiers environ sont des femmes. L'explication traditionnelle, répandue par les femmes elles-mêmes, est la suivante: «Dès le début de leur vie, on apprend aux filles à ne pas exprimer leur agressivité. C'est pourquoi elles gardent celle-ci à l'intérieur et la retournent contre elles-mêmes. Lorsqu'elles arrivent à l'âge adulte, elles se retrouvent dans un environnement social réglé et dominé par les mâles. Les hommes sont impuissants à combler leurs désirs. Et de plus, ils briment les aptitudes des femmes et ignorent la subtilité de leurs émotions. Rien d'étonnant, dans ces conditions, que les femmes, en tant qu'adultes, au sein de cette société, manifestent des tendances à l'autodestruction et à la dépression. »

Cette explication semble assez rationnelle. Et elle est probablement valable en partie : chez la femme, la dépression est le plus souvent *réactionnelle,* c'est-à-dire qu'elle constitue une réponse à des événements vécus, à une situation de stress. Mais cela ne suffit pas à expliquer pourquoi les femmes réagissent *de cette manière* au stress. Pourquoi les femmes sont-elles protégées contre le *surmenage* qu'entraîne le stress mais non pas contre un ensemble de troubles qui affectent de manière désastreuse le caractère, la motricité, l'appétit, le sommeil et les pulsions sexuelles ? L'argument socio-culturel cité plus haut est impuissant à expliquer ce phénomène. Il n'explique pas pourquoi une femme, qui semble mener une vie normale, sombre tout à coup dans une dépression qui la mène en chute libre jusqu'à l'hospitalisation. Les explications psychologiques de ce type de dépression, la dépression *vitale* ou endogène, qui afflige les femmes cinq ou six fois plus souvent que les hommes, s'avèrent inutiles. Le traitement psychologique de cette maladie semble être une perte de temps et d'argent, s'il n'est pas carrément nocif ; il semble en effet que ces femmes aient tendance à s'enfoncer encore plus profondément dans leur désespoir. En fait, le seul moyen de comprendre la dépression endogène et les autres troubles qui lui sont plus ou moins rattachés — tension prémenstruelle, dépression post-partum, phobies, obésité, anorexie et dépression réactionnelle — c'est par la chimie particulière des femmes : l'interaction des gènes, du corps, du cerveau, des hormones sexuelles et des neuro-transmetteurs.

Revenons à la dépression endogène qui partage beaucoup de caractéristiques avec la dépression réactionnelle : dérèglement du cycle du sommeil et des alternances de sommeil profond et léger ; inaptitude au plaisir ; perte d'appétit ; léthargie ; perte de libido et, très souvent, absence de menstruation. La première preuve que ce type de dépression n'est pas causé par l'environnement nous est fournie par des études génétiques. Chez les jumeaux identiques, par exemple, lorsque l'un des jumeaux souffre d'une dépression vitale ou endogène, il y a 50 p. 100 à 80 p. 100 de chances que l'autre en soit *également* victime. Les gens qui souffrent de dépression vitale ont 14 fois plus de chances d'avoir des parents souffrant des mêmes troubles du caractère que l'ensemble de la population. Enfin, des travaux effectués en Belgique ont montré que les enfants adoptés qui souffrent de dépression vitale partagent généralement cette maladie avec leurs parents naturels et non leurs parents adoptifs.

Bien entendu, cela suggère immédiatement l'existence d'une anomalie *biochimique* chez ce type de patient dépressif. En vérité, il est à présent tout à fait évident que dans le cas de la dépression vitale — en raison très certainement d'une prédisposition génétique — il s'est produit chez les femmes qui en sont atteintes une anomalie *chimique* dans ces mêmes structures et ces mêmes réseaux qui, chez les hommes, favorisent les réactions au stress. Tout d'abord, les patientes dépressives sécrètent des taux élevés de cortisol dans leurs glandes surrénales. Cela semble causer une interférence avec un centre situé dans le tronc cérébral, qui est activé par un neuro-transmetteur, la sérotonine, et qui contrôle le sommeil. Ces patientes sécrètent également des taux de noradrénaline anormalement faibles. Cette carence relative a des conséquences considérables, car elle affecte *en permanence* diverses zones profondes du cerveau où la noradrénaline est active. Elle exerce également une influence néfaste sur le sommeil actif, avec activité onirique (tronc cérébral), sur l'obtention du plaisir et de la satisfaction sexuelle (quatrième ventricule) et sur l'appétit (hypothalamus). Et cela semble également affecter la manière dont l'hypothalamus — par l'intermédiaire de l'hypophyse située en dessous de lui — contrôle à distance la production des hormones sécrétées par les glandes surrénales pour réagir contre le stress, en particulier le cortisol.

En d'autres termes, chez les individus qui souffrent de dépression, la chaîne de réactions au stress qui relie les glandes surrénales, le cerveau, l'hypothalamus, l'hypophyse et les glandes surrénales à nouveau, a été déréglée par un phénomène biochimique. L'organisme réagit ainsi en permanence au stress par une réponse inappropriée. La preuve de cette hypothèse — et il faut se rappeler que la science connaît fort peu de choses sur certains troubles mentaux comme la dépression — découle des trois grandes sources habituelles: les autres maladies de l'organisme humain, les études sur les animaux et les médicaments. Premièrement, les individus, généralement des femmes, qui souffrent de la maladie de Cushing présentent des troubles de l'hypothalamus qui résultent *également* d'une forte sécrétion de cortisol dans les glandes surrénales et souffrent *aussi* de dépression. Deuxièmement, toute opération effectuée sur les cerveaux des singes visant à abaisser *leur* taux d'adrénaline cause l'apparition des symptômes de la dépression — et l'on observe le même phénomène chez les rats. Troisièmement, les deux seuls types de médicaments, découverts d'ailleurs par accident, qui sont utiles dans le traitement de la dépression *humaine* agissent tous deux sur les systèmes où la noradrénaline et la sérotonine sont actives. Ces médicaments — les agents inhibiteurs du type monoamine oxydase et les antidépresseurs tricycliques — ont un effet tout à fait différent des calmants habituels, soit le Valium et le Librium. Ces médicaments n'ont *aucun* effet, sauf peut-être un effet déplaisant, sur les individus normaux. Cependant, on constate qu'ils soulagent *réellement* les symptômes des patients souffrant de dépression. L'une de ces catégories de médicaments, les tricycliques, commence à être considérée par la science comme le traitement miracle des cas de phobies. Les phobies — peur de l'altitude, peur des lieux clos ou ouverts, peur de l'eau, etc. — sont apparemment étroitement reliées au stress. Elles provoquent des réactions de stress incongrues et exagérées. Et comme la dépression vitale, dont elles sont les proches parentes, elles affectent les femmes beaucoup plus souvent que les hommes (trois à dix femmes pour un homme, quel que soit l'endroit).

Bien des éléments indiquent que la femme réagit au stress différemment de l'homme: les études génétiques, la fréquence élevée chez la femme de troubles dépressifs de toutes sortes et la chimie du stress sous-jacente aux phobies et à la dépression vitale. Puisqu'il en est ainsi, on peut s'attendre à retrouver le même type d'explication qui nous a servi à éclairer les réactions des hommes devant les défis et les dangers: les hormones sexuelles. Cette hypothèse est de plus en plus confirmée par les études effectuées en laboratoire. Walter Stumpf et ses collègues de l'Université de Caroline du Nord de Chapel Hill, par exemple, ont démontré que les cellules qui véhiculent la noradrénaline dans des zones particulières du cerveau communiquent directement avec d'autres *cellules* qui sont les cibles des hormones sexuelles. Ces dernières, d'après Stumpf et ses collègues, influencent de manière différente les circuits cérébraux dans lesquels la noradrénaline et sa proche parente, la dopamine, jouent le rôle de neuro-transmetteurs et influencent encore de manière différente les fonctions qu'ils contrôlent. Parmi ces dernières, on trouve «la thermorégulation, la régulation de la reproduction et de la tension artérielle, le vomissement, l'absorption d'aliments et de boissons et des comportements émotionnels comme l'agression et la dépression».

Les travaux de Stumpf confirment de façon éclatante la théorie de Günter Dörner selon laquelle les hormones sexuelles structurent le développement du cerveau mâle et femelle en contribuant à la formation des réseaux de neurotransmission des cellules nerveuses sur lesquels elles exerceront leur influence tout au long de la vie. Les travaux de Stumpf démontrent également que ces réseaux, qui gouvernent une variété de comportements actifs et réactifs, seront sensibles à toute fluctuation importante dans le taux d'hormones sexuelles qui leur est fourni. Cela peut être observé dans les cellules nerveuses individuelles, ainsi que l'a démontré le laboratoire de Chapel Hill. Mais cela peut également être observé chez la femme, au cours d'événements de la vie ordinaire — puberté, accouchement, cycle menstruel, ménopause et prise de la pilule. Tout cela produit des changements plus ou moins évidents au niveau de l'énergie thermique de l'organisme, des habitudes alimentaires, de la tension artérielle et du comportement émotionnel — et ce sont justement là les effets que Stumpf attribue à l'action de la noradrénaline et de la dopamine. La conclusion de tout ceci est la suivante: si l'on modifie, dans une forte ou même dans une faible mesure, le degré d'hormones sexuelles d'une femme, on constatera très souvent des modifications profondes de son caractère et de sa personnalité. Parfois, elle sera influencée par sa sécrétion hormonale au point de perdre le contrôle de sa propre personnalité.

Environ 7 p. 100 des femmes qui viennent d'accoucher, par exemple, souffrent de dépression pendant des semaines et même des mois et perdent tout appétit sexuel, précisément au moment où leurs taux hormonaux ont été radicalement modifiés par la naissance de leur enfant. En outre, un pourcentage indéterminé de femmes qui prennent la pilule ont signalé à leur médecin des effets secondaires d'une variété déconcertante, parmi lesquels l'affaiblissement de la pulsion sexuelle, la perte d'appétit, l'irritabilité et la dépression. L'amant, le mari, le médecin et la femme elle-même considèrent trop souvent que ces modifications sont d'origine psychologique et que la responsabilité ou la faute incombe uniquement à la patiente. Cela conduit bien des couples à briser leur union. D'ailleurs, un nombre alarmant de séparations se produisent dans les quinze mois qui suivent la naissance d'un enfant.

Bien entendu, la tension prémenstruelle est elle aussi mise en accusation. La psychiatre britannique Katharina Dalton est persuadée que la tension prémenstruelle affecte quatre femmes sur dix dans une certaine mesure et que, pendant huit jours, avant et pendant les menstruations, elle influence *fortement* la vie d'une femme sur quatre. La prise de la pilule, dit-elle, vient encore aggraver ces conditions. Non seulement on verra apparaître chez ces patientes des symptômes de dépression — neurasthénie, léthargie, perte de mémoire et du contrôle émotionnel — mais on assistera également à une augmentation des querelles, des accidents, des suicides, des accès de violence sur les enfants et des crimes. Tout ceci est causé par une modification de l'équilibre de l'oestrogène et de la progestérone dans la phase lutéinique terminale du cycle menstruel, juste avant les menstruations. La tension prémenstruelle, en d'autres termes, n'est *pas,* comme l'ont prétendu les féministes, un phénomène culturel causé par des facteurs sociaux qui rendent la femme coupable d'être menstruée. Il s'agit avant tout d'un phénomène biologique. Anke A. Ehrhardt a signalé le cas d'une petite fille d'un an et demi qui était victime d'une apparition précoce de la puberté *et* d'une grave tension prémenstruelle.

(Tous ces faits ne devraient pas permettre aux hommes de se rengorger de la soi-disant stabilité de leur personnalité et de leur capacité de maîtriser leurs émotions et leurs sautes d'humeur ; il est fort possible, en effet, qu'ils aient eux aussi « leur période du mois ». Une étude effectuée par Alice Rossi de l'Université du Massachusetts, à Amherst, a démontré que les membres d'un groupe d'hommes étaient, chaque mois, pendant quelques jours, soudainement irritables et tendus. Cette période, cependant, n'était pas cyclique ; elle ne se répétait pas à intervalles réguliers et prévisibles. « Dans ces circonstances, souligne Alice Rossi, si l'on découvre que ce phénomène est largement répandu, à qui devrons-nous confier des tâches exigeant un haut niveau d'aptitudes et de sens des responsabilités — comme par exemple le pilotage d'un avion, les opérations de chirurgie cérébrale et ainsi de suite ? A quelqu'un dont les sautes d'humeur sont *imprévisibles* ?)

Cela nous amène, en dernier lieu, à évoquer un autre dérèglement qui affecte le caractère et la personnalité des femmes, leurs fonctions sexuelle et reproductrice, leur appétit, et qui nous permettra de déterminer, en fin de compte, pourquoi ces fonctions sont si interdépendantes et vulnérables chez la femme. Il s'agit de l'anorexie mentale, dont les femmes sont victimes, généralement pendant ou après la puberté, de dix à vingt fois plus souvent que les hommes, et qui est souvent considérée comme une maladie essentiellement psychologique ; elle résulte de la pression de facteurs sociaux sur les jeunes filles de la classe moyenne afin qu'elles conservent leur minceur, en dépit des transformations que subissent leurs corps à cette période. Cette pression sociale provoque chez elles l'apparition d'obsessions morbides qui tournent toutes autour de la nourriture et de l'image corporelle. Les personnes qui souffrent d'anorexie mentale se laissent souvent mourir de faim ou meurent parfois après des orgies de nourriture immodérées et compulsives. Contrairement à l'opinion habituelle, il semble que cette maladie soit assez ancienne. A notre connaissance, elle a été décrite pour la première fois en 1694 en Angleterre et, sur le plan génétique ou autre, elle peut être reliée à la dépression. Les anorexiques ont généralement dans leur famille un nombre anormalement élevé de proches parents souffrant de dépression ou d'autres troubles du caractère, selon Elliott Gershon de l'American National Institute of Health. Ces personnes présentent plusieurs anomalies chimiques analogues à celles des dépressifs. On observe chez elles la même dysfonction hypothalamique qui est la conséquence de taux élevés de cortisol. Elles sécrètent également de faibles taux de noradrénaline, et leur urine contient, si l'on en croit une étude récente, une substance qui provoque chez le rat un profond dégoût de la nourriture.

La raison pour laquelle tant de femmes — une écolière anglaise sur 250 et 7 p. 100 des danseuses canadiennes de ballet classique, d'après un rapport récent — sont frappées par une maladie aussi mortelle et dévastatrice est une énigme. Mais cette maladie n'est mystérieuse que si l'on s'obstine à la considérer comme un *trouble psychologique* — un trouble de l'alimentation, une phobie de la nourriture et de la prise de poids. L'anorexie, en fait, est infiniment plus que cela. C'est un trouble du développement de la fonction sexuelle et reproductrice. Chez les anorexiques, chez la plupart des femmes qui souffrent de dépression vitale, les menstruations cessent si elles ont commencé à la puberté ou ne se produisent tout simplement pas. Ces malades sont très peu ou pas du tout attirées par la sexualité. Et si le traitement de cette maladie n'est pas commencé à temps, on constatera souvent chez ces patientes l'absence irréversible du développement de la totalité des caractères sexuels secondaires. Au lieu de cela, leur type de sécrétion d'hormones sexuelles sera analogue à celui des petites filles impubères. Elles produiront de faibles taux d'hormones lutéiniques — hormones de transmission par laquelle l'hypophyse communique avec les ovaires — et de faibles taux d'oestrogènes actives. Tous ces symptômes peuvent être directement liés à la perte de poids. Et cela nous porte à croire que les anorexiques, comme les personnes qui souffrent de dépression, sont victimes d'une rupture des mécanismes *particuliers* qui ont été imposés aux femmes par l'évolution, mais non aux hommes.

Chez les humains et les autres membres du règne animal, la puberté et le maintien de la fonction de reproduction — tous deux gouvernés par l'hypothalamus — dépendent de l'alimentation et de la quantité de nourriture absorbée qui sont elles-mêmes également contrôlées et réglées par l'hypothalamus. Cela est *particulièrement* vrai chez les femelles; du point de vue de l'évolution, cela est beaucoup plus important pour elles, parce que leurs fonctions reproductrices exigent que leur organisme emmagasine une quantité importante d'éléments nutritifs et d'énergie. La puberté, donc, *particulièrement chez les femelles,* sera retardée jusqu'à ce que le corps atteigne un certain poids Elle sera *également* retardée si le système cerveau-corps est soumis à un stress important provenant de facteurs socio-culturels. Cela se vérifie chez les animaux placés dans certaines conditions de vie: la surpopulation chez les rats, par exemple, et une position inférieure dans la hiérarchie femelle chez certains singes et chimpanzés. Et cela est également vrai chez les humains. La puberté est souvent retardée chez les jeunes filles qui pratiquent la danse ou l'athlétisme et sont donc soumises à un entraînement intensif. Parfois, elle n'apparaît pas du tout chez les anorexiques soumises à l'influence de ce qui semble être un stress continuel, purement interne, et provoqué par des facteurs biochimiques.

Le même scénario se reproduit dans le cas du *maintien* de la fonction reproductrice après la puberté. Si le poids d'une femme — son rapport graisse-muscles — tombe en dessous d'un certain niveau, alors sa fonction, son cycle de reproduction et sa production d'ovules seront vraisemblablement stoppés. Cela peut être observé chez les femmes qui souffrent de malnutrition et, dans notre société, chez certaines athlètes et certaines fanatiques de régimes et de jogging. Lorsqu'une telle femme est exposée à des événements générateurs de tension pour son système cerveau-corps, il est probable que l'on observera des effets semblables. Il s'agira dans ce cas d'une réaction d'adaptation. Sur le plan de l'évolution, il n'est guère avantageux pour la femme de se vouer à la conception, à la grossesse et à la maternité, si les ressources sont rares *ou* si l'environnement est plutôt hostile.

Nous pouvons observer le résultat de cette réaction chez la femme, mais non chez l'homme, d'une manière générale. Elle se manifeste par des maladies de deux systèmes interreliés mais qui possèdent une organisation différente et sont réglés par les hormones sexuelles: l'axe surrénal — hypophyse-hypothalamus — et l'axe ovaire-hypophyse-hypothalamus. Ces maladies associent des modifications de la fonction reproductrice et du comportement alimentaire et nous permettent, entre autres, d'expliquer pourquoi l'*obésité* est plus fréquente chez la femme que chez l'homme et pourquoi les individus de sexe féminin sont mieux protégés contre les effets nocifs de cette maladie. La boulimie peut être une réaction d'adaptation chez la femme, puisqu'elle lui permet d'emmagasiner de fortes quantités d'éléments nutritifs en prévision d'une famine possible, ainsi que des réserves d'énergie pour subvenir aux besoins de sa future progéniture. En ce qui concerne les hommes, l'obésité ne peut constituer une réaction d'adaptation, puisque l'homme est voué par son modèle particulier d'évolution à dépenser son énergie à court terme, en se livrant à des activités reliées au combat et à la chasse. En d'autres termes, les réseaux d'échanges biochimiques adrénaline-hormones-gènes sont solidement structurés chez la femme mais non chez l'homme, comme en témoignent les Vénus de Menton et de Willendorf, ces figurines de l'âge de pierre représentant des femmes du paléolithique qui, en fonction de nos critères, semblent ridiculement grasses, mais qui étaient à l'époque, semble-t-il, hautement valorisées, parce qu'elles symbolisaient la fécondité.

Bien entendu, cela n'explique toujours pas pourquoi la dépression et les phobies constituent une forme de réaction au stress particulière aux femmes mais non aux hommes. Dans ce domaine également, l'évolution de l'espèce humaine peut nous fournir une réponse. On a découvert récemment que les phobies, par exemple, étaient étroitement associées à une dysfonction psychosexuelle et à la dépression. Les phobies apparaissent généralement chez la femme, *uniquement* au cours des années où elle est capable de procréer. Curieusement, ces phobies se manifestent par des peurs concernant des éléments qui étaient autrefois les dangers principaux de l'environnement où nous avons évolué : l'altitude, l'eau, les animaux, les espaces ouverts qui n'offrent aucune protection et les espaces hermétiquement clos. Il est probable que l'héritage génétique ait favorisé l'apparition et l'expression de ces peurs non pas chez l'homme mais chez la femme, puisque cette dernière, en fonction de son type particulier d'évolution, assume la responsabilité de sa propre survie et de celle de sa progéniture.

Enfin, ce même type d'argument peut servir à expliquer la fréquence des dépressions chez les femmes. Pendant presque toute l'évolution de l'espèce humaine, de la préhistoire jusqu'à une époque encore très récente, il était impossible à une femme isolée de survivre, puisque le sexe féminin n'est pas adapté à la chasse et à la recherche de sa propre subsistance. Donc, afin de rentabiliser l'approvisionnement alimentaire, pour elles-mêmes et leur progéniture, les femmes *devaient* être des membres interdépendants d'un groupe social. En vérité, elles étaient le ciment indispensable qui maintenait la cohésion de ces groupes. Cette tendance de la femme à réagir au stress par la dépression peut être assimilée à un appel à l'aide. Elle constitue une sorte de mécanisme d'adaptation qui renforce son interdépendance et oblige le groupe à lui porter rapidement secours. Hélas, dans nos sociétés modernes, cette cohésion sociale est en voie de disparition. Les appels au secours fusent de tous côtés, mais l'aide se fait attendre interminablement. La dépression a été surnommée, dans au moins une étude, « la peste » qui envahit inexorablement les pays occidentaux.

Chapitre 12

Hémisphères, humeurs et maladies mentales

Pierre Flor-Henry est un Franco-Hongrois d'environ 40 ans, svelte, soigné de sa personne, inséparable de sa pipe. Il est professeur de médecine clinique à l'Université de l'Alberta au Canada et dirige les services d'admission de l'Alberta Hospital. Ce chercheur consacre une grande partie de son temps à faire la synthèse de tout ce qui a été découvert au sujet des deux hémisphères cérébraux, de la biochimie et des troubles masculins et féminins. Son intérêt pour ces sujets s'est éveillé alors qu'il étudiait l'épilepsie des lobes temporaux — crise électrique qui se répand, à partir d'un foyer de lésion, dans une zone particulière de l'hémisphère gauche ou de l'hémisphère droit.

« Ce qui est remarquable dans le cas de ce type d'épilepsie, voyez-vous, nous dit-il au cours d'une visite à New York, c'est qu'il commence tôt dans la vie, dans l'hémisphère *gauche;* il est parfois accompagné de déviations sexuelles — fétichisme, par exemple — et d'un comportement instinctuel, agressif et psychopathique. Plus tard dans la vie, il est associé à un ensemble de symptômes se rapprochant de la schizophrénie. C'est tout à fait différent dans le cas des épilepsies temporales de l'hémisphère *droit.* Lorsqu'*elles* apparaissent tôt dans la vie, elles ont un certain lien avec l'orgasme — une crise peut provoquer un orgasme. Plus tard dans la vie, elles produisent les symptômes de la dépression.

« Par conséquent, cette distinction entre les épilepsies de l'hémisphère droit ou de l'hémisphère gauche correspond *exactement* à la distinction entre les troubles du comportement qui frappent de manière distincte les hommes et les femmes adultes. Les psychopathes et les pervers se recrutent principalement chez les *hommes*. Ces derniers commettent à peu près tous les crimes accompagnés de violence. Et ce sont *surtout* les hommes qui souffrent de schizophrénie — ou tout au moins d'une forme de schizophrénie plus précoce, plus chronique, et plus profonde que chez les femmes — et dont le centre est situé dans l'hémisphère *gauche*. Par contre, ces problèmes n'existent pratiquement pas chez les femmes. Le fétichisme, la violence sexuelle, le crime accompagné de violence et la schizophrénie précoce sont soit relativement rares, soit totalement absents chez la femme. En vérité, les fléaux féminins sont la dépression, les troubles du caractère et les problèmes d'orgasme et de sexualité qui les accompagnent le plus souvent. Et dont le centre est situé dans l'hémisphère *droit,* comme le prouve la pathologie des épilepsies du lobe temporal. En d'autres termes, ces différents types d'épilepsie m'incitent à penser que les hommes et les femmes sont vulnérables dans l'hémisphère où sont situées leurs aptitudes et habilités les plus faibles — l'hémisphère *gauche* chez les hommes, où les habilités verbales sont relativement médiocres et l'hémisphère *droit* chez les femmes où les habilités visuo-spatiales sont moins prononcées que chez les hommes. »

Lors des cinq ou six dernières années, dans une série d'articles percutants, Pierre Flor-Henry a lentement consolidé une théorie qui repose sur des études de comportement, sur des mesures de l'activité électrique cérébrale, sur l'étude des effets principaux et secondaires de médicaments et de lésions cérébrales, sur l'observation de malades mentaux et sur des éléments tirés de la science de la génétique, de la neurochimie, de l'anthropologie et de la théorie de l'évolution. Il est persuadé que sa théorie présente une explication cohérente des différences souvent complexes qui séparent les femmes et les hommes. Selon lui, l'hémisphère droit chez les humains se développe de manière telle que les aptitudes visuo-spatiales sont étroitement liées à l'humeur, aux mouvements et à la satisfaction sexuelle. Cette organisation est particulièrement prononcée chez les adultes de sexe masculin qui se caractérisent par l'aspect dynamique de leur sexualité; en revanche, elle rend le contrôle exercé plus tard par l'hémisphère gauche relativement précaire chez les hommes. Les psychopathes et les sociopathes, d'après lui, sont des hommes dont l'hémisphère droit prédomine de manière exagérée — avec une forte diminution de l'aptitude verbale et de la compréhension, et une exacerbation des aptitudes visuo-spatiales qui débouchent sur l'agression. Les déviants sexuels de sexe masculin, pense-t-il, souffrent d'un trouble différent — un manque d'inhibition de l'hémisphère gauche — et d'une lésion qui oblige l'hémisphère droit à réagir, sur le plan sexuel, par l'intermédiaire d'un comportement fragmentaire.

« Rien de tel chez les femmes, poursuit-il. Leurs troubles sont surtout concentrés dans l'hémisphère droit. Les phobies, par exemple, sont, de manière évidente, des ruptures de la perception visuo-spatiale, du mouvement et du caractère. Et la même association peut être établie dans le cas de la dépression. La dépression est une dysfonction du mouvement ; en effet, les individus déprimés sont prostrés. Il s'agit, de manière évidente, d'une perturbation du caractère associée cette fois à des troubles de la sexualité. Cela comporte *également* un bouleversement des aptitudes visuo-spatiales tout à fait fréquent chez les patientes qui souffrent de dépression. Il est également intéressant de souligner, à mon avis, que dans les cas de paralysie hystérique et de douleur psychosomatique, toutes deux très fréquentes chez les femmes, les symptômes apparaissent le plus souvent dans la partie gauche du corps, qui concerne directement l'hémisphère droit.

« Reste maintenant à déterminer pourquoi ces différences se manifestent. Eh bien, nous commençons à découvrir que les hormones sexuelles agissent différemment, au cours du développement, sur les deux hémisphères cérébraux. Nous savons déjà que les voies empruntées par la dopamine et la noradrénaline sont *également* réparties de manière différente entre les deux hémisphères : pour résumer *très* grossièrement, la dopamine semble reliée à l'hémisphère gauche et la noradrénaline, à l'hémisphère droit. Les modèles de base mâle et femelle, dans ce cas, sont dessinés avant la naissance par l'interaction des hormones sexuelles et de ces systèmes neuro-transmetteurs. Or ce processus peut être faussé par des défauts génétiques. Des études dans ce domaine nous ont appris, par exemple, que la schizophrénie tend à être congénitale ; tout comme la dépression et les maladies cardiaques, il existe une concordance très élevée de la schizophrénie chez les jumeaux identiques et il est fort probable que les enfants adoptés qui deviennent par la suite schizophrènes ont hérité cette maladie de leurs parents *naturels,* et non pas de leurs parents adoptifs. Cela est également vrai du comportement criminel, de l'alcoolisme, de l'hyperactivité, et même de la timidité. Ce qui est également fascinant, à mon avis, c'est que ce défaut génétique peut avoir un effet *différent* sur le comportement selon que la personne qui en souffre est un homme ou une femme. Il est prouvé à présent que l'alcoolisme, le comportement antisocial, l'hystérie et l'hyperactivité sont congénitales. Mais l'hyperactivité et l'alcoolisme se retrouvent surtout chez les hommes. Et l'hystérie s'observe *uniquement* chez les femmes. »

Cependant, s'empresse de souligner Pierre Flor-Henry, ces maladies et ces troubles sont loin d'être *automatiquement* hérités à la naissance. Il existe plutôt une prédisposition génétique — et par conséquent chimique — dans l'organisation des hémisphères et des réseaux cérébraux. Cette prédisposition peut être rendue effective par des facteurs d'origines différentes : une lésion, une modification importante des taux hormonaux ou un événement traumatisant. Chez les femmes, cela débouche presque à coup sûr sur l'apparition de symptômes de dépression, accompagnés d'une réduction de la sécrétion de noradrénaline et de l'activité de l'hémisphère droit. Chez les hommes, presque à coup sûr, cela débouche sur l'apparition d'un comportement *agressif* désordonné, accompagné d'une *augmentation* de la sécrétion de noradrénaline et de l'activité de l'hémisphère droit, et d'un affaiblissement de l'hémisphère gauche. De ce fait, les hommes sont aussi plus vulnérables à toute une gamme de troubles qui ont pour effet de limiter l'influence de l'hémisphère gauche. La schizophrénie, l'hyperactivité, le syndrome de Tourette et le syndrome de Lesch-Nylan — les patients atteints de ce dernier s'automutilent — semblent tous être étroitement liés à l'hémisphère gauche. Ils semblent également être liés à la sécrétion de dopamine : les seuls médicaments efficaces dans le traitement de ces maladies sont des substances qui modifient les taux de dopamine dans le cerveau. Enfin, toutes les maladies que nous avons énumérées, y compris la schizophrénie précoce, affectent principalement les hommes.

Ceci nous permet de formuler l'hypothèse que c'est l'oestrogène qui protège la femme contre toutes ces maladies. De même que cette hormone la protège des maladies cardiaques et des effets du stress, elle contribue à la protéger contre une réaction excessive de l'hémisphère droit *ou* contre ces graves maladies de l'hémisphère gauche. La testostérone sécrétée par l'organisme de l'homme, non seulement n'offre à ce dernier aucune protection, mais de plus, semble le *prédisposer* à ces maladies.

« Vous savez, ajoute Pierre Flor-Henry, faisant écho en cela à Bob Goy, la nature a pris toutes ses précautions dans le cas de l'organisation du cerveau féminin, mais le cerveau masculin n'a pas été l'objet de telles mesures de sécurité. Il est moins protégé, moins stable, plus versatile, plus livré à lui-même. Et, d'un point de vue global, je pense que la raison de tout cela est le peu d'importance que la nature a accordé aux individus de sexe masculin. Pour les besoins de la reproduction, ils sont interchangeables. Dans leur cas, la nature peut se permettre un certain gaspillage ; elle peut se permettre d'expérimenter. C'est pourquoi il y a plus de pervers et de psychopathes parmi les hommes. C'est également pourquoi on trouve parmi eux plus d'arriérés et plus de malades mentaux. Enfin, c'est aussi la raison pour laquelle on trouve parmi eux plus de *génies*. Je pense d'ailleurs que la frontière qui sépare le génie de la folie est quasiment symbolique. »

Certains prétendent qu'il y a eu trois révolutions principales dans la science, qui ont changé à jamais la manière dont les hommes et les femmes conçoivent leur place dans l'univers. La première, comme nous l'avons dit, au début de ce livre, était la révolution de Copernic qui proclamait que notre terre n'était pas le centre de l'univers. La seconde fut celle de Darwin qui a démontré que la main de Dieu n'est pas intervenue directement dans la création de l'homme. Et la troisième fut celle de Freud qui a démontré que nous sommes loin d'être des créatures rationnelles, indépendantes, conscientes et maîtresses de leur destin individuel. Nous voyons poindre à présent une quatrième révolution, celle de la nouvelle science de l'homme et de la femme, dont une importante manifestation est la naissance d'une nouvelle psychiatrie *biologique*. Car il devient de plus en plus évident, comme les savants Paul Wender et Donald Klein l'ont écrit dans leur tout récent ouvrage, *Mind, Mood and Medicine*, que nous sommes souvent incapables de contrôler seuls, et même avec une aide psychologique, nos humeurs et notre comportement — « ce qui va à l'encontre de nombreuses théories théologiques et philosophiques ». Au lieu de cela, les hommes et les femmes sont emprisonnés dans le réseau de leur héritage biologique qui peut parfois, bon gré mal gré, provoquer des états et des troubles qui, autrefois, étaient des réactions d'adaptation mais qui, à présent, menacent la stabilité des individus et celle de la société qu'ils ont construite.

Tout d'abord, cela entraîne des conséquences considérables sur la manière dont nous envisageons les intentions, les motivations et la réinsertion sociale des criminels. Prenons le cas de la tension prémenstruelle. En novembre 1981, la psychiatre britannique Katharina Dalton a été témoin de la défense pour l'une de ses patientes, une serveuse de 29 ans, nommée Sandy Smith. Bien auparavant, Sandy Smith avait déjà comparu devant le tribunal pour trente chefs d'accusation, dont incendie volontaire et attaque, entre autres choses, et elle était à ce moment en liberté surveillée pour avoir poignardé à mort, en 1980, une autre serveuse. Cette fois, elle était accusée d'avoir menacé de mort un policier. Katharina Dalton, cependant, parvint à démontrer que tous les délits de Sandy Smith étaient reliés au cycle de 29 jours et à la tension prémenstruelle. Sandy Smith fut mise en liberté surveillée pour trois ans. Le jour suivant, un 10 novembre, le même argument, soit la tension prémenstruelle, fut invoqué par le même témoin, Katharina Dalton, pour défendre une autre accusée, Christine English. Cette dernière avait eu une dispute avec son amant et l'avait renversé au volant d'une automobile. Suite à l'audition du témoin, elle fut acquittée — et mise en liberté conditionnelle pour un an — après avoir plaidé coupable pour homicide involontaire. Le tribunal déclara qu'à l'époque du crime, elle avait une « responsabilité diminuée ». Au lieu de moisir en prison, les deux femmes reçoivent présentement un traitement à base de progestérone.

Cela peut vous paraître, comme à de nombreux avocats, médecins et féministes britanniques, tout à fait déraisonnable et inquiétant. Examinez plutôt ce troisième cas. En juillet 1974, au sud du Massachusetts, un jeune homme nommé Charles Decker fit monter dans sa voiture deux adolescentes qui faisaient de l'auto-stop. Ils devinrent tous les trois rapidement des amis et passèrent plusieurs heures à se promener, à boire de la bière et à fumer de la marijuana. Soudain, sans provocation préalable, Charles Decker attaqua les deux jeunes filles avec un marteau de tailleur de pierres, leur fracturant ainsi le crâne. Il revint presque immédiatement à la raison, déposa les jeunes filles à un endroit où elles pouvaient être rapidement menées à l'hôpital, téléphona à son père et se livra à la police.

A son procès, l'avocat de Charles Decker utilisa un système de défense original. Decker, plaida-t-il, était innocent pour cause de folie. Mais il n'était pas fou pour des motifs psychologiques ordinaires. Il souffrait, en fait, d'une anomalie chimique du système limbique qui avait eu pour conséquence une réaction inhabituelle à l'alcool et une incapacité de contrôler sa propre violence.

Charles Decker fut cependant condamné. Mais son avocat avait probablement raison. Il est fort possible qu'il souffrait *réellement* d'un dérèglement du système limbique qui se manifeste souvent de manière beaucoup plus évidente. Charles Whitman, par exemple, qui, dans les années 1960, monta à la tour de l'Université d'Austin, au Texas, et tira sur la foule, blessant ou tuant 70 personnes, souffrait en fait d'une tumeur du cerveau, ce qui fut révélé ensuite par l'autopsie. Et Vernon Mark, un neurochirurgien de Harvard, évoque le cas d'un patient qui avait une fois tenté de décapiter sa femme et sa fille avec un couteau de boucher. Au cours des mois qui avaient précédé cet incident, le patient avait subi, comme Charles Whitman, un changement de personnalité. Aussi, au moment où le docteur Mark l'examina, le patient était devenu si violent que la police dut l'amener enveloppé dans un filet. L'examen médical révéla que l'accusé souffrait d'une tumeur du cerveau située sous son lobe frontal droit et qui faisait directement pression sur son système limbique. La tumeur fut enlevée et les accès de violence du patient disparurent.

De tels cas et de tels systèmes de défense sont jusqu'à présent tout à fait exceptionnels. Néanmoins, ils soulèvent des questions importantes auxquelles nous devrons apporter, à plus ou moins longue échéance, une réponse tandis que la science explore de plus en plus profondément les mécanismes des gènes, des hormones et des neuro-transmetteurs qui peuvent être à l'origine de la violence, de l'instabilité d'humeur et de la folie. La femme est-elle responsable de son instabilité d'humeur? L'homme est-il responsable de son agressivité et de ses réactions au stress? Un criminel de sexe masculin est-il responsable de ses crimes ou doit-on attribuer la responsabilité à ses taux de testostérone et au déséquilibre de son fonctionnement cérébral? Si la responsabilité ne peut être attribuée à une seule personne, comment devons-nous alors aborder le problème du crime? Devrons-nous mesurer en permanence chez tous les individus les taux hormonaux et les rapports des neuro-transmetteurs, par exemple, en vue de déceler ceux qui constituent une menace sociale en raison de leur violence et de leurs déviations sexuelles, ou qui peuvent présenter un danger pour eux-mêmes, en raison de leur tendance dépressive, schizophrénique ou suicidaire? Devons-nous faire subir des tests neurologiques aux prisonniers ou les gaver de médicaments ayant pour effet d'abaisser leur taux de testostérone et de neuro-transmetteurs? Au demeurant, est-il vraiment utile de prendre de telles mesures de protection si les hormones et les gènes ont déjà influencé l'organisme avant la naissance? Allons-nous prendre la décision de soumettre les *foetus* à un examen hormonal et génétique?

Ces questions ont dépassé le stade théorique. Des savants de l'université Johns Hopkins examinent le cerveau de personnes qui affichent «des préférences sexuelles traditionnelles et non traditionnelles», en recherchant des différences structurelles, hormonales et chromosomiques. Ces chercheurs ont notamment réussi à traiter des individus de sexe masculin ayant commis des agressions sexuelles avec récidive, grâce à un médicament qui bloque l'action de la testostérone. A quelques milles de là, au National Institute of Health de Bethesda, dans le Maryland, le psychiatre Markku Linnoila a découvert ce qui semble être une carence du taux de sérotonine chez les meurtriers psychopathes et les schizophrènes ayant tenté de se suicider. Dans d'autres études, l'agression et le suicide accompagnés de violence ont déjà été reliés à un faible taux de sérotonine, ce qui confirme, selon Linnoila, que ce phénomène engendre une impulsivité généralisée qui peut conduire les individus à porter des actes de violence contre eux ou contre les autres. Les psychopathes, souligne-t-il, ont généralement des dossiers médicaux qui font état de problèmes de comportement durant l'enfance et d'alcoolisme à l'âge adulte. Cela signifie que des analyses du taux de sérotonine pourraient être effectuées à un âge précoce, afin de déceler les risques éventuels chez les enfants et les jeunes adultes. Les taux de sérotonine pourraient être augmentés grâce à des médicaments déjà existants qui serviraient à la prévention des crimes violents. Simultanément, les savants britanniques mesurent les taux d'*autres* neuro-transmetteurs et hormones afin de prédire le comportement futur. Dans deux études distinctes, des savants ont émis l'hypothèse que les taux de testostérone et les rapports noradrénaline-adrénaline pourraient être utilisés pour mesurer les chances de réinsertion sociale des prisonniers.

Ces progrès peuvent sembler très timides. Mais ils doivent être replacés dans le contexte des *autres* progrès effectués par la science. En 1979, par exemple, les savants du National Institute of Health et de l'université Rockefeller ont fait un pas décisif dans le domaine et l'amélioration des gènes défectueux. Au cours de leurs expériences sur des souris, il leur a été possible d'injecter un gène unique à une cellule vivante défectueuse, la délivrant ainsi d'un défaut génétique qui aurait été mortel pour l'organisme. La *modification* du scénario génétique chez les humains, visant à éliminer les risques virtuels, n'appartient plus au domaine de la science-fiction et pourrait être mise en pratique dans un proche avenir. Voici donc un important sujet de réflexion : en 1981, à l'aide d'une nouvelle technique permettant de suivre la trace des gènes entre les générations *humaines* Lowell Weitkamp et ses collègues de l'Université de Rochester et de l'Université de Toronto ont annoncé qu'ils avaient réussi à déterminer un gène qui, à leur avis, est responsable de la dépression chez les humains. Or ce gène est situé à un endroit particulier des plus étranges qui ouvre des perspectives énormes à la science : il semble se trouver dans le chromosome 6, tout près des gènes responsables de la schizophrénie et du HSC, cette maladie qui provoque la masculinisation de foetus de sexe féminin dans l'utérus. On le trouve également parmi, ou très près, des gènes qui règlent le développement du système immunitaire humain.

Dès à présent, au moment même où la science bascule dans une ère où la manipulation génétique des humains devient possible, nous devrions marquer un temps d'arrêt. Car l'organisme humain est extraordinairement complexe. Et il se peut qu'en intervenant au niveau d'un simple gène, on modifie profondément d'autres parties non déterminées du système, modifications dont nous ne pourrons prédire les effets que lorsque la science connaîtra mieux qu'aujourd'hui les différentes imbrications et les chevauchements des processus mis en oeuvre par le cerveau. C'est dans ce sens, une fois de plus, que la science est une lame à double tranchant. Tous ces faits nous font hélas entrevoir que notre avenir sera parsemé d'accidents causés par l'ignorance — soit des interventions trop brusques, rendues possibles par le progrès technologique, dans des processus génétiques que nous connaissons encore de manière très superficielle. Il est également possible que nous fassions preuve de prudence à l'avenir et que nous nous abstenions d'intervenir jusqu'à ce que les liens génétiques entre des troubles comme la schizophrénie, la dépression, le HSC et le système immunitaire soient mieux connus. Nous pouvons donc adopter deux solutions : soit celle proposée dans *Le meilleur des mondes*, soit un temps de réflexion pour examiner les conséquences éventuelles de la nouvelle science qui se dessine. Le choix d'un avenir viable — comme nous le verrons une fois de plus dans les chapitres suivants qui traitent des liens entre le cerveau, les maladies cérébrales, les troubles cérébraux et les systèmes immunitaires — est entre nos mains.

Chapitre 13

La nouvelle frontière

A la fin de novembre 1982, deux hommes se rencontrèrent tard dans la nuit au bar d'un hôtel de Boston. L'un d'eux, quinquagénaire, court et volubile, tenait un porte-documents. L'autre, un homme plus jeune et plus détendu, portait un oeillet rouge à la boutonnière afin d'être reconnu. Les deux hommes ne s'étaient jamais rencontrés auparavant. Et, pour parler crûment, aucun des deux n'avait de raison particulière de se réjouir de la présence de l'autre.

Cela ressemble au début d'un roman policier. Et c'est un peu cela en fait. C'est un roman policier qui est en train d'être écrit, où les héros scrutent les indices, rassemblent des informations et tentent de bâtir une théorie cohérente à partir de toutes les différences encore à dépister entre les humains mâles et femelles. « La science, avançait Sir Peter Medawar, au début de ce livre, démarre comme l'histoire d'un monde plausible — une histoire que nous inventons, critiquons et modifions au fur et à mesure afin qu'elle finisse par coïncider le plus précisément possible avec la vie réelle. » Cette nuit-là, dans ce bar de Boston, les deux hommes avaient une partie de cette histoire à se raconter l'un à l'autre.

Le plus âgé des deux était Norman Geschwind, professeur de neurologie à l'Institut James Jackson Putnam de l'université Harvard, décrit simplement par les scientifiques comme « le meilleur neurologue d'Amérique ». L'un des multiples intérêts de cet homme remarquable et multidisciplinaire concerne les maladies appelées troubles du développement, qui affectent l'hémisphère gauche et l'aptitude au langage, et frappent les hommes beaucoup plus souvent que les femmes. Parmi ces troubles, nous trouvons l'autisme, grave perturbation des émotions et de la communication (quatre hommes pour une femme); l'hyperactivité, qui se caractérise par une difficulté de concentration et une capacité d'attention très réduite (cinq pour une); le bégaiement (cinq pour une); et deux autres troubles — l'aphasie du développement cérébral ou l'inaptitude à l'apprentissage de la parole (cinq pour une) et la dyslexie — « cécité verbale » ou inaptitude à la lecture et à l'écriture (jusqu'à six pour une).

La raison pour laquelle cette rencontre dans un bar de Boston aurait pu ne jamais se produire, et pour laquelle, il y a seulement une année ou deux, les savants auraient considéré la discussion qu'elle suscita comme totalement infructueuse, est que le plus jeune des deux hommes n'était pas du tout neurologue. Il était immunologue. Robert Lahita est en fait professeur assistant d'immunologie à l'université Rockefeller de New York. Il s'intéresse particulièrement aux maladies immunitaires. Il s'agit de maladies où le système immunitaire, au lieu de protéger les tissus organiques et d'attaquer l'agresseur extérieur — virus, bactérie, etc. — se tourne contre l'organisme qu'il est censé défendre et attaque les tissus d'un certain nombre de zones. Les réactions auto-immunitaires peuvent être en fait responsables d'un grand nombre de maladies humaines. Or des réactions qui ont été identifiées à une maladie particulière — sclérose en plaques, polyarthrite rhumatoïde, lupus érythémateux aigu disséminé et paralysie bulbaire asthénique — la plupart affectent les femmes de préférence aux hommes. Et elles se manifestent le plus souvent *après* la puberté, alors que les maladies du développement affectent les individus de sexe masculin *avant* celle-ci.

Hommes, femmes; avant la puberté, après la puberté; problèmes neurologiques et problèmes immunologiques. Pourquoi diable les deux hommes étaient-ils si pressés de se rencontrer si tard dans la nuit? Qu'avaient-ils donc tant à se dire?

Eh bien, ils parlèrent de gauchers et de droitiers, et des perspectives que les différences entre ces derniers ouvraient dans leurs deux spécialités. Geschwind, au moment de prendre congé, tira un questionnaire de son porte-documents et le remit à Lahita afin qu'il le distribue à ses patients souffrant de maladies auto-immunologiques. Il désirait connaître combien d'entre eux étaient gauchers ou comptaient de gauchers parmi leurs proches parents.

C'est une nouvelle frontière qui se dessine dans la science naissante de l'homme et de la femme. Tout ce que nous connaissions jusqu'à présent au sujet des hormones sexuelles, des gènes et des deux hémisphères cérébraux est maintenant restructuré en fonction de liens nouveaux et mystérieux. Cela permet également à un nouvel élément d'entrer en scène: le système immunitaire mâle et femelle.

Plusieurs années seraient sans doute nécessaires pour que cet épisode particulier de l'histoire de Sir Peter Medawar nous paraisse clair. Mais afin de comprendre ses débuts — l'enthousiasme avec lequel Geschwind et Lahita se sont rencontrés cette nuit-là, et la manière dont la science progresse, grâce à des rencontres de ce genre, vers la pénétration des secrets que le corps et le cerveau des hommes et des femmes renferment — nous devons une fois de plus revenir en arrière et démêler tous les indices qui ont conduit à leur rendez-vous. Nous devons une fois de plus retourner au début du développement humain: la rencontre de l'ovule et du spermatozoïde.

Les spermatozoïdes qui transportent le chromosome sexuel mâle ont un profil plus aérodynamique et semblent nager plus vite, avec plus de persistance, que les spermatozoïdes transportant le chromosome sexuel féminin; même à ce stade, ils semblent prêts à relever tous les défis. Ainsi, 120 à 140 mâles sont conçus pour 100 femelles. Cependant, le handicap féminin s'arrête là. En effet, un nombre plus élevé de foetus mâles sont rejetés par avortement spontané au cours de la grossesse. Et quoique le genre masculin garde une légère avance au moment de la naissance (106 mâles contre 100 femelles), le déclin se poursuit. Il y a plus de garçons que de filles parmi les enfants mort-nés, aveugles de naissance ou dotés dès la naissance d'organes sexuels internes ou externes ambigus. Soixante-dix p. 100 de tous les *autres* défauts congénitaux concernent principalement le genre masculin. Le nombre de garçons qui meurent dans les premiers mois de la vie dépasse celui des filles d'environ 30 p. 100. De plus, les garçons sont plus vulnérables à toutes les maladies infantiles, sauf à la coqueluche. Le résultat de tout ce grabuge est qu'à l'époque de la puberté, l'apparent handicap de départ du genre féminin a été compensé. Les populations mâle et femelle s'équilibrent enfin au prix d'une véritable élimination chez le genre masculin.

Comme le déclarent les scientifiques à tout propos, la raison de tout cela n'est pas encore «clairement définie». Mais le nombre plus élevé de mâles et leur vulnérabilité particulière dans la matrice sont cités par les théoriciens «en chambre» de la sociobiologie pour prétendre que dans une espèce polygame, comme le sont les humains à leur avis, la production de mâles est génétiquement plus avantageuse. Les garçons, cependant, exigent un plus grand investissement de la part des parents que les filles, car ils parviennent plus lentement à maturité; aussi pour présenter un avantage sur le plan génétique, ils doivent être parfaitement adaptés à la compétition sexuelle à venir. Dans un tel cas, il est plus avantageux pour la mère — toutes autres conditions étant constantes par ailleurs, l'approvisionnement alimentaire entre autres — de choisir le spermatozoïde mâle de préférence au spermatozoïde femelle et d'éliminer les embryons mâles qui se révèlent imparfaits. L'organisme maternel ne sera pas enclin à adopter des mesures aussi draconiennes avec l'embryon femelle puisque ce dernier représente un investissement moins considérable et qu'il demeure, quels que soient ses défauts, un excellent potentiel sur le plan de la reproduction.

Cela est sans doute exact en partie. L'utérus de la femme est certainement le siège d'une expérimentation génétique et d'une sélection naturelle plus intense que nous ne le pensons habituellement. Premièrement, dans certains cas de stérilité, la femme fabrique des anticorps qui bloquent les fonctions reproductrices et causent la destruction du sperme de son mari — peut-être parce que leurs gènes d'immunisation sont en grande partie semblables. Ainsi, elle possède le *potentiel,* à un degré ou à un autre, de choisir, grâce à son système immunitaire, entre le spermatozoïde mâle et le femelle, lequel transporte différents signes particuliers à la surface des cellules. Deuxièmement, de plus en plus d'études effectuées en Angleterre montrent que près de 50 p. 100 de toutes les grossesses se terminent prématurément par un avortement spontané, parfois sans même que la mère en ait pris conscience. La cause de ce phénomène est généralement une anomalie chromosomique. Grâce à ses défenses immunitaires, la femme peut *également* accepter ou rejeter la constitution génétique d'un embryon.

Donc, ces mécanismes peuvent être mis en oeuvre au moment de la conception et tout au long de la grossesse, mais ils ne sont pas la cause *directe* des difficultés du genre masculin avant et après la naissance. Ces difficultés ont en fait peu de chose à voir, sauf peut-être de manière indirecte, avec l'investissement de la mère sur le plan de la reproduction. Il est pratiquement certain que ce phénomène est relié aux transformations complexes que l'embryon mâle doit subir dans l'utérus. Comme nous l'avons vu, bien des choses peuvent se gâter au cours des processus de développement que traverse l'embryon mâle. C'est pourquoi bien des foetus mâles sont lésés et rejetés ou, en conséquence de tous les changements hormonaux auxquels ils sont exposés, ils naissent avec une constitution moins vigoureuse et moins adaptée aux conditions de vie que les filles. Leur poids à la naissance est cinq pour cent plus élevé que celui des filles, il est vrai — ils peuvent être aussi gros que la structure pelvienne de la femme le permet. Pourtant, ils ont quatre à six semaines de retard sur les filles au point de vue de la maturité physique. Leur fontanelle, mince espace membraneux qui protège le cerveau, s'ossifie plus tard que celle des filles; les bébés de sexe masculin sont plus pleurnichards et irritables que les filles et le manque de stimulation a sur eux des effets beaucoup plus profonds. Pendant très longtemps, ils accusent un retard certain par rapport à leurs petites soeurs. La formation des os et des dents se produit à un stade plus précoce chez les filles. Ces dernières sont également plus promptes à s'asseoir, ramper, marcher et parler.

En fait, les garçons naissent tous prématurément. Et l'on explique généralement la plus grande fréquence des troubles de l'apprentissage chez eux par cet état prématuré ainsi que par le développement plus lent de leurs hémisphères gauches. Plusieurs invoquent cet argument en disant que tous ces troubles, à l'exception probable de l'hyperactivité, sont des troubles du *langage*, donc de l'hémisphère gauche. Ils sont la conséquence d'une légère lésion cérébrale, qui s'est produite soit à la naissance — en raison, par exemple, d'un approvisionnement insuffisant en oxygène — ou parfois *après* la naissance, suite à un accès de fièvre ou une crise de convulsion ou un choc sur la tête. Ces accidents n'affectent pas autant les filles en raison de leur fonctionnement cérébral plus précoce, de leur hémisphère gauche mieux structuré et de l'ossification plus rapide de leur fontanelle. En revanche, chez les garçons, ces troubles n'affectent pas l'hémisphère *droit* qui est mieux développé et protégé. Mais ils *touchent* leur hémisphère *gauche* et provoquent les dérèglements que nous avons déjà constatés: dyslexie, autisme, bégaiement, aphasie, et peut-être également, hyperactivité et schizophrénie.

Le même argument peut être appliqué à la dextralité et son contraire. Les gauchers, selon cette explication, représentent environ huit pour cent de la population. Et les gènes semblent jouer un rôle secondaire dans cet héritage congénital: 84 p. 100 des gauchers sont nés de parents droitiers. Par conséquent, il *doit* y avoir certains facteurs de l'environnement qui entrent en jeu, pendant ou après la naissance, pour entraîner la prédominance de la main gauche à un âge très précoce chez les bébés. En 1975 encore, Paul Bakan, alors membre de l'Université Simon Fraser au Canada, prétendait que ce phénomène était *également* le résultat de complications et de traumatismes à la naissance. La boucle était donc bouclée pour le moment. Sans oublier Sir Cyril Burt, qui soulignait une génération plus tôt le pourcentage élevé de gauchers dans les écoles spécialement réservées aux «déficients mentaux». Le phénomène semblait indubitablement lié à la vulnérabilité des garçons aux traumatismes cérébraux précoces. Ces traumatismes provoquaient la prédominance de la main gauche, plus fréquente chez les individus de sexe masculin. Ils causaient également des troubles du développement. En effet, de nombreux gauchers figurent parmi les gens qui souffrent de ce type de troubles.

L'argument d'un traumatisme précoce peut en fait s'appliquer à *quelques* gauchers, de même qu'il peut s'appliquer, par exemple, à *quelques* cas d'hyperactivité. Néanmoins, il ne nous livre qu'un point de vue limité. Car de nombreux éléments nous indiquent à présent que la prédominance de la main gauche et les troubles de l'apprentissage sont l'aboutissement d'un même processus de *développement*, processus selon lequel le type d'influence de l'hémisphère gauche sur le langage est modifié dans la matrice. Peu d'éléments sont connus sur ce sujet; le travail de synthèse, une fois de plus, n'a pas encore été effectué. Toutefois, deux asymétries ont été relevées dans certaines zones cérébrales qui sont importantes pour la fonction du langage et qui s'observent chez les foetus, les nouveau-nés et les adultes. Ces asymétries semblent être moins prononcées chez les gauchers, leur hémisphère gauche et leur hémisphère droit s'avérant beaucoup plus semblables. De même, il se trouve une autre asymétrie beaucoup plus *prononcée* chez les humains qui permet généralement de distinguer l'hémisphère droit du gauche : l'hémisphère droit est plus large et proéminent à l'avant tandis que l'hémisphère gauche est plus large et proéminent à l'arrière. Cela peut être observé chez les nouveau-nés. Or cette différence est beaucoup moins marquée chez la plupart des gauchers et elle est parfois franchement *inversée* dans les cerveaux des schizophrènes, des enfants autistiques et dyslexiques.

Cela tend à démontrer que la prédominance de la main gauche n'est pas causée par une lésion cérébrale mais par une irrégularité du modèle de développement, plus ou moins marquée dans le cas des gauchers, mais beaucoup plus exagérée chez les gens souffrant des troubles énumérés plus haut. Il existe un cas supplémentaire à l'appui de cette hypothèse. En 1979, Albert Galaburda et Thomas Kemper, collègues de Norman Geschwind au Harvard Medical School, ont examiné le cerveau d'un homme dyslexique, mort dans un accident. L'homme était gaucher, comme son père et ses trois frères, qui éprouvaient également des difficultés à lire. Son cerveau en donna l'explication. Primo, les zones du langage des lobes temporaux étaient à peine asymétriques, contrairement à la majorité des cerveaux humains. Secundo, dans son hémisphère gauche, dans la même zone du langage, on nota une disposition anormale des tissus et des cellules. Les couches cellulaires avaient un aspect désordonné, et les cellules et les îlots de tissus corticaux avaient en quelque sorte *émigré* à la mauvaise place.

Galaburda a depuis étudié un deuxième cerveau de patient dyslexique. Pour découvrir un modèle de déstructuration semblable, Norman Geschwind est tout à fait affirmatif au sujet de la signification de ce phénomène. « Ce qui s'est produit dans ces deux cerveaux, déclare-t-il, et peut-être dans les cerveaux de nombreux dyslexiques, sinon tous, c'est un mauvais « branchement » de la structure de base réelle du cerveau. Cela ne peut avoir été causé par une blessure d'origine mécanique, une hémorragie interne ou un arrêt de la circulation sanguine au cours de la naissance ou après celle-ci. Cela *doit* s'être produit au cours de la formation des tissus cérébraux dans la matrice.»

Si cela se passe réellement ainsi, quels en sont les effets sur le comportement? Quelles *autres* similitudes y a-t-il entre les gauchers, les dyslexiques et les gens, généralement de sexe masculin, qui souffrent d'autisme, de bégaiement, etc.? En quoi diffèrent-ils des droitiers? D'abord, chez les droitiers, l'hémisphère gauche contrôle presque toujours les activités reliées à la parole et les aptitudes au langage. Mais cela n'est pas vrai dans le cas des gauchers.

Chez un grand nombre d'entre eux, peut-être la majorité, la prédominance de l'hémisphère gauche sur la fonction du langage est diminuée. La constatation est la même, à un degré parfois *plus* accentué pour le bégaiement, l'autisme et la dyslexie, *que les personnes souffrant de ces troubles soient gauchères ou non*. Leur problème, en d'autres termes, n'est pas simplement le résultat d'une lésion cérébrale ou d'un trouble du développement dans l'hémisphère *gauche*. Il réside dans la modification, par rapport à l'état normal, de la relation fonctionnelle globale entre les deux hémisphères cérébraux. Les personnes qui bégayent, selon certaines études récentes, ont une représentation bilatérale de la parole et utilisent les zones du langage des deux côtés du cerveau, sauf lorsqu'ils sont sous l'effet d'un médicament qui provoque l'arrêt du bégaiement. Les dyslexiques, d'après les tests conçus par Sandra Witelson, ont une représentation bilatérale des fonctions visuo-spatiales, tout au moins. Aussi certaines de leurs aptitudes reliées à la fonction du langage peuvent aussi se trouver du «mauvais» côté du cerveau.

Dans le cas de l'autisme, on observe un modèle semblable. L'autisme est généralement diagnostiqué chez les enfants avant l'âge de trois ans. Côté social, ces enfants sont distants et indifférents et sont uniquement préoccupés par des rituels répétitifs. Ils résistent fortement à tout changement dans leur mode de vie. Le développement de leurs aptitudes visuo-spatiales et verbales est souvent figé ou présente de graves anomalies. Il est donc extrêmement difficile de les soumettre à des tests, en comparaison des enfants normaux. Or même dans ces conditions, les éléments disponibles convergent. Certains enfants autistiques, comme nous l'avons mentionné, présentent la même absence d'asymétrie cérébrale, au balayage cathodique, que dans le cas de certains dyslexiques. On trouve également chez eux les mêmes types d'ondes cérébrales dans les *deux* hémisphères, contrairement aux enfants normaux. Il semble donc, une fois de plus, que l'équilibre habituel entre l'hémisphère gauche et l'hémisphère droit ait été fondamentalement modifié chez eux. Le résultat pourrait être ce que nous croyons raisonnable de déceler dans l'autisme: une suppression complète ou une redistribution chaotique du langage dans l'hémisphère gauche et une perception visuo-spatiale exacerbée au plus haut point, dans l'hémisphère droit. Dix pour cent des enfants autistiques font preuve, dans certains domaines très précis, d'aptitudes visuo-spatiales qui frôlent le génie. En dépit de leurs handicaps, ils peuvent se révéler des mathématiciens remarquables ou manifester des dons surprenants dans le domaine du calcul des dates. Ils peuvent construire des appareils mécaniques incroyablement complexes. Ils peuvent être également extrêmement doués dans le domaine du dessin, de la peinture ou de la musique — domaines qui font tous appel à des aptitudes reliées à l'hémisphère droit. Il est surprenant de remarquer que, d'après certaines données, leurs aptitudes disparaissent parfois au fur et à mesure que leur maladie guérit.

« A présent, déclare Norman Geschwind, lors de la réunion de novembre 1982 de la Orton Dyslexia Society, quels principes pouvons-nous dégager afin de relier les modèles inhabituels de domination cérébrale que l'on observe dans ces conditions et le fait que ce soit des individus de sexe masculin qui en sont généralement les victimes? Bon, commence-t-il, émaillant ses propos de références scientifiques, il est probable que les cellules qui vont former le cortex cérébral se développent dans le noyau central du cerveau foetal, avant le cinquième mois de gestation. Or certains faits scientifiques nous autorisent à supposer qu'elles arrivent à maturité et émigrent à des rythmes différents, selon l'hémisphère auquel elles sont destinées. L'hémisphère droit, semble-t-il, se développe plus tôt. Et cela découle probablement d'une influence qui ralentit la croissance de l'hémisphère gauche. Ce ralentissement du rythme de développement de l'hémisphère gauche apparaîtra, à mon avis, de façon plus prononcée chez les foetus de sexe masculin. »

L'hypothèse de Geschwind suggère que le facteur responsable du ralentissement de la croissance de l'hémisphère gauche est en fait la testostérone. Car celle-ci, comme le soulignent des travaux effectués dans les laboratoires de Roger Gorski, Günter Dörner et Marian Diamond, entre autres, influence le développement de certaines structures cérébrales chez le rat. Or, puisque la testostérone peut ralentir le rythme auquel les cellules émigrent et se rassemblent dans l'hémisphère gauche, Geschwind est persuadé que le retard du développement de l'hémisphère gauche sera plus grand chez les foetus mâles qui sont généralement exposés à des taux plus élevés de cette hormone dans l'utérus que les femelles. Par conséquent, elle favorise chez eux le développement de l'hémisphère droit. « Cela pourrait expliquer, voyez-vous, la plus grande fréquence des gauchers chez les individus de sexe masculin. Et cela viendrait également corroborer les découvertes de Galaburda au sujet d'une émigration anormale des cellules nerveuses vers la zone du langage de l'hémisphère gauche chez les dyslexiques. Un déséquilibre de la production de testostérone au cours de la période cruciale de développement de l'hémisphère gauche est vraisemblablement, à mon sens, à l'origine de ce phénomène — comme il est vraisemblablement à l'origine des autres troubles de l'apprentissage qui frappent de préférence les individus de sexe masculin. »

Robert Lahita, bien entendu, n'est guère préoccupé par ces questions: il navigue dans d'autres eaux. Pourtant, en 1980, sans qu'il en sache rien, cet état de choses commença à changer. En novembre de cette même année, Norman Geschwind se rendit comme d'habitude à la réunion annuelle de la Orton Dyslexia Society. L'une des séances de travail à laquelle il assista, traitait du facteur génétique de la dyslexie, et de l'impact de cette maladie chez les *parents* des patients. Après que le principal orateur eut terminé sa présentation, la période de discussion s'engagea. Geschwind suggéra qu'il serait peut-être bon de considérer la dyslexie non plus exclusivement, mais en englobant les *autres* troubles qui peuvent survenir dans les familles de dyslexiques. Une tendance génétique, expliqua-t-il, peut revêtir différentes formes selon les individus. Il mentionna les travaux d'un scientifique britannique, Michael Rutter, qui avait démontré que les individus atteints d'autisme étaient beaucoup plus susceptibles d'avoir des parents souffrant de dyslexie que la moyenne générale de la population. « La règle d'or d'un bon scientifique est la suivante: ne vous concentrez pas seulement sur les choses qui vous intéressent, dit-il, regardez ailleurs. »

Les congrès de la Orton Society attirent chaque année un grand nombre de dyslexiques accompagnés de leurs parents, ainsi que des professeurs et des savants de tous les domaines. Immédiatement après la séance, Geschwind fut entouré par de nombreuses personnes désireuses de lui détailler par le menu le dossier médical de leurs familles. Deux thèmes principaux émergeaient de ce groupe. Premièrement, les dyslexiques eux-mêmes, ou leurs parents, ou leurs frères et sœurs semblaient avoir souffert d'*autres* troubles de l'apprentissage et du langage, tels que l'hyperactivité ou le bégaiement. Deuxièmement, les membres de ces familles semblaient avoir été victimes d'un nombre d'allergies, de migraines et de maladies auto-immunitaires que Geschwind jugea supérieur à la moyenne.

« Tout cela était vraiment surprenant », souligne Geschwind, au moment où nous l'avons interrogé à nouveau, au congrès de 1982 de la Orton Society à Baltimore. « Nous savions depuis un certain temps que les troubles de l'apprentissage au cours du développement formaient des ensembles d'associations étroites, tout comme nous savions qu'il y avait une forte corrélation entre tous ces troubles et la prédominance de la main gauche; même lorsque les individus affligés de ces troubles étaient droitiers, il était probable qu'il y avait des gauchers dans leur famille.» Mais de nouvelles associations d'éléments, tout à fait étonnantes, avaient été possibles ce jour-là.

Suite aux déclarations du public à ce congrès de la Orton Society, Geschwind se mit à chercher des associations similaires chez ses patients et chez des individus qui ne faisaient pas l'objet d'un traitement clinique. Après plusieurs mois d'observations, il présenta un test en vue de vérifier ses hypothèses sur ces associations. Les dyslexiques et leurs proches parents signalèrent des cas d'allergies. Et, fait particulièrement intéressant, les patients souffrant de bégaiement avaient également eu au cours de leur enfance une forte tendance aux allergies alors que les allergies alimentaires étaient plus fréquentes qu'à l'ordinaire chez les enfants hyperactifs. Quant aux migraines et aux maladies auto-immunitaires, il en fut question de manière constante.

C'est alors que Geschwind prit contact avec un de ses anciens étudiants, Peter Behan, qui occupait à ce moment-là un poste à l'Université de Glasgow. Ils mirent au point ensemble un questionnaire portant sur la prédominance de la main gauche ou droite, les troubles de l'apprentissage et les maladies auto-immunitaires et le distribuèrent à deux échantillons différents de sujets britanniques. Ils ventilèrent les réponses obtenues en fonction d'une *forte* prédominance de la main gauche ou d'une *forte* prédominance de la main droite. Jusqu'à présent, ils ont réuni 500 répondants gauchers et 900 répondants droitiers de ce type. Et leurs conclusions sont les suivantes: les gauchers ont environ dix fois plus de troubles de l'apprentissage (10 p. 100 contre 1 p. 100). Ils ont environ 2,5 fois plus de troubles auto-immunitaires, en particulier des maladies de la glande thyroïde et des intestins (8 p. 100 contre 2,8 p. 100), et l'incidence de ces troubles est plus élevée chez les *parents* des gauchers. On constate chez eux trois fois plus de troubles de l'apprentissage et deux fois plus de troubles immunitaires.

«Le public du congrès de la Orton Society avait raison, souligne Norman Geschwind, et j'ai la bonne fortune d'être entouré de gens qui savent observer leurs propres symptômes et ceux de leurs proches. *Il y a* un lien entre la prédominance de la main gauche et la migraine — une autre étude nous a permis d'arriver à cette conclusion. Et *il y a* un lien entre la prédominance de la main gauche, les troubles de l'apprentissage, comme la dyslexie, et les maladies auto-immunitaires telles que la recto-colite ulcéro-hémorragique. Une forte corrélation existe, en d'autres termes, entre quatre états qui affectent de manière différente les êtres humains de sexe féminin ou masculin: chez les hommes, la prédominance de la main gauche et les troubles de l'apprentissage, qui apparaissent *avant* la puberté ; et, chez les femmes, la migraine (le taux est de plus de 2 p. 100 en comparaison de 1 p. 100 chez les hommes) et les maladies auto-immunitaires, qui apparaissent *après* la puberté. »

Robert Lahita et Norman Geschwind ont à présent de quoi alimenter leur conversation.

Chapitre 14

Le système immunitaire
et le cerveau

« Le système immunitaire, affirme Robert Lahita, est le seul système de l'organisme dont l'organisation s'avère presque aussi complexe que celle du cerveau. Du reste, sur bien des plans, il fonctionne *comme* le cerveau. Il reconnaît le monde extérieur et y réagit. Il peut fournir une gamme *considérable* de réponses: il apprend, enregistre et oublie. Tout comme le cerveau, ses éléments de base sont formés dans le foetus avant la naissance, lorsque l'embryon se trouve encore dans la matrice.

« Le système joue deux rôles principaux, soit identifier et protéger les éléments qui appartiennent à l'organisme, soit identifier et détruire tout élément étranger. Ce processus peut être perturbé de deux manières principales. Premièrement, en agissant par l'intermédiaire de l'un ou l'autre de ses différents types de cellules défensives, le système peut déclencher une attaque dirigée non pas contre les virus ou les bactéries, ce qui est sa fonction normale, mais contre les protéines foncièrement inoffensives comme celles du pollen de la gerbe d'or. Il en résulte une allergie qui commence durant l'enfance, allergies infantiles qui affectent surtout les individus de sexe masculin. Deuxièmement, le système peut tout simplement oublier les principes qu'il a appris lorsque le foetus était encore dans l'utérus, à savoir que tout ce qui entre en contact avec lui durant cette période doit être considéré comme un élément appartenant à l'organisme. Ainsi, il peut subitement déclencher une attaque, à n'importe quelle période de la vie, contre les cellules qu'il est censé protéger. Il en résulte une maladie auto-immunitaire, et ce type de maladie touche surtout les femmes.

« Ici commencent les différences d'immunité entre les mâles et les femelles de notre espèce. Mais ce n'est que le commencement... »

Les hommes sont plus susceptibles d'être gauchers. Ils sont également plus exposés aux troubles de l'apprentissage. Mais, au cours de leur développement, ils doivent affronter un autre risque : un défaut génétique, extrêmement rare chez les filles, peut écourter leur vie. Les hommes, souvenez-vous-en, ne possèdent pas deux chromosomes X mais un chromosome X et un chromosome Y. Cela implique que si un homme possède un défaut génétique dans son chromosome X unique — hérité de sa mère — il ne bénéficie pas de la protection d'un second chromosome X *normal* — hérité, chez les filles, de leurs pères. Il est donc plus vulnérable à tous les troubles dans lesquels un chromosome X malformé ou lésé joue un rôle. Parmi ces derniers, figure une forme d'arriération mentale, surnommée le syndrome de la « fragilité X », dans lequel le chromosome X est malformé et aminci à l'une de ses extrémités, ce qui provoque une hypertrophie des testicules ; l'hémophilie, la maladie sanguine dont souffraient les rejetons mâles de la famille des anciens tsars de Russie ; sept troubles *immunitaires*, dont le syndrome lymphoprolifère, qui rend mortel, pour les garçons qui le contractent, un virus autrement inoffensif et cause certains cancers du système immunitaire ; et l'agammaglobulinémie, reliée aux chromosomes X, qui rend l'organisme totalement incapable de fabriquer des anticorps, lesquels représentent la ligne de défense de l'organisme contre les virus et les bactéries, une maladie qui jusqu'à tout récemment causait inévitablement la mort d'un sujet ayant moins d'un an. Un jeune homme qui vit dans le Connecticut, David Camp, est le premier garçon atteint d'agammaglobulinémie reliée au chromosome X qui ait survécu bien au-delà de cet âge. Ce jeune homme énergique et espiègle est l'heureux bénéficiaire d'une nouvelle technique de transplantation de la moelle osseuse utilisée pour la première fois dans le traitement de cette maladie dans le Minnesota, par l'immunologue et pédiatre Robert Good.

Nous pouvons d'ores et déjà entrevoir des liens entre les problèmes d'immunité et le sexe masculin. Et nous n'avons pas à regarder très loin pour en trouver d'autres. Car même lorsqu'il ne souffre pas d'un défaut génétique, l'individu de sexe masculin est toujours désavantagé par rapport à la femme sur le plan de la protection contre les virus et les bactéries. Son organisme produit des taux plus faibles de protéines sanguines essentielles à la fabrication des anticorps, des taux légèrement plus faibles d'immunoglobuline G et des taux très inférieurs d'immunoglobuline M. Il sera donc enclin, à des degrés divers, à la diarrhée infantile, à la leucémie infantile, au cancer du système lymphatique, à des troubles comme la maladie du légionnaire, les maux respiratoires, l'hépatite et les maladies gastro-intestinales. A l'origine de cette faiblesse se trouve, presque certainement, la testostérone. On connaît encore peu de chose à ce sujet — les points de repère sont clairsemés dans cette partie sombre du tableau. Mais la testostérone, administrée sous forme synthétique, semble agir sur les êtres humains comme un dépresseur généralisé du système immunitaire. Les oestrogènes, par contre, semblent produire l'effet inverse. Administrés sous forme chimique, ils *favorisent* la production de deux immunoglobulines, surtout l'immunoglobuline M, ce qui a pour effet d'activer les cellules cibles qui sont une arme importante du système immunitaire. Enfin, cette hormone crée un effet stimulant généralisé sur l'ensemble du système. Dans la vie ordinaire, cet effet est bien sûr cyclique, de même que la sécrétion d'oestrogène chez la femme. Cela explique non seulement le fait que les femmes soient mieux protégées, d'une manière générale — seuls les hommes castrés ont des systèmes immunitaires d'une efficacité comparable à celle des femmes — mais également le fait qu'elles soient *mieux* protégées au moment de l'ovulation.

L'ovulation constitue le moment où la femelle est le plus susceptible d'entrer en contact direct avec un étranger qui est peut-être un foyer d'infection. Mais elle représente aussi la période où l'organisme féminin doit se soumettre à un processus auquel il est d'ordinaire farouchement opposé: permettre la pénétration de cellules étrangères qu'il peut identifier grâce à leurs repères de surface. L'organisme féminin doit donc tolérer cette intrusion, éviter de déclencher une attaque et permettre aux spermatozoïdes de vivre en lui pendant environ 72 heures. «Ensuite, ajoute Robert Lahita, l'organisme féminin doit, pendant neuf mois, tolérer à l'intérieur de lui-même, *sans le rejeter,* un foetus, c'est-à-dire un système de tissus qui lui est antigéniquement étranger, en raison de la contribution paternelle à son profil génétique. Pourquoi l'organisme féminin ne le rejette-t-il pas, comme il le ferait pour une greffe? Les femelles des différentes espèces de mammifères, y compris la nôtre, sont ordinairement réellement plus *efficaces* que les mâles pour le rejet des greffes, des tumeurs, etc.»

De manière très évidente, l'organisme féminin, pour tolérer le sperme et maintenir l'état de gestation, doit ajuster et faire varier son propre système immunitaire; en bloquant l'une des défenses du système, peut-être, il conservera ainsi les spermatozoïdes et le foetus, tandis qu'en stimulant au même moment une *autre* défense du système, l'organisme bénéficiera ainsi d'une protection accrue contre les infections. Bien entendu, une question se pose: comment tout cela est-il possible? Certaines personnes expliquent l'origine de tout ceci au moyen des *deux* chromosomes X hérités par la femme, qui permettent à cette dernière d'avoir un double ensemble de gènes immunorégulateurs, et lui fournissent une capacité d'immunisation plus élevée et plus complexe que celle de l'homme. Il est possible que ces personnes aient raison. Cependant, quelle que soit l'origine de ce phénomène, il est évident qu'il est relié aux hormones sexuelles. C'est la progestérone, par exemple, dont la sécrétion augmente *également* au moment de l'ovulation, qui provoque probablement un affaiblissement du système immunitaire suffisant pour permettre la propagation des cellules étrangères à l'intérieur de l'organisme; cette hormone inhibe les cellules qui viseraient autrement à détruire les cellules séminales. D'ailleurs, la progestérone est probablement le pivot des processus immunitaires grâce auxquels le foetus échappe au rejet pendant neuf mois.

« Le problème, c'est que nous connaissons très mal ces processus, avoue Lahita. Nous ignorons presque tout de l'aspect génétique du système immunitaire et de la manière dont il est influencé par les hormones sexuelles. Nous savons bien peu de chose sur la manière dont les deux *systèmes* interagissent avec les *autres* hormones et les *autres* systèmes du corps et du cerveau. Pour progresser dans notre étude du système immunitaire humain, nous pouvons seulement nous appuyer sur les maladies et les troubles qui ont perturbé ce système. Les maladies auto-immunitaires nous fournissent une démonstration frappante de ce phénomène où le système immunitaire se retourne violemment contre l'organisme qu'il est censé protéger. »

Le tribut que les femmes doivent payer, semble-t-il, pour leur supériorité immunologique naturelle est le phénomène qui se produit lorsqu'un événement inhabituel — l'intrusion d'un virus, peut-être — déclenche une réaction excessive par laquelle des éléments d'autodéfense de l'organisme commencent à attaquer les composants de leurs propres cellules. Les hommes, quoique plus faibles sur le plan immunologique, sont moins souvent exposés à ce type d'anomalie. Il y a une probabilité *moins* grande, en général, que les hommes soient atteints de sclérose en plaques, qui attaque les tissus cérébraux, ou de paralysie bulbaire asthénique — la maladie dont Aristote Onassis est mort — qui attaque les récepteurs d'acétylcholine à la jonction des tissus nerveux et musculaires, y compris le muscle cardiaque. Ils contractent également moins facilement certaines formes de diabète juvénile et de polyarthrite rhumatoïde, cette dernière pouvant connaître, comme la migraine, des périodes de rémission durant la grossesse ou la prise de la pilule, chez la femme. Les hommes sont moins fréquemment atteints, également, de toute une gamme de maladies au cours desquelles le système immunitaire entre en action pour modifier radicalement l'équilibre et les effets des hormones stéroïdes. Ces maladies demeurent encore très mystérieuses. Dans certains cas, elles semblent être favorisées par le stress. Elles ont des effets très prononcés sur le cerveau et sur la personnalité. Parmi elles se trouvent la maladie d'Addison, qui provoque une insuffisance des glandes surrénales entraînant l'apathie et la dépression et, dans les phases aiguës, des hallucinations et la psychose; la maladie de Basedow, qui provoque une hypersécrétion de la glande thyroïde, engendre un état de tension, de surexcitation et une interruption du cycle menstruel; et le lupus érythémateux aigu disséminé (LEAD), que Robert Lahita de l'université Rockefeller étudie à l'heure actuelle.

« Le LEAD, je pense, est le parfait *prototype* des maladies de ce genre, affirme Lahita, plein d'enthousiasme pour les secrets importants que cette étude va peut-être révéler. Toutes les autres maladies auto-immunitaires affectent la femme trois fois, quatre fois, cinq fois plus que les hommes. Mais le LEAD, après la puberté, atteint les femmes avec une fréquence de 10 contre 1, et peut-être même plus. Fondamentalement, c'est une maladie inflammatoire. Mais ce qui se produit réellement, c'est que l'organisme déclenche une attaque contre le système génétique et de fabrication de protéines à l'intérieur même des cellules de ses propres tissus. Et cela peut affecter le cerveau, les poumons, les muscles, les reins, les articulations, le coeur et la peau. Environ un demi-million d'Américains souffrent de LEAD, dont le nom courant est lupus — mot latin qui désigne le loup — parce qu'un de ses symptômes visibles est une irritation des joues, qui, pensait-on, à l'origine, donnait aux patients une apparence revêche. Cependant, ce symptôme n'est pas toujours présent. Et le LEAD est souvent une maladie extrêmement difficile à diagnostiquer.

« Pourquoi donc cette maladie présente-t-elle tant d'intérêt? Premièrement, parce qu'elle peut être engendrée par le stress et qu'il est fort probable qu'elle apparaisse à la suite d'un choc émotionnel. Le stress et le cerveau y jouent donc un rôle dès le début. Deuxièmement, parce qu'elle produit chez un certain nombre de personnes de nombreux symptômes de dépression, de névrose obsessionnelle ou de schizophrénie. Ainsi, dans le déroulement de cette maladie, le cerveau, le système immunitaire *et* le comportement sont *étroitement* liés. Troisièmement, parce que les individus de sexe masculin nés avec deux chromosomes X et un chromosome Y semblent plus enclins que les autres à contracter cette maladie, ainsi que toutes les autres maladies auto-immunitaires. Les deux chromosomes X semblent donc jouer un rôle important. Et quatrièmement, parce que l'état des femmes qui ont cette maladie semble empirer lorsqu'elles prennent la pilule; elles contractent généralement cette maladie à la puberté, mais quelques cas observés récemment semblent indiquer qu'elle peut apparaître également après la ménopause; et les symptômes de cette maladie sont très souvent plus prononcés au cours des menstruations. Ainsi, les hormones sexuelles semblent également y exercer une influence évidente.

« C'est le type d'action des hormones sexuelles dans le déroulement du LEAD que nous avons étudié à l'université Rockefeller. Nous avons découvert que deux choses semblaient avoir mal tourné chez les patientes atteintes de cette maladie. Leur oestrogène est d'abord traité d'une manière très étrange. L'organisme de ces patientes fabrique trop de sous-produits qui ont des effets hormonaux accentués et trop *peu* de sous-produits qui n'ont aucun effet hormonal mais qui *interagissent,* en tant que neuro-transmetteurs, avec les circuits de la dopamine et de la noradrénaline dans le cerveau. Dans un sens, l'organisme de ces patientes fabrique trop peu d'oestrogène actif dans le cerveau. Par contre, elles ont aussi moins de *testostérone* active que les femmes normales. Une approche par la testostérone nous a paru pleine de promesses. A l'heure actuelle, tous les traitements de cette maladie mystérieuse demeurent relativement inefficaces. Or il existe un animal, la souris noire de Nouvelle-Zélande, qui peut développer spontanément le LEAD et montrer des symptômes semblables à ceux du modèle humain : un nombre plus élevé de souris femelles contracte le LEAD, sauf en ce qui concerne les mâles *castrés,* fait intéressant à souligner. A présent, les expériences effectuées en France et par le groupe de Norman Talal à l'Université du Texas à San Antonio ont démontré que la testostérone *retarde* l'apparition des symptômes du LEAD chez la souris noire de Nouvelle-Zélande et *améliore* considérablement l'état de ces animaux. Et il est fort probable que ce traitement se révélera tout aussi efficace chez les humains. Qui sait quels secrets l'étude du LEAD nous permettra de dévoiler au sujet des hommes et des femmes ? Pour le moment, cependant, par une étrange ironie du sort, les médecins, pour soigner leurs patientes, seront bientôt obligés de prélever sur les hommes la substance qui est responsable de *leur* vulnérabilité au stress, de la faiblesse de leur hémisphère gauche et de leur infériorité immunologique : la testostérone. »

Vulnérabilité au stress. Faiblesse de l'hémisphère gauche. Infériorité immunologique. Comment pourrons-nous boucler la boucle et rattacher tous ces éléments à la prédominance de la main gauche, aux troubles de l'apprentissage, aux problèmes de dominance cérébrale et peut-être, pour compléter le mélange, à la dépression et la schizophrénie ? Que peuvent avoir en commun tous ces éléments au coeur même du mystère qui relie le cerveau et le système immunitaire ?

Pour percer ce mystère, nous devons prendre un certain recul et examiner les preuves, comme des détectives au début d'une enquête délicate. Nous devons suivre la piste d'indices qui mène à la rencontre de Norman Geschwind et Robert Lahita à Boston. Nous devons établir des liens structurels entre tous ces faits.

La première étape consiste à étudier les troubles qui ont été identifiés comme auto-immunitaires. Quels sont les traits qu'ils partagent? Il y en a plusieurs. Premièrement, ils frappent les individus de sexe masculin soit à un âge précoce soit à un âge tardif, avant la puberté ou après l'âge de 40 ans environ, tandis qu'ils se manifestent chez les femmes entre la puberté et la ménopause. La paralysie bulbaire asthénique, par exemple, est une maladie de jeunes femmes et d'hommes âgés. Il ne s'agit pas d'une règle absolue, mais en général les femmes sont atteintes plus gravement lorsque leurs taux d'oestrogène et de progestérone sont relativement élevés. Et les individus de sexe masculin sont plus touchés lorsque leurs taux de testostérone sont relativement bas. Les individus de sexe masculin porteurs de chromosomes XXY, accusant de faibles taux de testostérone et des taux d'oestrogène élevés relativement aux individus normaux sont, au dire de Robert Lahita, très vulnérables au LEAD et autres troubles auto-immunitaires, comme l'on pouvait s'y attendre. Enfin, les hommes atteints d'hypogonadisme hypogonadotropique, qui ont également des taux anormalement bas de testostérone, souffrent souvent d'au moins une maladie immunitaire, suivant une étude récente effectuée par deux groupes de chercheurs à l'université Tufts près de Boston et au St. Bartholomew's Hospital de Londres: l'anthéropathie au gluten, dont souffrent de nombreux enfants *autistiques*.

Le second trait partagé par les maladies auto-immunitaires est d'ordre *génétique*. Dans les cas où il a été possible de déterminer l'association génétique relative à ces maladies, on a constaté qu'elles étaient *toutes* associées aux gènes du chromosome 6 humain. Le chromosome 6 est le siège de ce qu'on appelle le complexe d'histocompatibilité majeur (CHM), un ensemble de gènes qui règlent les différentes tâches essentielles que le système immunitaire doit effectuer. Ces gènes sont responsables de la collaboration harmonieuse des différentes cellules et des différents moyens que l'organisme utilise pour reconnaître et attaquer les intrus. Ils jouent aussi un rôle dans la formation des repères à la surface des cellules qui donne aux tissus et aux cellules de chaque individu sa propre identité.

A ce stade de notre enquête, nous touchons la clef du mystère. Car, bien que les *autres* tâches accomplies par ces gènes soient encore indéterminées, nous commençons néanmoins à entrevoir qu'ils jouent un rôle dans *la manière dont les cellules de nos organismes et de nos cerveaux mâles et femelles se développent, se reconnaissent et migrent les unes vers les autres dans l'utérus.* Ils semblent *également* contrôler la production de testostérone et les effets de cette hormone sur le développement du système cerveau-corps. Ces gènes influencent, entre autres, le poids des testicules, le taux de testostérone dans le sang et la sensibilité à la testostérone que des personnes comme Mme Went arrivent parfois à perdre.

Nous détenons enfin ce qui relie les troubles de l'apprentissage, la prédominance de la main gauche et les maladies auto-immunitaires que Norman Geschwind et Peter Behan ont découverts dans les mêmes échantillons de population: la testostérone. Comme nous l'avons déjà mentionné, l'action de la testostérone produit le modèle *normal* de domination cérébrale et de latéralisation chez les individus de sexe masculin droitiers. Mais elle agit également comme un dépresseur du système immunitaire et a pour effet de rétrécir le thymus, glande située en dessous du sternum, et qui est responsable de la production des cellules cibles. De *faibles* taux de testostérone dans le foetus, par conséquent, peuvent fort bien avoir *deux* effets distincts. D'une part, cela peut *modifier* les modèles normaux d'organisation cérébrale et de migration cellulaire. D'autre part, cela peut *accroître* de manière spectaculaire l'efficacité du système immunitaire. Le résultat peut correspondre aux conclusions de Geschwind et Behan, soit une association entre la prédominance de la main gauche, les troubles de l'apprentissage et un système immunitaire trop prompt à réagir, ce qui peut causer des problèmes à l'organisme. Ces effets peuvent survenir indépendamment les uns des autres ou ensemble. Tout dépend de l'étape durant laquelle les hémisphères cérébraux du foetus et le système immunitaire ont été exposés à un déséquilibre hormonal, de la durée de cette exposition et du *degré* d'insuffisance de la testostérone. Encore une fois, comme chez les singes de Bob Goy, c'est une question de degré.

Tout ceci reste encore à prouver, mais déjà, quelques nouveaux indices laissent supposer que cette hypothèse sera confirmée à plus ou moins longue échéance car ils s'imbriquent parfaitement dans ce que Jerre Levy appelle «le casse-tête». A la fin de 1982, des chercheurs israéliens fournirent quelques éléments de preuve établissant que l'autisme n'est pas seulement *relié* à une maladie auto-immunitaire mais qu'il est en soi une maladie auto-immunitaire. A peu près à la même époque, Albert Galaburda et son collègue Gordon Sherman ont commencé à observer le même type de migration de cellules cérébrales anormales que celui que Galaburda avait trouvé chez les dyslexiques et dans les cerveaux des souris noires de Nouvelle-Zélande prédisposées à une maladie auto-immunitaire reliée au chromosome 6 chez les humains — le LEAD. Ce sont là deux pièces très modestes du casse-tête. La possibilité d'un lien génétique, récemment soulevée par Shelley Smith, alors chercheur à l'Université de Miami, en est une autre; les études de ce chercheur ont établi un lien entre la dyslexie et un gène du chromosome 15 qui pourrait, comme le suggère Norman Geschwind, intervenir également dans le codage d'une protéine de base à la fois pour la sécrétion de testostérone *et* la régulation du système immunitaire. Un quatrième morceau du casse-tête pourrait être le rôle joué par un ou plusieurs gènes du chromosome 6 dans le développement d'un *autre* trouble où la testostérone a pour effet de modifier l'organisation cérébrale et le comportement — le HSC.

Dans le HSC, souvenez-vous-en, des taux élevés de testostérone sont produits par les glandes surrénales du foetus, en raison de l'absence d'une enzyme indispensable à la production ordinaire de cortisol, l'hormone qui joue un rôle important dans le stress. Et le stress, bien entendu, est le *troisième* trait commun de nombreuses maladies auto-immunitaires, ainsi que la migraine. Ces maladies sont souvent provoquées et exacerbées par le stress. Dans le cas du HSC, comme dans celui de toutes les maladies auto-immunitaires, tout se passe comme si quelque chose avait été profondément perturbé dans la chimie de base du stress. Cela permet d'établir un lien immédiat entre ces maladies, la dépression et la schizophrénie qui ont *également* été reliées aux gènes du chromosome 6; comme, peut-être, l'anorexie mentale; et comme les homosexuels de sexe masculin, qui selon la théorie de Günter Dörner, sont le résultat d'un état de stress vécu par la mère enceinte.

Nous demandons à Norman Geschwind si, à son avis, les mêmes principes s'appliquent dans ces différents cas. «Nous l'ignorons, dit-il, quoique je pense que les travaux de Dörner sont intéressants. Nous savons *de fait* que tous ces systèmes agissent les uns sur les autres: les gènes, les hormones sexuelles, les hormones reliées au stress, les neuro-transmetteurs du cerveau, le système nerveux et les cellules du système immunitaire. Sur le plan moléculaire, chacun a un effet direct sur les autres. Et Dörner a été l'un de ceux qui ont démontré que, dans l'utérus, ces interactions sont extrêmement complexes. Car le foetus et la mère qui le porte forment un ensemble dont les éléments interagissent les uns sur les autres. Et ils réagissent tous deux aux facteurs du milieu auquel ils sont exposés. En d'autres termes, il faut compter *deux* ensembles de gènes, d'hormones sexuelles, d'hormones reliées au stress et ainsi de suite qui s'influencent mutuellement: ceux du foetus et ceux de la mère. Il faut compter également les gènes *paternels,* qui sont présents dans le foetus, ainsi que les gènes des parents de la mère, qui viennent encore compliquer le modèle.

«Ce ne sont pas tant les gènes du foetus, donc, qui sont importants — les gènes en eux-mêmes ne nous fournissent pas toutes les indications; il n'existe pas un gène particulier pour des maladies comme la dyslexie, l'autisme, la dépression, la prédominance de la main gauche et l'homosexualité. Il y a seulement des ensembles entremêlés de potentiels ou de prédispositions qui peuvent être contraints de se manifester par des facteurs de l'environnement, en particulier par l'environnement hormonal et immunitaire de l'utérus.

« Nous possédons très peu de détails sur ce phénomène. Mais nous en savons assez pour formuler quelques hypothèses, comme c'est le but de la science, d'établir des hypothèses et de les vérifier. Nous pouvons prédire, par exemple, que les homosexuels de sexe masculin ont des systèmes immunitaires différents de ceux de la population hétérosexuelle globale et nous possédons quelques faits à l'appui de cette hypothèse. Nous pouvons également prédire que les dyslexiques et leurs proches parents ont tendance à avoir des cheveux blancs plus tôt, ce qui est un à-côté fréquent chez les patients atteints de maladies auto-immunitaires et peut être la manifestation d'une attaque du système immunitaire contre les cellules pigmentaires des follicules pileux. Nous cherchons présentement à vérifier cette hypothèse et je suis à peu près sûr que nous sommes sur la bonne voie. Et nous pouvons prédire, enfin, que chez les femmes qui souffrent d'une maladie auto-immunitaire comme le LEAD, ainsi que chez les membres de leur famille, il y a une plus grande fréquence de gauchers et de troubles de l'apprentissage. Vous n'ignorez pas que cela aussi est l'un de mes sujets d'étude. »

Quelques jours après notre rencontre avec Geschwind, nous avons eu la chance d'avoir un entretien avec une jeune femme atteinte de LEAD, qui suit actuellement un traitement à base de deltacortisone et d'un médicament cytotoxique. Nous lui avons demandé s'il y avait des gauchers parmi les membres de sa famille. « Mon père, répondit-elle, et probablement l'un de mes frères — on l'a cependant incité au cours de son apprentissage à se servir de sa main droite. » Y a-t-il dans sa famille des cas de troubles de l'apprentissage ? « Oui, dit-elle. Je souffre de dyslexie. »

Dans le jargon scientifique, ceci n'est qu'une anecdote. Or une anecdote isolée ne permet pas d'extrapoler. Le secret des liens qui associent la prédominance de la main gauche, le LEAD et les troubles de l'apprentissage ne nous sera révélé que lorsque nous disposerons de ce que la science appelle « les chiffres » (ces mêmes « chiffres » qu'Albert Galaburda rassemble : en menant des expériences sur les souris noires de Nouvelle-Zélande) et lorsque nous connaîtrons le résultat de la collaboration de Norman Geschwind et de Robert Lahita.

Terminons ce chapitre sur une note un peu plus joyeuse destinée aux lecteurs gauchers, sans doute effrayés d'apprendre qu'ils possèdent vraisemblablement une prédisposition aux troubles de l'apprentissage et du système immunitaire. La nature est équitable, tant dans la distribution des aptitudes et des inaptitudes générales aux hommes et aux femmes, *que* dans le dosage des habiletés et des handicaps qui reviennent plus particulièrement aux gauchers. En 1979, Marian Annett de la Lanchester Polytechnic à Coventry en Angleterre, a démontré qu'il y avait une forte proportion de gauchers chez les artistes, les musiciens, les mathématiciens, les ingénieurs, et chez les personnes qui jouissaient à un degré élevé d'aptitudes visuo-spatiales de l'hémisphère droit semblables à celles de certains enfants autistiques. Vers la fin de 1982, Camilla Benbow de l'université Johns Hopkins passa à nouveau en revue l'échantillon d'enfants surdoués en mathématiques qu'elle avait rassemblés au cours de ses études précédentes. Elle trouva également parmi eux une forte proportion de gauchers, de trois fois supérieure à celle de la population globale. Même lorsque ces enfants étaient droitiers, presque la moitié d'entre eux avaient un parent, sinon une soeur ou un frère gaucher.

Reprenant à son compte l'affirmation de Pierre Flor-Henry au sujet de la mince frontière qui sépare l'arriération mentale du génie, Norman Geschwind déclare : « En principe, il devrait être possible d'éviter le développement des troubles de l'apprentissage en modifiant le milieu hormonal utérin ou en utilisant les techniques mises à notre disposition par la science génétique. Mais en agissant ainsi, il faudrait certainement trouver un moyen de conserver les aptitudes souvent *supérieures* des gauchers et des personnes affectées par ces troubles. Soulignons un autre point important. Même si les gauchers sont plus fréquemment victimes d'un certain nombre de maladies, il se pourrait que l'on découvre dans un proche avenir qu'ils sont moins exposés à d'autres types de troubles. Après tout, les femmes attrapent toutes sortes de maladies auxquelles les hommes échappent, et cependant elles vivent plus longtemps parce que, entre autres choses, elles ont beaucoup moins de maladies cardiaques. »

CINQUIÈME PARTIE

Le sexe

Chapitre 15

Pourquoi le sexe existe-t-il ?

En 1965, le behavioriste S.D. Porteus écrivait : « Imaginons qu'une extra-terrestre qui ne connaîtrait qu'une forme de reproduction asexuée arrive sur terre pour étudier l'espèce humaine : son plus grand sujet d'étonnement serait sans doute la différenciation des sexes. Non seulement les différences extérieures, physiques, physiologiques et mentales la laisseraient-elles stupéfaite mais, confrontée aux différences de tempérament, de dispositions, d'habitudes, d'attitudes, de qualités et de faiblesses, de prédispositions à certaines formes d'immunité ou aux relevés des réalisations, elle serait probablement amenée à conclure que les hommes et les femmes appartiennent à deux espèces différentes... Seul le fait que ces deux espèces s'accouplent librement, pourrait probablement ébranler sa théorie... »

Sans l'avoir vu, il devine sa présence — une vibration parcourt la pièce, un parfum, l'inflexion d'une voix. Il se retourne. Soudain, ses muscles se raidissent. Une rougeur diffuse colore son visage. Son coeur bat la chamade et ses pupilles se dilatent tandis que son regard continue d'explorer la pièce.

Elle remarque l'effet foudroyant qu'elle a produit sur lui. Et son système nerveux sympathique réagit comme devant un danger. Son pouls s'accélère. Des fourmillements chatouillent les paumes de ses mains. Son visage s'empourpre. Elle baisse les yeux pour dissimuler son trouble, à demi consciente des picotements de son cuir chevelu. Ses mamelons saillent indiscrètement sous la soie moulante de sa robe. Pendant une fraction de seconde, elle se sent comme sous l'effet d'un assaut. Sa respiration devient plus rapide, plus superficielle. Vaguement irritée, elle prend distraitement une cigarette entre ses doigts. Mais lorsqu'elle lève enfin les yeux pour rencontrer son regard, ses pupilles également sont un peu plus dilatées qu'il y a quelques secondes.

Chacun d'eux est maintenant intensément conscient de la présence de l'autre, comme s'ils jouaient l'un devant l'autre le rôle principal d'une représentation théâtrale. L'intrigue qui se noue aux deux extrémités de la pièce est ponctuée de regards, de gestes et d'intonations de voix, d'informations codées, émises et reçues. Le résultat est une multitude de messages discrets concernant les manières, le statut et la disponibilité de chacun, vaguement mêlés au brouhaha de la réception. Il exhibe sa minceur, son succès social, ses vêtements de bonne coupe, son teint bronzé, son sourire facile. Elle lui offre sa douceur, sa gravité et son sang-froid qu'elle adresse non sans séduction à un interlocuteur. Tout en marchant, elle fait lentement glisser ses doigts sans alliance le long de son cou et de sa gorge. L'espace d'un éclair, elle dévoile la naissance d'un sein. Leurs sens commencent à s'échauffer. Et l'intrigue entre sans transition dans une nouvelle phase. A présent, où qu'ils aillent, se mouvant à l'intérieur de cercles qui n'entrent jamais complètement en contact, elle entend sa voix. Il discute, rit, taquine avec ostentation, sans jamais la perdre des yeux. Enfin, elle s'écarte du groupe pendant un instant, cherchant à repêcher du bout de la langue un morceau de glace dans son verre. Lorsqu'elle lève les yeux à nouveau, leurs regards se rivent l'un à l'autre. Pendant un court instant, elle est submergée par la panique. Mais il est déjà à côté d'elle.

Le restaurant a été choisi avec soin ; l'ambiance est intime, à la douce lueur des chandelles. Un piano joue en sourdine, et les deux convives forment un îlot secret. Chacun reste sur son quant-à-soi, surveille l'autre et mène son enquête. C'est un procédé vieux comme le monde. Elle observe l'aisance avec laquelle il échange avec le maître d'hôtel, ses manières à table, sa façon de bouger et de siroter son vin. Elle jauge l'intérêt réel qu'il lui porte, attrape au vol les indices que lui fournissent les mots, les regards, les mouvements de la bouche et de la langue. Il prend note de la transparence de son teint, de la blancheur éclatante de ses dents et de la douceur de ses formes. Et il se penche en avant pour toucher ses doigts resserrés autour du pied de son verre à vin. A mesure que la soirée avance, la conversation ralentit, les propos deviennent plus personnels. Au milieu du cercle d'envoûtement que chacun a tracé autour de l'autre, une décision tacite doit être prise, d'un commun accord.

De cette décision, de leur intimité toute neuve jaillit la condition hormonale de leurs organismes. Tandis qu'ils échangent calmement des propos dans ce restaurant, les sécrétions équilibrées d'oestrogènes et de progestérones donnent à la jeune femme cet éclat et ce mélange d'assurance et d'élan qui la nimbent d'une auréole de séduction. Et c'est son taux de testostérone qui injecte à l'homme sa confiance en soi et cette sorte d'acharnement sourd et impérieux qu'il met à la conquérir. Comme nous le savons, toutes ces hormones agissent sur le cerveau. Et là, elles interagissent avec des systèmes contrôlés chimiquement qui dirigent la mémoire, l'apprentissage, les souvenirs et les espérances de plaisir et de satisfaction. Depuis le début de leur intrigue, les cerveaux de nos deux protagonistes ont été réglés en fonction de leur propre rite de séduction — un pas en avant, un pas en arrière. Les récepteurs sensoriels ont enregistré les regards, les mouvements, les mots, le goût des aliments et du vin, la chaleur de la peau. Toutes ces informations ont été assimilées avec expérience et anticipation grâce aux fonctions cérébrales les plus raffinées. A partir de là, les renseignements positifs ont été transmis aux circuits cérébraux autonomes qui contrôlent le plaisir et la satisfaction. Les messagers chimiques — la dopamine et la noradrénaline dans ce cas — les ont transportés jusqu'aux structures cérébrales profondes qui sont responsables de l'émotion et de la motivation. Tous ces systèmes entrecroisés, influencés par les messages hormonaux provenant des glandes de l'organisme, communiquent constamment les uns avec les autres, additionnant les signes positifs et négatifs de l'intrigue amoureuse, et déclenchant les comportements qui permettent de la faire progresser. Et chaque système peut encore réagir — en fonction d'un excès de nourriture et de vin, d'un geste trop audacieux, d'un mot déplacé, d'une mauvaise impression — en obligeant les autres à se mettre hors circuit, à fonctionner au ralenti ou à se retirer purement et simplement.

La soirée romantique de nos deux protagonistes est donc, avant tout, une question de « bonnes réactions chimiques ». Tandis qu'ils boivent le café, s'interrogeant encore, attendant le dénouement — l'hypothalamus, cette masse tissulaire, située à la base de leurs cerveaux, joue le rôle de chef d'orchestre. L'hypothalamus est en quelque sorte le gardien de la frontière entre le cerveau et le corps. Il reçoit des impulsions de pratiquement toutes les zones du cerveau et les transmet en retour. Mais, en même temps, il est en constante communication à double sens avec les parties périphériques de leurs corps. A ce moment précis, il contrôle et module leur tension artérielle, leur température et le rythme de leur respiration. Il vérifie leur appétit. Et il coordonne, exprime, et stimule leurs pulsions sexuelles distinctes. Bien entendu, aucun d'eux n'est conscient de cette influence. Pourtant, c'est l'hypothalamus, par l'intermédiaire des messages à distance de l'hypophyse, qui a ordonné aux testicules et aux ovaires de produire les taux hormonaux qui se sont maintenus tout au long de cette soirée. C'est également l'hypothalamus qui ordonne à présent aux glandes surrénales d'augmenter leur sécrétion de cortisone et d'adrénaline responsable du climat exceptionnel de chaleur et d'émotion qui a baigné leur rencontre. C'est l'hypothalamus, encore et toujours, qui procure à la jeune femme cette sensation exquise lorsque la main de son partenaire frôle sa joue et que sa cuisse se presse doucement contre la sienne. C'est l'hypothalamus enfin, qui, en provoquant un afflux de testostérone et une production accélérée de sperme, est responsable chez l'homme de cette sensation nouvelle de tension au creux de ses reins.

Ils déambulent en silence dans les rues désertes. Il a passé son bras autour d'elle et frôle la courbe de son sein. Il imagine ce sein, puis elle tout entière, nue, dans ses bras. Des influx nerveux traversent la femme de haut en bas, de la moelle épinière au cerveau et à l'hypothalamus. Et une fois de plus, ses mamelons se durcissent sous l'étoffe de sa robe. Une augmentation de la sécrétion d'oestrogènes la rend toute moite. Elle se presse contre lui et ils s'arrêtent pour échanger un baiser, chacun explorant avec lenteur et gravité l'anatomie de la bouche de son partenaire. Ils restent ainsi immobiles pendant un moment, comprenant, grâce aux odeurs, au rythme de leur respiration et aux battements de leurs coeurs qu'ils sont mutuellement en état d'excitation. Quelque part, dans l'afflux d'hormones et dans l'échange complexe de messages chimiques, une décision a été prise. Elle frissonne, en dépit de la clémence de la température. Le léger duvet qui couvre ses avant-bras se hérisse.

A l'intérieur de l'appartement, il la déshabille lentement. Sa voix murmure, caresse, rassure. Son excitation gagne sa partenaire au fur et à mesure qu'il dévoile chaque partie de son corps. Il constate le gonflement de ses lèvres, la tumescence de ses aréoles et la rougeur qui se répand sur tout son épiderme. Les réservoirs des tissus érectiles de son pénis se gorgent de sang que le cerveau ne cesse de faire affluer. Totalement en érection à présent, il enlève prestement ses vêtements. Il taquine de ses lèvres la pointe de ses seins. Il fait glisser ses mains le long de ses flancs, atteignant progressivement le renflement de son pubis. Il presse du doigt son clitoris, lui aussi dressé et turgide. Il explore l'intérieur de ses cuisses, humectées par le liquide qui se déverse des glandes qui bordent l'entrée et les parois de son canal vaginal. Tous deux sont désormais sous l'emprise du cerveau inférieur et du système nerveux autonome — hors d'atteinte de la partie raisonnante du cerveau. Le système nerveux parasympathique provoque la moiteur de la turgescence: la sécrétion lubrifiante à l'extérieur de son pénis, la décharge d'hormones des glandes situées sous les aisselles, les seins et l'épiderme du pubis. Le système nerveux sympathique fait affluer l'adrénaline vers leurs muscles. Leurs coeurs battent de plus en plus vite. Leur respiration devient haletante. Leurs muscles sont tendus. Simultanément, leurs glandes surrénales mélangent la testostérone à d'autres hormones, rendant ainsi plus sensible le clitoris de la femme et accentuant la fièvre de l'homme, axée sur son pénis et sur l'arc réflexe qui contrôle à présent son érection à partir de centres nerveux à la base de sa moelle épinière.

Des influx nerveux automatiques envahissent leurs muscles pelviens. L'excitation des deux partenaires augmente et se manifeste par le mouvement, les gémissements, les odeurs, le goût, le toucher, l'ouïe. Elle l'attire vers elle. Il la pénètre. A présent, tous deux actifs, ils harmonisent le rythme de leurs mouvements, tirant, levant, poussant. Lentement, la tension de leurs systèmes nerveux sympathiques les amène vers des sommets de plus en plus vertigineux. Des changements de pression se produisent dans l'utérus de la jeune femme. Les vaisseaux sanguins sont de plus en plus comprimés. Les glandes sont engorgées. Les muscles sont tendus à l'extrême. Puis, tout à coup, tout se relâche. L'hémisphère droit du cerveau prend les commandes et le système parasympathique entre subitement en action pour s'emparer de leurs corps. Du côté des messagers chimiques, l'adrénaline cède la place à l'acétylcholine. Et la tension fait maintenant place à une explosion de sérénité. Les muscles du pénis se contractent involontairement et le sperme de l'homme jaillit dans le vagin de sa partenaire. Des influx nerveux convergent vers son cerveau. «Oui!» Il vide ses poumons dans un cri libérateur. Au même moment, des contractions commencent à se propager le long des parois vaginales de la jeune femme tandis qu'il vibre en elle. Elles atteignent son utérus et redescendent vers son clitoris palpitant, qui se décharge de sa tension. Une nouvelle hormone, l'ocytocine, est sécrétée par l'hypophyse. Son épiderme prend une teinte plus sombre. «Oui!», crie-t-elle aussi en se laissant retomber, enfin apaisée.

Ils reposent en silence. Leurs battements cardiaques s'espacent, leur tension artérielle diminue, et leurs organismes reviennent à l'état normal. Il s'endort très rapidement. Mais elle reste éveillée, tandis que la semence chemine lentement vers sa matrice, grâce aux contractions de son utérus et de son vagin. Et tandis que la respiration de son compagnon se fait plus régulière, elle continue à se sentir vaguement excitée.

Tout cela pourrait laisser perplexe l'extra-terrestre de Porteus. Ne connaissant que la reproduction asexuée, par les clones, elle pourrait avoir de sérieux problèmes, comme le souligne Porteus, à concevoir la reproduction sexuelle et la différenciation des sexes qui la rend possible. Notre extra-terrestre passerait également un mauvais quart d'heure à tenter d'expliquer à ses lointaines supérieures que les mâles et les femelles d'une seule espèce sont parvenus à dominer la planète. Par où pourrait-elle commencer? Les représentants de l'espèce humaine ne sont pas les plus volumineux : la baleine bleue est à peu près mille fois plus grosse. L'espèce humaine n'est pas celle qui vit le plus longtemps : certains arbres de la famille des conifères peuvent avoir une durée de vie égale à 150 générations humaines. Notre espèce n'est pas non plus aussi prolifique que celle des oiseaux, des insectes ou des plantes. Et nous ne sommes pas particulièrement rapides à nous reproduire ; certaines espèces de bactéries, par exemple, font en vingt minutes ce qui nous prend neuf mois. Deux caractéristiques seulement font des êtres humains une espèce à part. Le rapport de poids entre notre masse cérébrale et notre masse corporelle est l'un des plus élevé sur terre. Et, nous sommes de loin les créatures qui ont le plus de *sex-appeal* de l'univers.

Les fonctions de la sexualité et de la reproduction nous permettent d'aborder les complexités du cerveau humain par la petite porte. Car le cerveau, tout en étant sexué, est aussi, ajoutons-le, au risque de nous répéter, le produit d'une longue évolution dont nous sommes tous tributaires. Il exprime la sélection en série de gènes transmis d'une génération à l'autre par les hommes et les femmes. Et le sexe est, au premier chef, dans notre espèce comme dans la plupart des autres, le mécanisme grâce auquel les opérations successives de sélection ont été effectuées. Pour constituer un ou plusieurs individus nouveaux, ce mécanisme exige que les gènes provenant de *deux* individus ayant atteint leur maturité sexuelle soient mélangés. L'un de ces deux individus est femelle et, chez les mammifères, il est porteur du chromosome X. L'autre est mâle et porteur du chromosome Y.

Supposons que notre extra-terrestre perplexe reçoive toutes ces informations. Supposons également que, pour éclairer sa lanterne, on lui présente un autre fait important. Il y a, en effet, un élément commun aux individus de toutes les espèces, quel que soit leur type de reproduction : chaque individu peut être considéré comme une enveloppe protectrice contenant les germes de la reproduction, soigneusement emballés, de sorte que l'individu qui en est porteur puisse vivre assez longtemps pour engendrer le plus d'individus possible de son espèce. Dans les espèces non sexuées, comme celle de notre visiteuse de l'espace, la forme de reproduction est la multiplication végétative ; pour se reproduire, l'individu n'a pas besoin d'une contribution extérieure. Mais dans des espèces comme la nôtre, la forme de reproduction diffère. Les attributs de nos corps et de nos cerveaux sont transmis par des moyens sexuels. Ils sont conçus pour satisfaire aux exigences de la survie et contribuer à la réussite des processus de reproduction qui, dans notre cas, passe par la séduction d'un partenaire et la satisfaction des pulsions sexuelles.

Nous pouvons donc imaginer qu'à ce stade, notre extra-terrestre aura un bon aperçu général de l'évolution et des processus de transmission des gènes. «Je vois, pourrait-elle très bien dire, que des créatures différentes sont *dans leur cerveau et dans leur corps,* l'expression dynamique de leur ADN, et que leurs gènes sont conçus avec plus ou moins de succès, pour satisfaire aux exigences de milieux et de modes de vie particuliers. Si un individu hérite d'une combinaison *médiocre* de gènes, qui le rend inapte à survivre et à surmonter les obstacles — ou aboutit à un comportement sexuel inapproprié ou à une progéniture dégénérée — cette combinaison de gènes ne sera pas transmise à la prochaine génération qui est l'étape suivante de l'évolution. Si une combinaison génétique ou une mutation de l'ADN est *avantageuse* — en provoquant l'apparition d'un trait original sur le plan physique, de la biochimie ou du comportement — il est probable que cette combinaison génétique sera conservée et se répandra à travers toute une population. Et c'est seulement si ces changements se produisent *vraiment* et s'accumulent dans une population de telle manière que les membres de celle-ci ne peuvent plus s'accoupler avec les membres du groupe dont ils sont issus, que l'on assiste à l'apparition d'une nouvelle espèce.» Armée de toutes ces informations au sujet des liens entre l'ADN, le cerveau, le corps, les pressions de l'environnement, le sexe et la reproduction, notre extra-terrestre pourra commencer à étudier l'une des espèces la plus proche de l'homme : le chimpanzé. On a très longtemps supposé que le chimpanzé et son proche parent, le gorille, étaient des cousins éloignés de l'homme ; il y a environ 10 ou 15 millions d'années, ils se seraient séparés de la branche de l'évolution qui a conduit à l'apparition de l'être humain. Mais récemment, différents groupes de chercheurs, notamment celui de Vincent Sarich et Allan Wilson de l'Université de Californie à Berkeley, ont comparé l'ADN et des protéines semblables chez le chimpanzé, le gorille et l'homme. Ils sont parvenus à la conclusion que, génétiquement, il y a un pour cent de différence entre elles ; elles sont identiques à *99 p. 100.* Les différents échelons chronologiques de l'évolution doivent donc être révisés. Car le gorille et le chimpanzé ne sont pas en fait les cousins éloignés de l'homme, de plusieurs échelons inférieurs à notre évolution. En toute probabilité, ce sont plutôt nos frères.

La première constatation de notre visiteuse de l'espace au sujet des chimpanzés sera la petitesse de leur cerveau, trois fois plus petit que celui de l'homme moderne. Elle notera également qu'ils vivent aux abords de la jungle, et non dans la savane, où l'évolution de l'homme s'est poursuivie ; que leur taux de natalité est très faible ; que, sur le plan de la recherche de la nourriture ou de l'alimentation, ils ne possèdent pas de système communautaire ; et que leur vie sexuelle est plus grégaire et rudimentaire que la nôtre. Les chimpanzés mâles ont, si possible, des relations sexuelle avec chaque femelle en rut de leur bande. Et ces relations sexuelles sont répétées. En effet, d'ordinaire, ils se mettent en file et attendent patiemment leur tour pour effectuer, en fin de compte, un acte sexuel sommaire et fonctionnel, sans introduction ni face à face, qui dure environ 7 secondes. Ce comportement sexuel particulier à l'espèce est réglé, comme notre visiteuse peut maintenant le déduire, par les gènes, et il est exprimé dans la chimie et la structure cérébrales. Cela signifie que, sur le plan de l'évolution, aucun avantage sélectif n'a été attribué à un chimpanzé individuel, mâle ou femelle, qui avait un comportement sexuel différent. Cependant, cela est également exprimé dans le corps. Car si notre extra-terrestre y regarde de plus près, elle constatera, bien que les chimpanzés mâles ne soient pas en concurrence les uns avec les autres pour la possession des femelles, qu'ils sont cependant en concurrence sur le plan de la *production de sperme*. Les chimpanzés mâles ont des testicules six fois plus gros que ceux des humains, relativement au poids du corps, et produisent de très grandes quantités de sperme. Autrement dit, en raison de leur système de reproduction, la sélection naturelle a favorisé les mâles qui peuvent produire plus de sperme que leurs pairs et gagner ainsi une légère avance dans la représentation de leurs gènes à la génération suivante. Chez d'autres primates, on a observé la même corrélation entre la taille des testicules, la vie en groupe et un système de reproduction basé sur l'accès libre aux relations sexuelles pour tous les individus de l'espèce.

Chez les humains, comme nous le savons — et comme notre visiteuse l'a rapidement découvert à son arrivée —, le tableau est tout autre. Premièrement, chez les humains, la taille des testicules, en proportion de la masse corporelle, est petite, comme elle l'est également chez les autres espèces de primates qui utilisent un système de reproduction basé sur le couple. Deuxièmement, les humains, mâles ou femelles, semblent avoir été conçus pour accomplir des actes sexuels plus raffinés et plus complexes. Nous sommes glabres, ce qui augmente la visibilité et la sensibilité. Le pénis de l'homme et les seins de la femme — signes de maturité sexuelle et d'aptitude à la reproduction — apparaissent sur le devant du corps et sont donc exposés en permanence. Nous avons tendance à copuler face à face pour augmenter les contacts personnels, et nos relations sexuelles sont beaucoup plus fréquentes que chez les chimpanzés. Les femelles de l'espèce humaine ne manifestent aucun des signes extérieurs de rut que l'on peut observer chez les chimpanzés femelles. Les êtres humains ne sont pas soumis à des cycles de reproduction ou à des saisons des amours, comme la plupart des autres espèces de primates. Nos relations sexuelles visent non seulement la reproduction mais aussi — comme notre visiteuse a pu le constater — le plaisir.

En possession de divers éléments de comparaison, notre extraterrestre remarquera, tout en examinant notre espèce, deux éléments reliés au comportement sexuel des humains qui peuvent permettre de les distinguer de leurs proches parents. D'abord, les humains forment des couples relativement stables. A l'encontre de presque tous les primates, sauf le gibbon et le siamang, les humains sont foncièrement monogames, bien que leur conviction soit parfois chancelante. Ensuite, il existe chez eux une division du travail entre les sexes : ils collaborent et semblent s'accorder sur la répartition des tâches. Parmi les quelque 201 sociétés énumérées dans l'*Ethnographic Atlas,* de George Murdoch, la cuisine est une activité strictement féminine dans 158 d'entre elles, et exclusivement mâle dans seulement 5 d'entre elles. La chasse est une activité exclusivement masculine dans 166 sociétés sur 169 et ce n'est jamais une activité exclusivement féminine. Il en va de même pour un certain nombre d'autres tâches. Les mâles sont presque toujours chargés de l'abattage des arbres, du travail du métal, de la construction des habitations, de la pêche et de la fabrication des instruments de musique. Les femmes, en gros, s'occupent du tissage, de la fabrication des vêtements et de la préparation des boissons et des narcotiques. Cette division complexe du travail est un cas exceptionnel dans le règne animal. Seuls les oiseaux possèdent une répartition des tâches de ce type.

Après avoir compris ceci, notre extra-terrestre pourrait passer au raisonnement logique, histoire de compléter ses notes. Des gènes et des chromosomes sexuels; des cerveaux volumineux; un comportement sexuel complexe, le plaisir, la monogamie, la collaboration et la répartition des tâches. Comment toutes ces choses peuvent-elles expliquer le fait que les êtres humains soient devenus les maîtres de la planète Terre? Et, puisqu'il en est ainsi, comment tout cela a-t-il pu être accompli au moyen de seulement un pour cent du patrimoine génétique humain par rapport à celui des chimpanzés? Toujours dans cette perspective, pourquoi ce changement génétique insignifiant a-t-il provoqué des différences considérables entre les humains mâles et femelles — beaucoup plus grandes que celles qui existent entre les chimpanzés mâles et femelles? A ce stade, une foule d'autres questions se présenteront à l'esprit de notre extra-terrestre. Quel est le lien général entre le sexe et le cerveau? Pourquoi seules les créatures de forte taille et dotées d'un large cerveau ont-elles des relations sexuelles alors que les créatures de petite taille et petit cerveau se reproduisent de manière non sexuelle? Quel est l'avantage de la différenciation sexuelle? Quel déterminisme sous-tend la masculinité et la féminité?

Pour répondre à ces questions, l'extra-terrestre de Porteus devra faire un long retour en arrière à travers toute notre évolution; au-delà de l'apparition des premières agglomérations urbaines, il y a environ 15 000 ans, au-delà de l'apparition des premiers outils et de l'*Homo sapiens,* elle devra s'enfoncer jusqu'aux origines de notre évolution, à l'époque où nos lointains ancêtres vivaient encore à l'état de nature, il y a de cela des millions et même des milliards d'années, bien longtemps avant notre arrivée. Notre extra-terrestre devra donc se poser deux autres questions fondamentales pour définir notre nature, questions que les habitants de sa galaxie, tous de sexe féminin, cherchent aussi frénétiquement à résoudre. Pourquoi le sexe existe-t-il? Et pourquoi diable y a-t-il des mâles?

Ces questions peuvent paraître banales et donc appeler une réponse tautologique: c'est pour le bien de l'espèce, pour accélérer son évolution. Mais les choses ne sont pas si simples. Comme George Williams de la State University of New York à Stony Brook l'a souligné, la sélection s'effectue non pas dans l'espèce mais chez l'*individu* et dans les gènes de l'individu. Or la sexualisation de l'espèce place l'individu et ses gènes dans une situation extrêmement désavantageuse puisque seulement la moitié de ses gènes sont transmis à la génération suivante. En termes génétiques donc, ce déficit est exactement de 50 p. 100. Pour contrebalancer celui-ci, on devrait trouver en faveur du sexe un avantage correspondant de 50 p. 100. Cela représente une tâche énorme pour les théoriciens de l'évolution, car les gènes qui présentent un désavantage aussi minime qu'un pour cent disparaîtront très rapidement d'une population donnée, toutes choses égales d'ailleurs.

Depuis quelques années, les théoriciens de l'évolution utilisent des ordinateurs afin de parvenir plus facilement à une solution. Au cours des trois ou quatre dernières années, ils ont joué comme des forcenés au jeu de la génération, utilisant des ordinateurs à mémoire rapide afin de suivre la trace des succès et des échecs génétiques dans diverses circonstances et pendant des milliers de millénaires. Jusqu'à une date très récente, cependant, ils se sont avérés incapables de mettre au point un scénario dans lequel les gènes sexuels se seraient fixés tout en étant continuellement sélectionnés. Ils ont dû compatir avec George Williams lorsqu'il admit au dernier paragraphe de son brillant ouvrage *Sex and Evolution:* «Je ne comprends vraiment pas le rôle de la sexualité dans l'évolution organique ou biotique. Mais, au moins, j'ai la consolation... de ne pas être le seul.»

En 1980, cependant, William Hamilton, un chercheur anglais au physique longiligne, actuellement en poste à l'Université du Michigan à Ann Arbor, publia discrètement une série d'articles extrêmement soignés dans lesquels il offrait une solution originale. Celle-ci aurait des conséquences importantes quant aux liens entre le sexe, les hormones sexuelles, le développement du cerveau et le système immunitaire.

« Les hommes et les femmes, déclare prudemment Hamilton dans son bureau du musée de Zoologie de l'université, sont les descendants des premiers organismes pluricellulaires. La manière dont de tels organismes ont pu se former et survivre a toujours été une énigme pour moi. Il est vrai que la structure pluricellulaire présente certains avantages si un organisme est en concurrence avec des formes de vie de taille plus restreinte. Grâce à différents groupes de cellules qui accomplissent différentes fonctions, cet organisme peut former une couche protectrice contre le milieu environnant et être ainsi capable de coloniser de nouveaux habitats. Il peut également utiliser l'énergie de manière plus efficace, comme les plantes qui croissent en direction de la lumière. Et il peut se déplacer. Mais, en dépit de cela, ces organismes sont encore nettement désavantagés par rapport aux formes de vie qui en sont restées à la structure unicellulaire. Premièrement, ils croissent et se reproduisent plus lentement en raison de leur taille et de leur complexité. Et deuxièmement, ils doivent trouver un moyen de faire face à un problème inédit : soit mettre au point une méthode pour reconnaître les cellules qui appartiennent à leur petite communauté et celles qui lui sont étrangères, en d'autres mots celles qui sont amies et celles qui sont ennemies. Il s'agit d'un système de reconnaissance, d'un mot de passe, biochimique ou autre, en d'autres termes de l'ébauche d'un système immunitaire rudimentaire. A défaut d'un tel système, il est peu vraisemblable que ces cellules forment un ensemble et collaborent. L'organisme pluricellulaire sera alors incapable d'identifier et d'empêcher l'intrusion d'organismes unicellulaires ennemis, lesquels tenteront d'attaquer et d'utiliser ses cellules à leurs propres fins : la formation de virus, de bactéries et de pararites.

« Sur le plan de la reconnaissance individuelle et de la défense, ces parasites auront toujours un avantage certain sur les organismes pluricellulaires. Car ils se reproduisent beaucoup plus vite — une bactérie se divise toutes les vingt minutes environ. Dans une interaction de ce type, où un organisme cherche constamment un moyen de pénétrer dans un autre tandis que l'autre doit chercher sans relâche un moyen de l'empêcher, l'évolution favorise celui qui se reproduit le plus vite, car la sélection naturelle s'effectue à un rythme accéléré. En d'autres termes, les parasites qui se reproduisent très rapidement peuvent s'adapter très vite en vue de neutraliser le système de défense des organismes pluricellulaires, alors que ceux-ci, en raison de la lenteur de leur reproduction, mettent plus de temps à répliquer en modifiant leur défense. Les agresseurs, grâce à des mutations adéquates, obtiendront le mot de passe et gagneront la partie. Ainsi, les organismes pluricellulaires seront *toujours* envahis par les formes de vie unicellulaires, *sauf* s'ils arrivent à mettre au point un *nouveau* tour de passe-passe génétique qui rétablisse l'égalité des chances, en accélérant la production de nouveaux mots de passe et de nouvelles substances chimiques de défense. A mon avis, ce tour de prestidigitateur, c'était le sexe. Le sexe, c'est-à-dire le mélange de gènes provenant de *deux* organismes pluricellulaires, permet de mettre au point de nouvelles combinaisons, de nouveaux mots de passe, de nouveaux systèmes de défense immunitaires en vue de repousser l'invasion des parasites. L'apparition de la différenciation sexuelle a donc conféré aux organismes pluricellulaires un avantage dans la course d'obstacles de l'évolution, encore qu'il soit un faible avantage. A mesure que cet avantage a gagné en importance, jusqu'à l'avènement de l'espèce humaine, le sexe a été constamment sélectionné dans ce sens. La reproduction sexuelle s'est maintenue tandis que la parthénogénèse — la multiplication végétative — a disparu, *sauf* dans les petites populations périphériques où l'on trouve peu ou pas de parasites. Voilà ce que nous pouvons constater dans la nature.

« Ceci m'amène à aborder un second point, ajoute Hamilton. Dans le processus d'évolution, les nouveaux programmes sont bâtis sur les anciens. Notre système immunitaire complexe est issu de la nécessité, pour les organismes pluricellulaires, de repousser les envahisseurs. Notre système nerveux est issu de leur besoin de contrôler le milieu et de faire communiquer entre eux les groupes internes de cellules spécialisées. Quant à nos hormones sexuelles, elles sont issues de leur besoin de régler et de synchroniser la fabrication des cellules sexuelles. Ces trois systèmes, en d'autres termes, ont subi une évolution parallèle, en fonction du besoin fondamental de reconnaissance des éléments *propres* et *étrangers*. Rien d'étonnant à ce qu'on découvre de nos jours qu'ils entretiennent des relations étroites dans nos organismes. »

Si la théorie de Hamilton est juste, c'est donc la nécessité d'un système immunitaire et l'existence des parasites qui, sur le plan de l'évolution, ont rendu souhaitable la différenciation sexuelle ; les organismes qui ont adopté cette forme de reproduction ont ainsi acquis un avantage de 50 p. 100. En retour, c'est la différenciation sexuelle qui a rendu à la fois nécessaire et possible le développement cérébral : dans un sens, le cerveau, au début de son évolution, s'est développé pour servir le déterminisme sexuel. Mais cela n'explique pas pourquoi il existe *deux* sexes, si différents l'un de l'autre. Car l'échange génétique n'implique pas nécessairement qu'il y ait une *différence* entre les deux partenaires. Lorsque les bactéries, par exemple, utilisent le sexe, il n'y a aucune différence observable entre le donneur et le récepteur d'ADN. Dans ce cas, à quoi sert la différenciation sexuelle ?

Sur ce point, la science de l'évolution donne une réponse tout à fait acceptable. Lorsqu'un organisme pluricellulaire choisit la différenciation sexuelle, il produit des cellules spécialement destinées à l'échange et à la reproduction. Or, comme Graham Parker de l'Université de Liverpool en Angleterre l'a démontré, il existe une instabilité inhérente qui empêche les cellules de conserver la même taille. L'influence de la sélection, donc de la concurrence, entre en jeu. Cette sélection naturelle favorise des cellules sexuelles légèrement plus grandes qu'à l'ordinaire et qui représentent un investissement plus important chez les individus qu'elles permettront de procréer. Et ceux-ci, en retour, relèvent le défi en fabriquant des cellules sexuelles *plus petites* qu'à l'ordinaire, mais en nombre plus grand afin de conquérir les cellules de plus grosse taille.

«Grâce à ces données, conclut William Hamilton, le modèle devient de plus en plus net. Les petites cellules sexuelles deviennent de plus en plus combatives; elles peuvent se déplacer très rapidement à la nage, tandis que les grosses cellules sexuelles deviennent immobiles et fixes. Les cellules dynamiques deviennent les spermatozoïdes tandis que les cellules immobiles, qui constituent l'enjeu de leur compétition, deviennent les ovules. Voilà ce que nous avons obtenu jusqu'à nos jours. Des spermatozoïdes et des ovules. Des cellules sexuelles de petite ou de grosse taille, suivant l'investissement génétique. Des prospecteurs et des fournisseurs d'ovules. En bref, des hommes et des femmes.»

Chapitre 16

En haut de l'échelle :
Le « pas de deux » sexuel

Grâce à l'apparition des mâles et des femelles, la sexualité, dans la nature, prend des formes incroyablement variées. Elle *doit* néanmoins se plier à certaines règles précises en raison du déséquilibre fondamental entre mâles et femelles, qui sont respectivement des consommateurs et des fournisseurs d'ovules. Elle utilise également certains mécanismes et processus chimiques fondamentaux car, dans l'évolution, les nouveaux programmes ont été progressivement construits sur les anciens. Si nous voulons comprendre les conséquences des différences qui séparent celui et celle dont nous avons ébauché l'histoire, différences qui leur ont été léguées par l'évolution, nous devons examiner le chemin suivi par la sexualité pour aboutir à ce que l'homme et la femme sont aujourd'hui.

La première chose que nous pouvons dire, c'est que, dans la nature, chaque organisme masculin ou féminin doit accomplir une tâche unique par laquelle la sélection naturelle entre en action : puiser à une source d'énergie dans l'environnement où il se trouve et utiliser cette énergie pour se développer et se reproduire avec succès jusqu'à l'avènement de la génération suivante. Le second point est que, si nous examinons de près la branche de l'arbre de l'évolution sur laquelle nous nous trouvons, les hormones sexuelles mâles et femelles, ont pris en charge la régulation, les mécanismes d'attirance et, par-dessus tout, les dépenses énergétiques que cette tâche exige.

Ces dépenses énergétiques sont différentes chez les mâles et les femelles parce que la quantité d'énergie qu'ils investissent dans leurs *cellules sexuelles* est tout à fait différente. Les spermatozoïdes représentent une ressource qui demande un faible investissement et qui est aisément renouvelable; chez les humains, les mâles peuvent produire en une demi-seconde plus de spermatozoïdes, qui sont les plus petites cellules de leurs corps, qu'une femme ne peut produire d'ovules tout au long de son existence. Ainsi, dans la nature, les mâles peuvent se permettre de dépenser leur énergie à la recherche de plusieurs lots d'ovules. L'évolution exige d'eux qu'ils trouvent des femelles et qu'ils en persuadent le plus grand nombre d'accepter leur sperme. Les méthodes qui se révèlent efficaces sont choisies dans les organismes, les cerveaux et les comportements des mâles, sous le contrôle général des hormones sexuelles mâles. Les femelles, par contre, doivent investir plus d'énergie à la fabrication de leurs ovules. Il est de leur intérêt de développer des méthodes rentables sur le plan énergétique en vue de conserver ou de retenir ces cellules pour ne les accorder qu'aux meilleurs représentants du sexe opposé, soit ceux qui possèdent les meilleurs gènes masculins. Pour ce faire, elles doivent mettre au point des méthodes de *discrimination,* afin de choisir entre les gènes offerts. Et les qualités qui contribuent au succès de leur choix sont sélectionnées dans des organismes, des cerveaux et des comportements femelles, cette fois sous le contrôle général des hormones sexuelles femelles.

Le déséquilibre créé devient particulièrement évident avec l'apparition de la vie animale sur la terre ferme. Car, à partir de cette époque, les mâles et les femelles, au lieu de libérer tout simplement leurs cellules sexuelles dans l'eau ou dans l'air, ont choisi de limiter le gaspillage en s'accouplant: c'est le début de la fertilisation interne. Désormais, la reproduction fonctionne beaucoup moins par hasard. Grâce à cette nouvelle forme de fertilisation, les femelles consacrent toute l'énergie dont elles sont capables à la formation de leurs précieuses cellules sexuelles. Elles peuvent à présent rentabiliser au *maximum* leur investissement, pour le plus grand bénéfice de leur progéniture individuelle, en concentrant leurs investissements sur un petit nombre d'entre eux. Elles peuvent à présent produire des oeufs de *grosse taille,* bourrés d'éléments nutritifs (oiseaux et reptiles); elles peuvent consacrer de longues périodes de gestation au développement de leurs rejetons (mammifères); et elles peuvent également dispenser à leur progéniture beaucoup plus de soins maternels, soins destinés auparavant à leur production d'oeufs qui représentait déjà un investissement majeur (oiseaux et mammifères). En fonction de l'espèce et du milieu, donc, le système cerveau-corps des femelles est maintenant consacré à la résolution d'une équation dont les variables sont les ressources disponibles, le besoin de développement et la durée de la période propice à la reproduction.

C'est à ce moment que les femelles ont dû répondre à la question suivante: combien d'ovules et de rejetons puis-je me permettre de mettre au monde et d'élever, si nécessaire, avec le budget énergétique dont je dispose? Voilà le principal sujet de préoccupation, égoïste s'il en est, des femelles, en fonction duquel elles ne peuvent se permettre de consacrer leur énergie à d'autres activités. Quoiqu'elles doivent atteindre une certaine taille pour que la production d'ovules puisse commencer, elles ne peuvent, par exemple, consacrer *trop* de temps et d'énergie à la croissance, au risque d'être supplantées par leurs consoeurs plus économes de leur énergie: sur le plan de l'évolution, leurs gènes seraient désavantagés. Enfin elles ne peuvent pas non plus se permettre, sauf si une bonne raison le justifie, de consacrer beaucoup d'énergie au développement de certains aspects de leur vie: la recherche d'un compagnon et la compétition pour la conquête de ce dernier. Il est de leur intérêt de laisser la compétition venir à elle.

Les hommes, en revanche, bénéficient d'un budget énergétique beaucoup moins limité, même si leur but est le même: transmettre le plus grand nombre d'exemplaires de leurs gènes à la génération suivante. Ils n'ont pas à prodiguer de soins à leur progéniture ou à subvenir à ses besoins: les femmes se chargent de cela à leur place. Et leur sperme est produit en abondance. Ils peuvent donc consacrer beaucoup plus d'énergie à la recherche et à la conquête d'une ou de plusieurs partenaires. Lorsque la taille ne représente *pas* un avantage particulier, les mâles peuvent se permettre de rester petits et de commencer à se reproduire le plus tôt possible, plus tôt que les femelles. Or lorsque la taille *représente* un avantage, les mâles qui sont en concurrence ouverte, par exemple, peuvent se permettre de consacrer beaucoup plus d'énergie à la croissance que les femelles. Les mâles, en d'autres termes, disposent de choix beaucoup plus variés que les femelles, quoiqu'ils doivent résoudre, dans leur cerveau et leur corps, l'équation ressource-croissance-environnement et répondre eux-mêmes à la question: comment puis-je optimiser mes chances de reproduction et minimiser les chances des autres mâles? Quelle quantité d'énergie puis-je me permettre de dépenser par accouplement et par saison des amours?

La taille relative, la croissance relative, les différentes formes de concurrence et les différents âges du début de la période de reproduction, que nous appelons puberté: les mâles et les femelles de toute espèce ont apporté diverses réponses aux questions que leur pose leur fonction de reproduction dans des milieux variés. Mais, quelle que soit la teneur de ces réponses, ils ne sont pas moins placés sous la direction et le contrôle des hormones sexuelles mâles et femelles, qui sont en quelque sorte le langage employé par les testicules et les ovaires po\ur communiquer avec le cerveau et le corps. Ils sont également *complémentaires* l'un de l'autre. Ils sont enchaînés l'un à l'autre. Car un mâle qui a réussi à répondre à *sa* question est par définition le partenaire d'une femelle, dans une sorte de «pas de deux» de l'évolution, qui elle aussi a résolu *sa* question fondamentale. Dans toutes les espèces, le système d'accouplement est l'expression dynamique de ce «pas de deux» évolutif, transmis par les gènes de génération en génération, dirigé par les hormones sexuelles et exprimé dans les corps et les cerveaux mâles et femelles. Les mâles, ces conquérants, semblent avoir hérité d'aptitudes visuo-spatiales supérieures, comme le souligne Pierre Flor-Henry, ainsi que d'une tendance à l'agression. Les femelles, l'objet de cette conquête, semblent avoir été dotées par l'évolution d'un cerveau plus équilibré et plus discriminatoire.

Les stratégies sexuelles de base des mâles et des femelles — les chasseurs et les gibiers — ont le plus souvent contribué, dans des espèces comme la nôtre, où la fertilisation s'effectue de manière interne, à établir un système de polygynie, qui prend parfois l'allure d'une course de rats dans un labyrinthe ou d'un combat entre chiens et chats. A première vue, ce système semble défavoriser la femelle. Mais, en fait, elle en retire des avantages considérables. En effet, c'est à cette grande manufacturière de la reproduction que revient la décision ultime, ce qui place les mâles à son service et les force à accepter ses règles du jeu. Le déterminisme génétique oblige les mâles à adopter le comportement que les femelles exigent d'eux. Irven De Vore, un anthropologue d'Harvard, en est tout à fait convaincu. «Les mâles, déclare-t-il sans ambiguïté, constituent, sur le plan de la reproduction, un vaste champ d'expériences pour les femelles.»

Les mâles sont ainsi contraints par les femelles à lutter les uns contre les autres, afin que les gènes des plus forts, des plus ambitieux et des plus résistants soient sélectionnés au détriment des plus faibles et des plus malhabiles. Ils doivent aussi, bien entendu, les courtiser. La séduction est un processus complexe grâce auquel les organismes mâles et femelles s'analysent, s'harmonisent, et s'informent, par des réactions hormonales, de la difficulté et du danger éventuels de la fertilisation interne — le mâle ayant tendance à brûler les étapes tandis que la femelle adopte une attitude plus réservée et plus patiente. Dans la nature, la séduction revêt diverses formes. Parfois, elle a pour résultat de protéger les mâles, qui peuvent déterminer par ce processus si la femelle a déjà été fertilisée ou non. Généralement, ce n'est pas le cas; il n'est pas dans l'intérêt de la femelle de s'accoupler plusieurs fois. Ainsi, le mécanisme de la séduction, en grande partie, n'est rien d'autre qu'un questionnaire de demande d'emploi conçu et déterminé par un employeur femelle. Les questions sont nombreuses, subtiles et inter-dépendantes. Premièrement, le mâle appartient-il à la bonne espèce ? Les femelles ne peuvent se permettre l'erreur de s'accoupler à une espèce différente, luxe que les mâles peuvent s'offrir en raison de l'abondance de leur sperme. Étant donné que les femelles ont misé, dans le processus de reproduction, des enjeux beaucoup plus importants, leurs mécanismes de reconnaissance sont placés sous un contrôle hormonal beaucoup plus sévère. Deuxièmement, est-il vigoureux ? La nature fourmille d'exemples de poursuites, parades, danses, marches forcées, courses d'obstacles et autres épreuves imposées aux mâles par les femelles. Il est clair que ces épreuves ont été conçues non seulement pour fournir des renseignements au sujet des gènes mâles, mais aussi au sujet des taux hormonaux et de la production de sperme. (S'il s'est récemment accouplé à une autre femelle, ses taux hormonaux seront moins élevés, il produira moins de sperme sur commande et sera moins vigoureux.) Troisièmement, est-il débrouillard, ou capable de subvenir aux besoins de la femelle ? Peut-il trouver de la nourriture, construire un nid, défendre un territoire et ainsi transmettre les gènes responsables de ces fonctions à la future progéniture de la femelle (ou tout au moins à ses rejetons mâles) ? Avant l'accouplement, le mâle est souvent contraint de démontrer son aptitude à défendre un territoire, à construire un habitat et à faire des présents, de nature protéique ou symbolique. Enfin, quatrièmement, est-il sociable ? Le mâle est-il capable de faire varier son comportement en fonction de son taux hormonal, de manière à canaliser son agressivité dans des actions ayant pour but d'inciter la femelle à ovuler ? C'est la qualité même du comportement inné ou partiellement acquis du mâle qui entraîne dans l'organisme femelle l'apparition des conditions hormonales nécessaires au succès de l'accouplement. Si le mâle fait preuve d'agressivité ou, à un moment ou à un autre, joue mal son rôle, le cerveau de la femelle peut donner l'ordre à son organisme d'arrêter la sécrétion des hormones de transmission qui servent à déclencher l'ovulation.

C'est par les organes de la vue et du toucher que les mâles et les femelles posent ces questions et y répondent ; la copulation elle-même, chez certains mammifères, provoque la libération des précieux ovules de la femelle. Mais les mâles et les femelles communiquent également par des échanges hormonaux ; ils se transmettent des renseignements par l'intermédiaire de certaines substances placées directement sous le contrôle des organes sexuels : les phéromones. Les phéromones sont les produits de certaines glandes à sécrétion odorante ; chez les humains, on les trouve entre autres sous les aisselles. Ces substances se trouvent également dans l'urine, y compris l'urine humaine. Elles transmettent, chez les animaux tout au moins, des renseignements importants au sujet de l'état hormonal du partenaire virtuel et de l'appétit sexuel de celui-ci. Selon Hamilton, il est probable qu'elles contiennent également des renseignements sur l'identité du mâle, et sur sa constitution immunitaire. Cela explique également pourquoi il y a si peu d'inceste au sein de la nature. L'inceste, selon les propres termes de Hamilton, est l'accouplement de deux individus dont les systèmes immunitaires sont extrêmement semblables. Il est donc fort probable que, sur le plan de l'évolution, l'interdiction de l'inceste soit un mécanisme destiné à éviter les problèmes qui pourraient en résulter. Car le croisement entre deux systèmes immunitaires voisins pourrait engendrer une progéniture qui ne bénéficierait pas des avantages du mélange équilibré de deux apports génétiques différents. Leur système immunitaire pourrait se révéler impuissant à les protéger contre les parasites.

Voici donc les héritages distincts des caractères sexuels masculins et féminins. Aussi, la règle qui gouverne chaque espèce est la même: le sexe, la reproduction et tout ce qui contribue à la survie de sa femelle et de sa progéniture sont inextricablement liés à un programme génétique où le dernier mot appartient à la femelle. C'est elle qui endosse, en grande partie, la responsabilité physique de la perpétuation de l'espèce. Quels que soient ses critères, sur le plan physique ou du comportement, pour choisir son partenaire mâle — et quels que soient les mécanismes qui lui permettent de faire un choix judicieux — ces caractéristiques se retrouveront dans la population future. Elles entreront dans le programme génétique qui réglera à l'avenir le comportement sexuel et génital des mâles et des femelles.

Dans la grande majorité des espèces, donc, le comportement discriminatoire des femelles a eu pour conséquence une forme d'organisation sociale dans laquelle les mâles sont éternellement en concurrence les uns avec les autres pour la fécondation d'un nombre d'ovules limité. Toutefois, dans certaines espèces grégaires, comme les chimpanzés, les mâles ont été élevés en vue d'une tâche qui profite directement aux femelles et à leurs rejetons et modifie l'équilibre du pouvoir entre les mâles et les femelles: la protection. C'est une tâche pour laquelle le mâle est biologiquement prédisposé. Lorsqu'une grande taille représente un avantage, il peut se permettre de prolonger sa croissance. Mais cela est loin de mettre un terme à la concurrence entre mâles, tout comme cela ne favorise directement que *certains* mâles, soit le nombre nécessaire pour que le groupe de femelles puisse exploiter efficacement en toute sécurité les ressources de leur territoire. Les autres sont exclus, à moins qu'ils n'arrachent le pouvoir aux mâles qui contrôlent et protègent le groupe, par la lutte ou par tout autre moyen.

Le déséquilibre demeure, donc, et les femelles ont le dernier mot sur la forme que prendra l'organisation sociale dans une espèce donnée. Le déséquilibre disparaîtra uniquement si l'on grimpe un échelon *supplémentaire*. En effet, si les mâles d'une espèce donnée sont élevés en fonction de tâches encore *plus* indispensables à l'individu femelle et à sa progéniture plutôt qu'en fonction de la protection collective, on assiste à la naissance de l'égalité sexuelle. Cet échelon a été gravi par 90 p. 100 des oiseaux et par quelques primates, parmi lesquels nous trouvons le gibbon, le siamang et l'*Homo sapiens*. Cet échelon, c'est la paternité.

La paternité qui, chez les humains, a été poussée à un degré supérieur à celui des autres espèces, représente pour la femelle un remarquable pas en avant qui la décharge de la responsabilité de subvenir seule aux besoins de sa progéniture, et lui permet d'avoir plus de rejetons qu'elle ne le pourrait dans d'autres circonstances. Cependant, la femelle doit en payer le prix. Car si la paternité des mâles s'établit comme un schème social, la femelle doit renoncer à une partie de son vieux pouvoir matriarcal. Elle doit de plus franchir un autre pas pour corriger le déséquilibre biologique. Dans les espèces polygames, peu importe de qui provient le spermatozoïde qui a permis d'engendrer un nouveau rejeton car la garantie de paternité ne fait pas partie du contrat global de ces sociétés. Mais si le mâle est censé subvenir aux besoins du rejeton jusqu'à ce que ce dernier arrive à l'âge adulte, il est normal qu'il exige des garanties sur sa propre paternité. Nous touchons ici à l'élément clef des échanges sexuels chez les humains, qui règle le comportement sexuel et reproducteur de *notre* espèce. Cet élément fait partie de notre programme génétique depuis des milliers de générations humaines: d'une part, les mâles produisent les ressources nécessaires, et, d'autre part, les femelles garantissent à leurs compagnons la transmission de leurs gènes et prodiguent à leur progéniture les soins maternels. Pour l'amour et le bien-être de leurs enfants, les hommes et les femmes forment des couples et vivent ensemble.

Owen Lovejoy est un barbu dans la trentaine, à l'intelligence vive et déliée. Professeur à la Kent State University dans l'Ohio, c'est un autre représentant de cette nouvelle génération de savants qui bouleverse les anciennes hypothèses et cherche à répondre aux questions qui avaient été laissées de côté depuis des lustres. A Kent State comme ailleurs, Lovejoy jouit d'une solide réputation en anthropologie, en anatomie humaine et en chirurgie orthopédique. Il a collaboré étroitement avec Donald Johanson, qui a eu le privilège de découvrir, en Éthiopie, la désormais célèbre Lucy, squelette de l'hominien bipède le plus ancien que nous connaissions. Et il est persuadé que, dans notre espèce, la paternité a été responsable en dernier ressort de l'apparition de la civilisation humaine.

«Nulle autre espèce que la nôtre n'offre l'exemple de soins paternels aussi intenses et de si haute qualité, déclare-t-il, Je suis persuadé que l'apparition des soins paternels est absolument fondamentale dans le cadre de notre évolution. Les anthropologues ont toujours prétendu que c'est l'utilisation des outils qui distingue l'homme des autres primates. Les outils, le cerveau volumineux, le langage et la verticalité: tout cela semble faire partie d'un même patrimoine légué par l'évolution. A mon avis, c'est une absurdité. En ce qui me concerne, je pense qu'un seul élément peut répondre à toutes les questions que nous nous posons au sujet de la station verticale, de l'intelligence, de la culture, de la domination de l'espèce. Et c'est un certain schéma d'accouplement et de parenté qui s'est imposé à l'intérieur de notre espèce — la division du travail afin de maximiser le succès de la reproduction. Une sorte de monogamie. Bien entendu, nous ne trouverons jamais cela sous une forme fossile. Mais je crois que c'est là l'élément essentiel qui a provoqué l'apparition de l'*Homo sapiens*.»

Nous en avons discuté pendant plusieurs heures, dans le restaurant d'un motel situé en dehors du campus, halte favorite de Lovejoy. «Voyez-vous, dit-il, je suis un esprit primitif très attardé. Et les individus de mon genre ne s'intéressent guère à ce qui s'est passé au cours de ces quatre ou cinq cent mille dernières années. Ce qui *nous* intéresse, c'est de remonter le plus loin possible dans l'évolution humaine. Voilà ce qui rend Lucy si fascinante, car elle nous pose un sérieux problème. Premièrement, c'est une très vieille dame, âgée de trois millions d'années et demi — plus vieille que *tous* les outils ou les cultures que nous connaissons. Deuxièmement, elle n'est pas très rusée. Elle a un crâne primitif beaucoup plus semblable à celui d'un singe qu'à celui d'un homme. Troisièmement, en dépit de cela, elle avait une posture tout à fait verticale et elle pouvait marcher d'une manière exactement semblable à la nôtre. On peut se demander pour quelles raisons. Pour chasser? Pour fuir les prédateurs? Non. Pour cela, elle était beaucoup plus à l'aise à quatre pattes. A la station verticale, les humains ne peuvent atteindre que la vitesse des singes patas; ils ne peuvent battre à la course qu'un serpent assez rapide, et leur vitesse de marche est à peu près la même que celle d'un poulet. Des aptitudes plutôt faibles, donc, pour survivre dans les immenses et traîtres savanes où les hominiens ont évolué après avoir quitté la forêt. Alors Lucy se serait-elle dressée sur ses deux jambes pour mieux se nourrir? Non. L'étude des dents de Lucy nous prouve que les gens de son espèce étaient omnivores. Et, dans la savane, la station verticale n'est pas nécessaire pour *ce* genre de régime alimentaire. *Pourquoi, alors?*» Lovejoy savoure le suspense: «La réponse est simple, il me semble. Les membres de l'espèce de Lucy *(Australopithecus afarensis)* nos plus lointains ancêtres, transportaient leur *nourriture*. Et bien avant qu'ils n'émigrent dans la savane, ils s'apportaient de la nourriture les uns aux autres.

«Vous pourriez penser que cela ne constitue pas grand-chose.

Mais c'est *très* important, au contraire. Parce que, pour qu'une telle forme d'adaptation apparaisse, il faut qu'elle présente un avantage sur le plan de la reproduction. L'énorme changement anatomique nécessaire à ce comportement *doit* être relié à une réussite sur le plan de la survie et de la reproduction. Les hommes primitifs n'ont pas décidé, comme cela, sans raison, d'être gentils les uns avec les autres. Quel était le motif de ce comportement? Eh bien, il devait y avoir une motivation qui, à mon avis, résultait d'un nouvel accord conclu entre mâles et femelles et d'une nouvelle manière d'élever les enfants, le tout cimenté par la sexualité.

« Le meilleur moyen de saisir ce que j'avance est de se pencher sur les chimpanzés qui sont nos plus proches parents. Les chimpanzés arrivent très lentement à maturité, comme les humains. Pour des primates, ils ont de gros cerveaux. Ils utilisent des armes et des outils rudimentaires et, de temps en temps, il leur arrive de marcher en posture verticale. Ils évitent de pratiquer l'inceste. Ils ont des systèmes de parenté assez complexes. Et il leur arrive même parfois de préférer — c'est ce que nous commençons à découvrir — un partenaire sexuel pendant toute la saison des amours. Mais, *contrairement à nous*, ils ne collaborent pas sur le plan de la nourriture. Une mère, qui transporte et parfois laisse tomber et blesse son petit, doit se nourrir et se défendre toute seule. Cela signifie qu'une femelle chimpanzé *ne pourra* avoir plus d'un petit à la fois. Son taux de natalité est donc très limité. Le résultat est que les chimpanzés sont à peine capables de maintenir leur population et qu'ils sont en voie d'extinction. Ils n'ont jamais pu quitter la forêt où leur évolution s'est poursuivie.

« L'homme primitif, voyez-vous, s'est trouvé face au même problème. Sur le plan de l'évolution, il n'y avait qu'un *seul* moyen de le contourner. Décharger la femelle du fardeau de la recherche de nourriture et lui permettre de consacrer plus de temps à sa progéniture, de préférence dans un lieu protégé, afin qu'elle puisse materner plus d'un bébé à la fois. Le mâle, en d'autres termes, est *devenu* le pourvoyeur en nourriture. Comment a-t-il pu y parvenir? Comme il ne pouvait transporter la nourriture dans sa bouche comme les renards et les oiseaux, il *dut* adopter la station verticale et utiliser ses mains. Et pourquoi a-t-il accepté d'assumer cette fonction? Qu'a-t-il obtenu en retour? Des relations sexuelles régulières et des soins efficaces pour son investissement génétique. »

La satisfaction de ses besoins sexuels et une certaine garantie de paternité en échange d'un surcroît de ressources pour la femelle, tout cela pour le bien-être des enfants: telles sont les conditions d'échange offertes par ce que Owen Lovejoy surnomme «une sorte de monogamie». Aussi, plusieurs particularités en découlent. Chez les humains, la période de fertilité de la femme n'est annoncée ou signalée par aucun signe visible. Son ovulation, en d'autres termes, est cachée. Et, sur le plan sexuel, elle est plus ou moins réceptive en permanence. La période pendant laquelle une femme peut avoir des relations sexuelles avec un homme n'est pas limitée à quelques jours par mois. Un certain nombre d'autres primates semblent avoir fait quelques pas timides dans l'une ou l'autre de ces directions, mais cette combinaison est extrêmement prononcée chez les humains. Selon Lovejoy, ces particularités semblent faire partie du même ensemble de transformations qui ont amené l'être humain, au cours de son évolution, à adopter la station verticale et à confier aux mâles la tâche de l'approvisionnement en nourriture.

Tous ces éléments semblent s'inscrire dans un système logique. Car si la femelle de l'espèce est en mesure de dissimuler le moment où elle est fertile, elle peut atteindre deux objectifs : inciter le mâle à rester auprès d'elle tout au long de son cycle, si ce dernier attache une grande importance à la procréation et, en même temps, décourager les autres prétendants qui voudraient partir à la conquête de ses ovules, rassurant ainsi son partenaire qui pourrait douter de sa paternité. Le fait qu'elle soit consentante peut aussi renforcer sa stratégie. Car cela incite le mâle à rester à ses côtés et à renouveler ses efforts pour se reproduire. Cela peut être, si vous voulez, le début de la sexualité considérée comme un loisir. Mais cela n'a rien à voir, sur le plan de l'évolution, avec le donjuanisme et les aventures éphémères, d'apparition plutôt récente. Tout au contraire. Cette transformation est la consécration qui appose le sceau final sur le couple mâle-femelle.

Tout ce qui s'ensuit est ce qui fait de nous des humains distincts des animaux. « Ce nouveau contrat social, explique Lovejoy, est extrêmement démocratique ; grâce à l'institution du couple, la plupart des mâles peuvent à présent trouver des partenaires. Le groupe social s'élargit, ce qui représente un énorme avantage. Les systèmes sociaux deviennent plus complexes et les comportements antisociaux s'effacent parce que vous avez dorénavant deux parents, une double affiliation, des réseaux de parenté plus complexes, et un accroissement de l'individualité : chacun sait à présent à qui il appartient. Cela permet d'allonger la période de l'enfance, ce qui permet au cerveau de se développer beaucoup plus graduellement. Les mains de l'homme se libèrent, ce dernier est incité à inventer des moyens de transport pour la nourriture et les enfants, ce qui favorise l'apparition des armes et des outils. Les conditions de vie sont également plus agréables. Sur le plan de la sexualité, tout ce qui peut contribuer à la *jouissance* est maintenant sélectionné — tout comme ce qui peut renforcer les liens du couple : la taille du pénis ; l'exposition permanente des seins chez la femelle ; la copulation face à face ; l'absence de poils ; le plaisir de l'orgasme. Tous ces éléments ont contribué à maintenir le mâle et la femelle ensemble et à aider les enfants à devenir assez astucieux pour survivre. »

La théorie d'Owen Lovejoy, depuis qu'elle a été énoncée pour la première fois sous sa forme définitive en 1981, a soulevé de nombreuses critiques de la part d'anthropologues physiques et culturels. Certains ont prétendu que la station verticale de Lucy était une forme d'adaptation à la nécessité de grimper et de se déplacer dans les *arbres* et, par conséquent, qu'il est vraisemblable qu'elle soit apparue bien avant elle. (Il n'existe aucun os fossile qui puisse confirmer l'une ou l'autre théorie.) Chez les rares espèces de primates *monogames,* a-t-on également prétendu, il y a peu de différences entre les sexes sur le plan de la taille, de la hauteur et de la forme du corps. Par contre, il y en a chez les humains. Ces derniers doivent donc descendre d'une espèce caractérisée par la polygamie et la rivalité entre mâles et comme les primates en question, avoir conservé ces caractéristiques.

Bien d'autres questions devront être posées et résolues. Les paléontologues et les préhistoriens devront nous éclairer par de nombreuses recherches avant que le débat ne puisse s'élargir. Mais comme Jerre Levy le dit souvent: « Nous devons nous demander ce qu'il est *raisonnable* de croire en fonction des renseignements que nous possédons. Est-ce que les nouveaux renseignements qui nous parviennent s'ajustent à la théorie que nous avons *élaborée?* » C'est le cas des arguments de Lovejoy. Récemment, d'ailleurs, Robert Martin du University College à Londres, s'est penché une fois de plus sur la question centrale que tous les anthropologues ont tenté d'éclaircir — la taille et l'immaturité à la naissance du cerveau humain — dans une perspective tout à fait différente de celle de Lovejoy. Or il est arrivé à une réponse à peu près semblable à celle de Loveloy: la *nourriture.*

Martin a comparé le poids du cerveau, le poids du corps et le taux métabolique d'un grand nombre de mammifères et de primates vivants, y compris l'être humain. Il a trouvé une corrélation étroite chez chacun d'eux entre le taux métabolique de la mère et la limite du développement cérébral fixé au cours de la vie foetale. Il s'est alors penché sur le régime alimentaire de chacun d'eux et sur la stabilité ou l'instabilité de leur environnement. Et il en a conclu que pour posséder à la naissance un cerveau et un corps d'une taille comparable à celle de l'humain — deux fois plus gros que celui d'un primate pour la même durée de gestation — la femelle d'une espèce quelconque devrait évoluer dans un environnement stable. Quant à son régime alimentaire, elle devrait adopter une stratégie qui la conduise à rechercher des aliments riches en calories, car le développement d'un tel cerveau et d'un tel corps serait extrêmement coûteux en énergie. Enfin, cela exigerait dès le départ — ce qui à l'origine distingua les singes et les hominiens — un approvisionnement alimentaire stable et systématique.

Cela ne signifie pas nécessairement que ce soit le mâle qui ait permis cette évolution, quoique la probabilité soit forte. Il existe, cependant, un autre élément d'explication. Le cerveau humain à la naissance est aussi volumineux que le permet la structure pelvienne de la femelle. S'il doublait de taille par la suite, comme chez les grands singes, notre cerveau serait encore de la taille de celui de notre ancêtre d'il y a deux millions d'années, l'*Homo faber.* Au lieu de cela, le cerveau humain *quadruple.* Comme le souligne Martin à nouveau, cela a dû exiger, au cours de notre évolution, un énorme investissement d'énergie, un accroissement considérable de la quantité de nourriture fournie à la fois aux mères et aux jeunes. Les nouveau-nés humains possèdent encore les caractéristiques foetales et sont complètement sans défense, beaucoup plus impuissants que les nouveau-nés des autres espèces supérieures de primates. Afin de maintenir en vie et de nourrir leurs rejetons pendant que leurs cerveaux quadruplaient de taille, nos ancêtres ont dû prodiguer à ces derniers des soins paternels et maternels beaucoup plus intenses et, presque à coup sûr, adopter une nouvelle stratégie alimentaire. La viande, selon Martin, fut probablement l'élément clef du développement cérébral humain et, partant, reliée à la capacité de chasser le gibier. Chez les humains, les femelles ne sont pas morphologiquement adaptées à la chasse — leur bassin est trop large et trop bas pour leur permettre de courir très vite et leurs bras ne sont pas assez musclés et longs pour pouvoir lancer des armes. Ce sont donc les hommes qui sont devenus les spécialistes de la chasse. Ils avaient déjà développé les aptitudes visuo-spatiales nécessaires à cette activité. Ils devinrent ainsi — à l'époque où la chasse est devenue une activité quotidienne, tout au moins — pourvoyeurs d'aliments riches en protéines pour leurs compagnes et leur progéniture.

De la parthénogénèse à la différenciation sexuelle et à l'émergence du sexe masculin, en passant par la lutte contre les parasites; d'un système de communication nerveux et hormonal à des stratégies diverses de reproduction et de la polygamie au partage des tâches et à une «sorte de monogamie», voilà l'itinéraire qu'a suivi l'évolution et qui a abouti à l'*Homo sapiens* qui, grâce à son cerveau développé, domine la planète. Ces étapes sont le fondement de l'évolution sur lequel les cerveaux mâle et femelle se construisent. Nous espérons avoir donné une explication claire de ce processus d'évolution et nous souhaitons que votre curiosité soit aussi satisfaite que celle de l'extra-terrestre de Porteus. Lorsqu'on s'intéresse à l'être humain, il faut forcément s'intéresser à son évolution, laquelle s'enfonce dans la nuit des temps. S'il était possible de réduire l'évolution humaine à une seule journée, alors, proportionnellement, l'apparition des communautés sédentaires se serait produite il y a seulement seize minutes et demie; la révolution industrielle, qui a transformé de manière irréversible nos modèles de vie, serait survenue il y a quatorze secondes; le condom et l'ordinateur auraient été inventés au moment même où vous finissez de lire cette phrase. Or qui dit humanité dit animalité. Ou, plus précisément, l'espèce humaine est une espèce animale composée de deux types de représentants: le mâle et la femelle. Pendant des centaines de milliers de générations, les animaux des deux sexes se sont sélectionnés les uns les autres en fonction des différences qui existent entre eux. Et c'est dans la chimie du corps et du cerveau, mâle et femelle, que ces différences attendent d'être découvertes.

Chapitre 17

Un héritage ancestral

Au début de 1971, une étudiante en psychologie du Harvard College publia un article dans le prestigieux journal britannique *Nature*. Elle se nomme Martha McClintock. Elle avait décidé d'étudier scientifiquement un phénomène qui jusqu'ici était considéré comme purement anecdotique: le fait que les amies de sexe féminin et les compagnes de chambre semblaient avoir leurs menstruations en même temps. Pendant cinq mois, elle avait soigneusement enregistré les dates des règles des 130 jeunes femmes qui vivaient ensemble dans un dortoir de Boston et elle avait ainsi découvert que ces synchronismes n'étaient pas une légende. Entre octobre et mars, l'écart entre les cycles des camarades féminines et des compagnes de chambre s'était rétréci de manière significative en comparaison des cycles d'un échantillon de contrôle choisi au hasard. L'influence de la lune, les marées, l'alimentation ou la lumière n'y étaient pour rien. Ce phénomène était apparemment le résultat, tout simple, du fait que ces femmes passaient beaucoup de temps ensemble. Martha McClintock releva également un autre détail important. Les femmes qui ont peu d'aventures amoureuses ont des cycles plus longs que la moyenne. Plusieurs sujets confièrent qu'elles avaient des règles plus régulières et des cycles plus courts lorsque leurs rencontres avec des camarades masculins étaient plus fréquentes. Il était clair que ces femmes exerçaient les unes sur les autres une influence mutuelle, à laquelle se superposait l'influence de leurs camarades masculins.

Par une étrange coïncidence, l'article de Martha McClintock parut dans *Nature* peu après la publication d'un article anonyme rédigé par un scientifique de sexe masculin. Ce dernier vivait, pendant de longues périodes, sur une île, dans le plus parfait isolement. Étant doué de ce que Lewis Thomas appelait « un esprit quantitatif », il se mit à mesurer le poids à sec de ses poils après chacun de ses rasages quotidiens. Il remarqua que ce poids augmentait — sa barbe poussait beaucoup plus rapidement — lorsqu'il quittait son île pour rencontrer des femmes et sa « partenaire sexuelle ».

Cependant, l'histoire de Martha McClintock ne s'arrête pas là. Quelques années plus tard, une collègue de Michael Russell au Sonoma State Hospital en Californie lui parla de sa propre expérience des effets de synchronisme étudiés par Martha. A plusieurs occasions, déclara-t-elle, elle avait remarqué que son propre cycle avait tendance à s'aligner sur celui des autres femmes avec lesquelles elle était en contact étroit. Russell conçut une méthode pour tester ce phénomène. Il demanda à « Geneviève » de porter des tampons de coton stérile sous ses aisselles afin de recueillir sa transpiration. Puis, trois fois par semaine pendant quatre mois, dans un autre laboratoire, il appliqua un liquide sur la lèvre supérieure de seize femmes volontaires. Pour la moitié d'entre elles, le liquide était de l'alcool; pour l'autre moitié, c'était de l'alcool et « de l'essence de Geneviève ». Les résultats furent extraordinaires. Les cycles du premier groupe de femmes ne changèrent pas. Mais après quatre mois, l'écart entre les cycles de départ des femmes du deuxième groupe s'était rétréci de manière significative. Ces femmes n'avaient jamais rencontré « Geneviève ». Mais respirer son odeur particulière, sans en être consciente, semblait suffire pour que leurs périodes de menstruations s'alignent sur la sienne.

L'étude de Michael Russell, effectuée vers le milieu des années 1970, n'a été publiée qu'à une date toute récente. Et les travaux d'origine de Martha McClintock, sur le synchronisme spontané, ont été récemment vérifiés à nouveau par deux groupes, l'un de l'Université du Nebraska, l'autre de l'université Stirling, en Écosse. Winifred Cotter de l'Université de Pennsylvanie a récemment confirmé, à son tour, que les observations de McClintock, au sujet des femmes qui fréquentaient de manière plus ou moins régulière des camarades masculins, étaient exactes. Elle a démontré que les femmes qui avaient une vie sexuelle suivie avaient tendance à avoir des cycles plus courts et plus réguliers que celles dont la vie sexuelle était épisodique. Leurs ovulations se manifestaient de façon plus régulière. Cela est également vrai — et le fait est très significatif — des femmes dont le travail consiste à manipuler du musc naturel et synthétique, des substances voisines de la testostérone, l'hormone responsable de la croissance de la barbe du scientifique anonyme. A quoi cela tient-il? Aux phéromones, et aux vieux programmes d'évolution, enfouis sous les nouveaux mais qui sont encore à l'oeuvre à l'intérieur de nous-mêmes.

Les phéromones, comme nous l'avons vu précédemment, sont intimement liées au rituel amoureux chez les animaux, c'est-à-dire au mécanisme de séduction par lequel un mâle et une femelle s'attirent l'un et l'autre pour aboutir à l'accouplement. Chez les insectes, ces mécanismes ont fait l'objet d'études très poussées. Or chez les mammifères, ils servent également à transmettre une large gamme d'informations. L'identité, la domination, la possession d'un territoire et la condition sexuelle: tous ces renseignements sont transmis par l'intermédiaire des phéromones qui, chez les mammifères, commencent à être sécrétées à la puberté, sont reliées aux hormones sexuelles et se trouvent dans l'urine, les sécrétions sexuelles et les produits des glandes à sécrétion odorante. Chez le rat et la souris, les phéromones mâles et femelles — qui se trouvent uniquement dans l'urine — peuvent produire un certain nombre d'effets tout à fait étonnants. Ils peuvent déclencher l'agression, retarder ou accélérer la maturité sexuelle, supprimer ou provoquer le rut, raccourcir ou allonger le cycle de l'oestrus, modifier la croissance et la taille des testicules; par ailleurs, ils exercent une influence sur le comportement maternel et sur la performance et l'excitation sexuelles.

Chez le rat et la souris, les phéromones sont détectées par l'intermédiaire d'un organe spécialisé appelé organe de Jacobson. Or puisque les humains n'étaient pas censés posséder un tel organe, la possibilité qu'ils puissent communiquer par l'intermédiaire de substances de ce genre fut éliminée. Récemment, cependant, on a découvert qu'un certain pourcentage d'êtres humains possèdent à un degré plus ou moins prononcé, des vestiges de l'organe de Jacobson. Puis, les travaux de McClintock et de Russell, entre autres, ont obligé les scientifiques à considérer à nouveau la possibilité de l'existence des phéromones chez les humains. L'argument de base était que, après tout, les humains sont des mammifères qui produisent de l'urine et des sécrétions provenant de glandes à sécrétion odorante qui se développent à la puberté sous les aisselles et dans d'autres parties du corps. Dans ce cas, se pourrait-il que nous produisions des phéromones qui ont, même encore de nos jours, une influence subtile et appropriée sur le comportement du mâle et de la femelle? Et se pourrait-il que les effets de ces substances se manifestent par l'intermédiaire du sens le plus méprisé chez les humains: l'odorat?

Chez les humains, l'odorat fonctionne grâce à l'intermédiaire des deux bulbes olfactifs, petits organes cérébraux qui, en réalité, permettent de sonder la composition chimique de l'environnement au-delà de la surface protectrice de nos organismes. Chez l'être humain, ces cellules sont au nombre de 5 millions alors que le chien, par exemple, en possède 120 millions. L'odorat, donc, semble jouer un rôle beaucoup plus secondaire chez l'homme que chez le chien. Mais les impulsions reçues par les cellules olfactives humaines sont cependant encore transmises aux zones supérieures du cerveau par l'intermédiaire du système limbique, qui a joué un rôle important au cours de notre évolution, et qui contrôle nos émotions, notre comportement sexuel, nos appétits et nos réactions au stress. Il semble que les récepteurs des cellules olfactives réagissent encore aux odeurs particulières des sécrétions mâles et femelles. Le sens de l'odorat lui-même, en vérité, est encore, chez les humains, rattaché d'une manière mystérieuse au mécanisme de base de la sexualité. Tout d'abord, le nez est tapissé d'un tissu érectile semblable à celui du clitoris et du pénis. Du reste, il existe un certain nombre d'indices étonnants qui relient l'odorat aux organes sexuels. Chez les femmes qui souffrent du syndrome de Turner, par exemple, et dont les ovaires sont atrophiés, le sens de l'odorat est très médiocre. Et, chez un certain pourcentage d'hommes examinés, l'insuffisance du développement testiculaire semble aller de pair avec l'absence d'odorat. Robert Henkin de l'Université de Georgetown a démontré, par la suite, que les problèmes de menstruations sont souvent accompagnés de troubles de l'odorat. Henkin a également étudié des personnes qui, pour une raison ou une autre, ont perdu la faculté de sentir. Environ un quart de ces individus se sont plaints d'une perte de libido et chose intéressante, certains hommes ont signalé une diminution de la croissance de leur barbe et un rétrécissement des testicules.

Toutes ces recherches n'en sont encore qu'à leurs balbutiements. Mais il est d'ores et déjà évident que les êtres humains possèdent certaines facultés olfactives dont ils sont complètement inconscients. Richard Doty, du Veterans Administration Hospital à Philadelphie, par exemple, a démontré que les humains peuvent reconnaître les gens à l'odeur de leurs mains, de leurs tee-shirts ou de leurs vêtements de nuit, et qu'ils peuvent déterminer le sexe d'une personne invisible dont ils sentent l'haleine. De son côté, Gary Beauchamp a démontré que les humains pouvaient apprendre, grâce à l'odorat, à distinguer de manière très précise l'urine mâle et femelle. Il est probable que les humains utilisent de telles facultés de manière tout à fait routinière, mais cependant inconsciente, en dessous du seuil de conscience ; Michael Kirk-Smith de l'Université de Warwick a démontré que des quantités infinitésimales de certaines substances odorantes, qui ne sont pas perçues de manière consciente, peuvent avoir une influence sur l'humeur et les émotions. Il est par ailleurs possible que ces substances soient intimement liées non seulement au synchronisme des menstruations mais à d'autres phénomènes fondamentaux de la sexualité et de la reproduction, chez l'homme comme chez l'animal.

Michael Russell en Californie et Aidan Macfarlane à l'Université d'Oxford ont étudié chacun de leur côté, par exemple, le rôle des signaux olfactifs dans la communication mère-enfant, ou « l'empreinte », comme on l'appelle chez l'animal. Ils ont été en mesure de démontrer que, chez l'être humain, le nouveau-né réagit uniquement à l'odeur de sa mère. A l'âge de six semaines, les bébés endormis tournent la tête et commencent à faire des mouvements de succion lorsqu'on place à côté d'eux des tampons préalablement mis en contact avec le sein maternel, mais ils ne réagissent pas ou se mettent à pleurer lorsqu'on place à côté d'eux des tampons provenant d'une autre mère ou qui ont été imbibés de lait de vache. A l'âge de six jours, à l'état de veille, les bébés peuvent distinguer l'odeur de leur mère de celle des étrangers. Cette communication par l'odorat semble également fonctionner à double sens. Dans ses travaux récents, Michael Russell a soumis un certain nombre de mères à des tests, six heures après leur accouchement — c'est-à-dire le plus tôt que cela a été possible puisqu'aux États-Unis, les bébés sont le plus souvent isolés au cours des six premières heures de leur vie. Il a ainsi démontré que les mères peuvent reconnaître leurs bébés et les distinguer des autres par l'odorat.

L'établissement du lien mère-enfant est un important acquis scientifique. Le lien possible entre les phéromones et l'agression chez les humains en est un autre. L'androsténone du verrat — une phéromone qui provoque la réceptivité sexuelle chez les porcs — a tendance à augmenter l'agressivité chez les autres verrats. Une substance contenue dans l'urine des souris mâles a le même effet chez les autres mâles. Cela peut-il se vérifier chez les humains ? Les travaux de Ching-tse Lee et son équipe au Brooklyn College laissent supposer que cette hypothèse est fort plausible. Au milieu de la décennie 1970, Lee a étudié les réactions d'agressivité provoquées chez les souris par les odeurs d'urine. Étant donné que l'urine de souris est notoirement très difficile à recueillir, il a décidé de lui substituer de l'urine humaine. Une fois de plus, les résultats ont été extrêmement surprenants. L'urine provenant de filles, de femmes et de jeunes garçons n'a produit aucun effet. Mais l'urine d'homme adulte a eu exactement le même effet sur les souris que l'urine provenant des représentants de leur propre espèce. L'équipe de Brooklyn a depuis essayé d'isoler et d'identifier le composant responsable de ce phénomène, qui est vraisemblablement un stéroïde, voisin de la testostérone, car il reste à déterminer si cette substance peut également influer sur le comportement humain. Des scientifiques friands d'hypothèses nouvelles ont néanmoins déjà signalé que cette susbtance pouvait influencer les comportements sexuels masculins hostiles qui se traduisent par des graffiti obscènes dans les toilettes pour hommes et par l'agressivité des grands groupes composés uniquement d'hommes.

Le troisième domaine est, bien entendu, la sexualité. Mais ce n'est pas chez l'être humain que la première substance sexuellement équivalente à la phéromone a été découverte, mais chez le singe rhésus. Richard Michael et Eric Keverne de l'université Emory à Atlanta, en Georgie, ont isolé, à partir des sécrétions vaginales des singes rhésus femelles, un certain nombre d'acides gras reliés à l'oestrogène qui, à leur avis, constituent un stimulant sexuel pour les mâles. Ils les ont surnommés «copulines». Ils ont ensuite démontré que ces substances étaient également présentes à des degrés divers chez les femelles humaines: en forte quantité au milieu du cycle, moment où la femelle du singe rhésus exerce sur le mâle une attirance maximale; et en faible quantité chez les femmes qui prennent la pilule, cette dernière ayant d'ailleurs un effet tout à fait semblable sur la femelle du singe rhésus. Les mâles de cette espèce semblent effectivement bouder les femelles à qui on a administré des contraceptifs. Enfin, ces chercheurs ont également démontré que lorsqu'on enduisait les parties génitales des singes de sécrétions vaginales humaines, ces substances avaient sur eux un effet aussi stimulant que si elles provenaient des femelles de leur espèce.

Michael et Keverne ont fait preuve de prudence dans leurs études; ils ont soigneusement souligné le fait que les êtres humains ne sont pas des singes rhésus et tous leurs raisonnements étaient inductifs et associatifs. Leurs conclusions, cependant, malgré ces précautions, ont causé un chahut public énorme. Les milieux scientifiques se sont montrés extrêmement sceptiques. Michael Goldfoot, membre comme Bob Goy du Primate Research Center à Madison, dans le Wisconsin, avait déjà démontré que, chez les singes rhésus, la sexualité n'était pas un processus aussi simple que Michael et Keverne semblaient le croire. Il était possible que l'odorat y joue un rôle important, mais l'apprentissage et la motivation restaient primordiaux. D'autres expériences effectuées par la suite sur les humains semblaient également verser une douche froide sur les théories du groupe d'Emory. En dépit de toutes ces mesures du taux de copulines avant et après l'orgasme, de toutes leurs observations des partenaires sexuels utilisant des parfums contenant ces substances et de leurs tentatives d'évaluer le caractère aphrodisiaque des odeurs vaginales à différents moments du cycle féminin, les savants ont été incapables d'établir une corrélation claire entre la sexualité humaine et les acides gras isolés par Michael et Keverne.

Il est possible, cependant, que les scientifiques aient cherché à vérifier une hypothèse par trop sensationnelle. Et, comme cela arrive souvent dans ces démêlés scientifiques, il se trouve toujours un élément de preuve tentant qui vienne légitimer cette nuance. En 1974, un groupe de chercheurs dirigé par John Cowley a demandé à une assemblée d'étudiants en psychologie à la Hatfield Polytechnic, en Angleterre, d'évaluer les aptitudes au leadership de trois hommes et de trois femmes, tous candidats au poste de secrétaire du syndicat étudiant. On avait fait porter à ces étudiants des masques chirurgicaux, sous prétexte de dissimuler les expressions de leurs visages aux candidats. En fait, la moitié de ces masques avaient été imprégnés de quantités infimes, soit d'acides vaginaux, soit d'androsténone, la phéromone du verrat à présent utilisée pour préparer les porcs à l'insémination artificielle. L'influence de ces substances sur le jugement émis par les membres de l'assistance au sujet des candidats s'est révélée extrêmement étrange. Les hommes n'ont pas semblé influencés par cette substance et ceux qui portaient des masques imprégnés ont émis des jugements semblables à ceux qui portaient des masques normaux. Par contre, chez les femmes, on a constaté des différences importantes. Celles qui portaient des masques imprégnés d'odeurs féminines avaient tendance à accorder une note plus élevée aux candidats les plus timides et les plus réservées et des notes basses aux candidats sûres d'elles et qui s'affirment, en comparaison de l'évaluation émise par les femmes de l'autre groupe témoin. Et celles qui portaient un masque imprégné d'odeurs masculines accordaient leur préférence à une secrétaire douée d'une personnalité active et entreprenante.

On peut tirer de nombreuses conclusions de cette expérience : au sujet de l'odeur musquée des mâles adultes et de leurs effets sur les femmes dont le travail consiste à manipuler ces substances dérivées de l'androsténone ; à propos des facultés olfactives des femmes qui, selon Richard Doty, deviennent exacerbées au milieu du cycle, à peu près au moment de l'ovulation ; et au sujet de la possibilité, donc, d'une interaction des odeurs masculines et féminines dans un système d'information destiné à rendre la femme plus « féminine » et plus réceptive aux manoeuvres de séduction de l'homme précisément à l'époque où elle est le plus féconde, et tout en lui permettant de détecter l'état hormonal de son partenaire éventuel. Les copulines pourraient donc représenter la branche féminine d'un tel système d'information latent. Mais quelle serait donc la branche masculine ?

A la fin de la décennie 1970, George Dodd, de l'Université de Warwick, a identifié deux composants dans la transpiration humaine qui, à son avis, pourraient fort bien jouer ce rôle. Il est parvenu à isoler, purifier et synthétiser l'un d'eux. Le nom abrégé qui a été donné à cette substance est l'alpha-androsténol. On la trouve en quantité beaucoup plus grande chez l'homme que chez la femme. Elle appartient à la même famille que les muscs et que l'androsténone. Aussi, à l'état pur, elle a exactement la même odeur que le santal.

Les travaux de George Dodd ont été en partie financés par l'industrie de la parfumerie, ainsi que la plupart des travaux effectués sur les odeurs aux États-Unis. Ce chercheur dirige lui-même une compagnie de fabrication de parfums. C'est pourquoi sa découverte, de manière peut-être inévitable, a une fois de plus soulevé une tempête, particulièrement dans la presse britannique. Les journaux se sont appesantis d'un ton lubrique sur l'idée d'une lotion après-rasage qui contiendrait de l'alpha-androsténol, ou un de ses dérivés, et ont évoqué la possibilité que l'androsténol soit vaporisé dans les *sex-shops*. Ces sarcasmes persistants tournèrent Dodd en dérision, si bien qu'il déclara avec amertume : « Il est tout simplement impossible d'effectuer ce genre de recherches. »

Depuis, Dodd entoure ses recherches de la plus grande discrétion, particulièrement quant au rôle que l'alpha-androsténol pourrait jouer dans l'attirance sexuelle. Ses rares déclarations évoquent uniquement « la preuve pratiquement irréfutable du rôle physiologique joué par cette substance ». De nos conversations avec les chercheurs anglais, il ressort que l'alpha-androsténol produit également d'autres effets qui influencent subtilement le comportement, comme l'a noté John Cowley à propos des acides vaginaux et de l'androsténol. Tom Clark, par exemple, du Guy's Hospital de Londres, l'a vaporisé en quantités infinitésimales dans un certain nombre de cabines téléphoniques d'une gare londonienne et a constaté un accroissement de la durée de l'occupation de ces cabines, à la fois par les hommes et les femmes. Michael Kirk-Smith a vaporisé cette substance en quantités aussi infimes sur le fauteuil d'une salle d'attente d'un dentiste et a noté un phénomène légèrement différent. Les femmes semblaient fortement attirées par ce fauteuil et le choisissaient sans hésitation, tandis que les hommes restaient neutres ou l'évitaient. Kirk-Smith a également effectué deux autres expériences avec l'alpha-androsténol. Au cours de la première, il a demandé à un groupe d'hommes et de femmes d'exprimer leurs réactions devant une série de photographies, successivement en présence et en l'absence de quantités infinitésimales de cette substance en suspension dans l'air. Au cours de l'autre expérience, il a demandé à la fois aux hommes et aux femmes d'évaluer un certain nombre d'hommes dont certains avaient été imprégnés, sans qu'ils le sachent, de cette substance. Les résultats, à nouveau, furent à la fois subtils et étranges. Dans la première expérience, le produit chimique a semblé inciter tous les participants, masculins ou féminins, à juger les photographies de femmes plus sexy, plus chaleureuses et plus attrayantes. Dans la seconde expérience, les effets ont varié en fonction du sexe. Les femmes ont exprimé unanimement une opinion favorable vis-à-vis des sujets imprégnés d'alpha-androsténol tandis que les hommes, à l'unanimité également, leur ont accordé une note défavorable.

Le Monell Chemical Senses Center est le seul établissement américain dont les activités sont entièrement consacrées aux recherches sur le goût et l'odorat qui représentent, pour le cerveau, les moyens de sonder l'environnement chimique. Le jour de notre visite, un article tiré d'un journal canadien était épinglé sur un babillard au rez-de-chaussée. La première phrase était soulignée et entourée de points d'exclamation: «Au Monell Chemical Senses Center, les scientifiques effectuent des recherches à huis clos sur l'aphrodisiaque miracle.» Les choses, comme nous l'avons vu précédemment, ne sont pas si simples.

Il n'empêche que ces recherches sont virtuellement révolutionnaires. Dans l'un des couloirs, par exemple, sont alignées les cages de petits singes d'Amérique du Sud appelés ouistitis, qui se balancent au bout de leurs perches et jacassent sans jamais rester immobiles. Les ouistitis ont déjà été étudiés par un groupe dirigé par Gisela Epple presque au moment de la fondation du Centre, à la fin des années 1960. D'ailleurs, ces animaux ne risquent pas de passer inaperçus. Où qu'ils aillent, les glandes de leurs zones génitales maculent leur environnement d'une substance qui laisse des renseignements sur le genre, l'identité et le statut de domination relatif à l'animal auquel elles appartiennent. Les ouistitis ont également une particularité étrange. Dans un groupe donné, une femelle seulement, la plus haut placée dans l'échelle hiérarchique, est féconde à tout moment. Si elle est déchue de sa position, quitte le groupe ou meurt, une nouvelle femelle dominante devient féconde à son tour, inhibant derechef le cycle de reproduction des autres femelles.

Il y a donc, en d'autres termes, un agent contraceptif contenu dans les sécrétions de la femelle dominante qui, par l'intermédiaire de l'odorat des autres femelles, transmet un message inhibiteur à l'hypothalamus et à l'hypophyse qui contrôlent leurs cycles de reproduction. Aussi, les savants du Monell Center, grâce à l'utilisation de la chromatographie des gaz et la spectrométrie des masses, sont parvenus à une quasi-certitude: il s'agit d'un stéroïde oestrogénique, très voisin des substances utilisées dans la pilule. Celui-ci pourrait fournir aux humains un contraceptif naturel et sans effets secondaires, à utiliser en quantité infinitésimale — il s'agit seulement d'une fraction infime de la sécrétion glandulaire de la femelle dominante du ouistiti — et par une voie naturelle tout à fait inédite: le nez. En Inde, certains savants ont déjà employé efficacement un aérosol nasal contenant une faible quantité des deux hormones utilisées dans la pilule. Et Sven Nillius, de l'Université d'Uppsala en Suède, s'est servi du nez comme voie naturelle pour transporter dans le sang une autre hormone — l'hormone de libération du prolan B (LHRH) — qui joue un rôle essentiel dans le contrôle de la fonction de reproduction.

Les travaux sur les ouistitis et les applications pratiques qui pourraient en découler à l'avenir nous amènent, une fois de plus, à évoquer les travaux de Martha McClintock sur «Geneviève». Car cette recherche contient également les éléments de domination et de contrôle du cycle de reproduction. Nous avons demandé à George Preti, autre membre de l'équipe de direction du Monell Center, ce qu'il pensait, dans cette atmosphère d'analyse quantitative intense, des travaux effectués sur les humains. Est-il sceptique?

« Non, je ne suis pas sceptique, dit-il, quoique à vrai dire, j'aimerais avoir sous les yeux une preuve concrète et limpide: qu'on ait tiré une substance quelconque d'une source odorante particulière, que des individus aient été exposés à cette substance et qu'un effet universel ait été observé. Je ne pense pas non plus que cela soit stupide. Car s'il existe des médiateurs chimiques à longue distance qui peuvent modifier l'humeur, la reproduction et le comportement sexuel, nous serons alors en possession d'outils puissants et subtils — outils qui nous permettront d'intervenir au niveau hormonal, pour accroître la libido ou inhiber les mécanismes de l'ovulation, par exemple.

« Cependant, à la vérité, nous n'en savons pas assez. Il faudrait que nous connaissions mieux les substances contenues dans la salive ou les sécrétions vaginales, ou les produits des glandes apocrines, pour être en mesure de formuler des prédictions sur nos découvertes futures. Cela ne signifie pas néanmoins que nous en sommes arrivés à un point de stagnation. Nous avons étudié les contenus des sécrétions vaginales, par exemple, et la manière dont celles-ci se modifient au milieu du cycle, au moment de l'ovulation. Nous avons également étudié l'haleine, la chimie buccale chez les femmes, et nous avons constaté dans ce domaine également des changements à des moments particuliers, pendant les menstruations et encore au milieu du cycle. Nous ne connaissons pas encore tout cela en détail. Mais nous avons dès à présent deux excellents moyens de prédire de manière simple l'ovulation chez tous les individus de sexe féminin.»

Le Monell Center a demandé et reçu des brevets pour la fabrication de produits chimiques expérimentaux qui seront probablement utilisés très prochainement à domicile par les femmes qui désirent devenir enceintes.

Et les «filtres d'amour»? Peu de scientifiques admettront qu'ils constituent une préoccupation principale dans leurs recherches. Mais il ne fait aucun doute que cela intéresse au plus haut point l'industrie de la parfumerie, tout particulièrement représenté par Henry Walter, un avocat érudit et affable qui est le président de l'International Flavors and Fragrances. «Bien entendu que cela nous intéresse», déclare-t-il à l'heure du déjeuner dans son bureau de Manhattan. «Mais l'homme utilise des stimulants sexuels dans la fabrication de parfums depuis des milliers d'années. Le musc, par exemple, quoique utilisé surtout à présent sous forme synthétique, provenait à l'origine de la glande à sécrétion odorante du mâle d'une espèce de petit chevreuil qui vit à haute altitude dans les montagnes de l'Atlas et de l'Himalaya. Cet animal utilise cette substance pour marquer son territoire et attirer les femelles. La civette provient de la glande à sécrétion odorante de la genette, mammifère originaire de deux régions restreintes des côtes africaines. Et le castoréum est une excrétion sébacée du castor d'Europe. Ainsi, pendant des milliers d'années, nos *propres* odeurs sexuelles ont été masquées — quoique nos récepteurs nasaux aient été spécialement conçus pour les détecter, si l'on en croit les travaux effectués par John Amoore en Californie — par les odeurs sexuelles des animaux.

« Mais il se peut que ces substances jouent un rôle beaucoup plus considérable que la simple stimulation sexuelle. L'odeur, par exemple, joue probablement un rôle important dans les troubles psychologiques chez les humains — le système olfactif et ce que nous sentons peuvent être modifiés chez les sujets atteints de troubles et de maladies psychologiques. Les schizophrènes et les personnes souffrant d'épilepsie du lobe temporal ont parfois des hallucinations olfactives et certains patients dépressifs souffrent également de troubles de ce genre. Les schizophrènes dégagent *aussi* une odeur très particulière et ce phénomène a également été observé dans d'autres maladies chez les humains. En fait, nous ne savons pas jusqu'où cela peut aller, mais il existe des textes sanscrits qui font allusion, semble-t-il, à l'établissement de diagnostics et au traitement de maladies nerveuses par l'odeur. Le musc est encore utilisé comme médicament au Tibet et en Chine. Et on m'a dit qu'en vieux persan, l'apothicaire et le parfumeur sont désignés par le même mot.

« Il est également intéressant de constater que le système olfactif est très semblable, sur certains plans, au système immunitaire. Tous deux visent la reconnaissance et la détection précise de certaines substances. Tous deux doivent affronter un éventail de contingences extrêmement large, soit tous les organismes et les produits chimiques que l'individu rencontre dans son environnement. Aussi, les cellules de ces deux systèmes sont assez importantes pour être constamment régénérées et renouvelées. C'est pourquoi j'ai passé une bonne partie de mon temps à parler et à collaborer, dans la mesure de mes moyens, avec des scientifiques comme Edward Boyse du Memorial Sloan-Kettering Cancer Center de New York. Boyse est persuadé que le système immunitaire et les odeurs sont fondamentalement reliés. Il croit que les phéromones, ainsi que tout le reste du système, servent à identifier l'état immunitaire d'un animal.

« Ainsi, à mon avis, nous sommes sur le point de faire des découvertes très importantes, poursuit Henry Walter, qui vont établir un lien entre l'odorat, la sexualité, la maladie, le système immunitaire et le cerveau. Et notre appendice nasal peut nous fournir une nouvelle voie expérimentale pour l'étude du cerveau, vers des découvertes importantes sur les neuro-transmetteurs, les troubles psychologiques, les circuits du plaisir, et les systèmes qui contrôlent l'émotion, le désir et le stress. George Dodd propose déjà des tranquillisants odorants qui visent directement le cerveau «olfactif», héritage très ancien transmis par l'évolution. Enfin l'on commence à entrevoir, de manière encore anecdotique, que l'odorat pourrait être utile dans le traitement de la schizophrénie. Une infirmière d'une clinique pour schizophrènes du Michigan a constaté, après avoir utilisé un vaporisateur parfumé, que cette odeur florale avait provoqué des réactions favorables chez ses patients.»

Si le système immunitaire et le sens de l'odorat sont interreliés, comme le croit William Hamilton et comme les travaux de Edward Boyse l'ont prouvé en partie, cela s'explique par le fait que nos ancêtres ont développé simultanément la faculté de résister aux invasions de parasites et celle de sentir dans l'environnement les cellules sexuelles tout d'abord, puis les cellules des individus de la même espèce, mais du sexe opposé. Un nouveau programme fut bâti sur l'ancien et ce lien fut maintenu sous l'influence modératrice des hormones sexuelles. Il semble qu'il subsiste encore de nos jours, à l'intérieur de nous-mêmes. Les oestrogènes ont pour effet d'exacerber le sens de l'odorat et la testostérone de l'amoindrir, et tous deux exercent précisément la même influence sur le système immunitaire. Au cours de la grossesse, les modifications de l'équilibre hormonal chez la femme influencent à la fois son système immunitaire, comme nous l'avons indiqué, *et* son sens de l'odorat: ce dernier est moins sensible, et la femme enceinte est souvent affectée par des goûts étranges et par des préférences olfactives. A l'époque de l'ovulation également, lorsqu'elle sécrète ses précieux ovules afin qu'ils soient éventuellement fécondés, son système immunitaire et son sens de l'odorat sont à nouveau fondamentalement modifiés. Son système immunitaire fonctionne au maximum, sauf à l'égard de ses fonctions reproductrices, et son sens de l'odorat s'affine. Si l'on en croit les travaux effectués dans les années 1950 par le chercheur français J. Le Magnen, une femme au milieu de son cycle est de cent à cent mille fois plus sensible au musc — l'odeur mâle par excellence — qu'à tout autre moment. S'il en est ainsi, une femme est *à la fois* attirée par l'atmosphère d'intimité de la séduction et du coït et avertie contre ces derniers à l'époque où ses fonctions de reproduction sont les plus susceptibles d'être mises en oeuvre avec succès.

Chapitre 18

Elle et lui

Revenons maintenant à notre histoire du XXᵉ siècle, c'est-à-dire à l'histoire d'«elle» et de «lui», et au phénomène sexuel qui se déroule entre eux. Un phénomène très complexe, il va sans dire, puisqu'il met en jeu la chimie particulière de deux systèmes cerveau-corps: la séduction, l'attirance, l'excitation et ce que Masters et Johnson ont appelé l'EPOR (excitation, plateau, orgasme et résolution). Et ce phénomène comporte une infinité d'autres variables. Dans le cas de notre héros et de notre héroïne du XXᵉ siècle, ce fut une question de chance. Tout s'est déroulé suivant une délicate exécution de pas et de contre-pas. Pourtant, à tout moment, un rien risquait de faire tourner court leur belle aventure: une distraction, un signe mal interprété, un sentiment de culpabilité. Mais si l'aventure s'est poursuivie, c'est non seulement grâce à eux, mais aussi grâce à la culture dans laquelle ils évoluent: l'environnement, la mode. Si l'un des deux, par exemple, avait eu les lèvres en forme de plateau, ou avait porté un énorme anneau dans le nez, ou encore un tatouage en forme de damier sur tout le corps, ce qui est, dans certaines autres cultures, un signe de suprême élégance, l'idylle n'aurait jamais eu lieu. Et si l'un des deux avait asséné à l'autre un direct dans l'oeil, ou lui avait mordu le sourcil, ce qui se pratique couramment dans d'exotiques contrées, leur histoire d'amour aurait également connu une fin prématurée.

En d'autres mots, leurs attitudes face à la sexualité et la manière dont ils se comportent pendant leurs relations sexuelles font partie des coutumes locales. Elles procèdent de la religion et de la loi, de l'éducation et de l'expérience. Elles sont acquises. La fellation, le cunnilinctus et toutes les autres variantes de l'acte sexuel que nous n'avons pas mentionnées dans leur histoire, peuvent apporter une grande satisfaction. Mais ces pratiques sont aussi apprises (d'une manière générale, seulement dans les sociétés dites stables au point de vue matrimonial et dont, par définition, nous faisons partie). En fait, une part considérable de tous nos comportements face à la sexualité est purement culturelle. Aussi, en vue d'approfondir notre sexualité, nous allons devoir gratter le vernis de la culture pour aller droit aux facteurs biologiques qui déterminent la relation entre «elle» et «lui». Nous allons devoir également analyser l'héritage biologique qu'ils ont reçu des générations antérieures ou, en d'autres termes, tous les *programmes* d'évolution qui expliquent leur attitude face à la sexualité et leur attirance pour certains types d'individus.

«Nous devons donc analyser à fond *toutes* les cultures humaines pour voir si elles convergent», déclare Donald Symons, professeur assistant en anthropologie à l'Université de Californie à Santa Barbara, et auteur de l'ouvrage *The Evolution of Human Sexuality*. «L'hypothèse est la suivante: puisque les femmes, comme la plupart des femelles des espèces animales, consacrent une part assez importante de leur vie à la reproduction et à la survie de leur progéniture (alors que les mâles s'en tirent avec un minimum d'obligations), comme les animaux, elles abordent la sexualité et la reproduction de façon différente des hommes. Tout au long de notre évolution, les désirs sexuels et les dispositions qui favorisaient le succès de la reproduction pour l'*un* des sexes était probablement synonyme d'échec pour l'*autre* sexe. Par conséquent, en supposant que notre cerveau, comme le reste de notre corps, ait évolué selon les lois de la sélection naturelle, la psychologie sexuelle des femmes et des hommes d'aujourd'hui devrait être différente. Les femmes devraient être plus difficiles et hésitantes, étant plus exposées aux conséquences d'un mauvais choix. Et les hommes devraient avoir une attitude moins discriminatoire, être plus agressifs et éprouver une plus grande attirance pour une vaste gamme de partenaires, étant donné qu'ils courent moins de risques. Et de fait, c'est ainsi que nous nous comportons.

«De plus, les hommes ne s'associent pas indifféremment à une femme ou à une autre et vice versa. En effet, les mécanismes du cerveau ont dû se développer de manière à leur permettre d'être attirés par les personnes du sexe opposé les plus qualifiées pour la reproduction, c'est-à-dire les plus utiles à leurs gènes. Les hommes recherchent chez une femme la santé, l'aptitude à la maternité et la jeunesse. Les femmes, elles, recherchent chez l'homme d'autres caractéristiques: la santé, bien sûr, mais aussi la force et la promesse d'une sécurité matérielle à long terme, en d'autres mots, tout ce dont elles ont besoin pour assurer la survie de leurs gènes.

« Signalons, poursuit Donald Symons, que la première partie de l'hypothèse s'appuie sur des études effectuées dans le monde entier auprès de personnes d'âges et d'orientations sexuelles variés. Ces études révèlent que les hommes ont tendance à rechercher l'aventure sexuelle. Pour ce qui est des femmes (selon le *Rapport Hite,* par exemple), les aventures sexuelles ne suscitent pas chez elles un si grand intérêt, même si elles croient parfois qu'elles *devraient* en vivre davantage pour être plus heureuses. Ce qu'elles recherchent le plus souvent dans leur vie sexuelle, c'est une sorte d'engagement émotif.

« La deuxième partie de l'hypothèse est tout aussi plausible. Commençons par le cas des hommes. Les hommes de toutes les cultures portent beaucoup d'attention à la santé et à la propreté : une peau saine, des dents intactes, etc. Pour eux, l'attrait physique est de toute première importance. Et cet attrait est toujours en rapport avec la jeunesse. Pourquoi ? Parce que jeunesse est synonyme, chez une femme, de capacité de reproduction. Comme elle ne peut avoir et élever qu'un certain nombre d'enfants au cours de sa vie, l'homme a donc intérêt à la choisir jeune. Le fait d'être attiré par les attributs de la jeunesse chez la femme fait partie du programme génétique de l'homme.

« En retour, la jeunesse n'est pas un critère que les femmes appliquent aux hommes, car la capacité de reproduction de ces derniers peut en réalité *augmenter* avec l'âge, et elles ne portent pas une aussi grande attention à l'apparence physique, bien que la santé, comme je l'ai mentionné, soit importante. Leurs critères de sélection portent beaucoup plus sur la fiabilité, le statut, l'audace et une aptitude à commander et à accumuler des biens. Au cours de notre évolution, donc, les femmes qui ont privilégié *ces* valeurs ont probablement eu le dessus, sur le plan de la reproduction, sur les femmes qui étaient plutôt obnubilées par la jeunesse et l'attrait physique. Il est donc possible que des pressions sélectives se soient manifestées afin que cette tendance se perpétue chez les femmes d'aujourd'hui. De fait, c'est bien ce qui se passe. Alors que les hommes ont une attirance sexuelle pour les femmes jeunes, les femmes, elles, se marient ordinairement avec des hommes plus âgés qu'elles, qui ne sont pas nécessairement des Adonis. En effet, les hommes plus âgés et plus responsables ont pu accumuler des biens et peuvent leur offrir la sécurité.

« Toutes ces considérations nous amènent à constater chez les hommes et les femmes une psychologie sexuelle différente. Ces différences psychologiques, qui s'expriment dans le cerveau, sont à la base de tous les échanges hétérosexuels. Les femmes exercent un contrôle absolu sur un besoin immémorial propre aux hommes : la capacité de porter et de reproduire leurs propres gènes. Voilà pourquoi l'homme a tendance à rechercher, de manière agressive, le plaisir sexuel; il représente pour lui une dépense d'énergie banale dont il a tout à gagner. Pour la femme, cependant, la sexualité revêt une tout autre signification, car ce sont ses ovules si rares et si précieux et tout son corps qui sont exposés à des risques. La sexualité représente donc pour la femme un service de choix, un service qui doit être négocié avec jugement.»

De retour au restaurant. D'ores et déjà, nous pouvons analyser le phénomène d'attirance mutuelle qui s'est manifesté entre elle et lui. Évidemment, au tout début, elle l'a remarqué parce qu'il n'avait d'yeux que pour elle. Puis, elle en a éprouvé un certain plaisir. Par la suite, presque inconsciemment, elle a commencé à assimiler tous les signes susceptibles de lui révéler son statut et ses ressources (tout comme sa capacité de reproduction potentielle): ses vêtements, son teint bronzé, son aisance en société, son corps élancé. Tous ces indices sont révélateurs de réalités sociales en constant changement. A une certaine époque, par exemple, une peau bronzée évoquait les travaux des champs et le travail manuel; aujourd'hui, ce signe est synonyme d'argent et de vacances dans des lieux exotiques. Autrefois, la minceur était synonyme de pauvreté et de sous-alimentation; aujourd'hui, la mode est à la sveltesse et ce sont les personnes défavorisées qui sont grasses. Pendant ce temps, lui aussi faisait de son côté des déductions à peu près semblables. Nul doute que le statut (les vêtements, les bijoux, etc.) était d'une grande importance pour lui. Mais son évaluation était avant tout physique. En la regardant, il évaluait son âge, sa peau, ses hanches et ses seins, tous des signes, au fond, de son aptitude à la maternité. Et comme il la trouvait jolie, on peut supposer aussi que physiquement, elle se situait à peu près dans la moyenne. Les normes de beauté varient considérablement d'une société à l'autre, mais elles représentent toujours *une moyenne des caractéristiques physiques des membres d'une société donnée.* Mais si elle lui a plu, c'est aussi pour des raisons génétiques, des raisons qui font également partie de son appétit sexuel. Parce que, dans toute société, la moyenne des gens représente la tendance dominante du réservoir génétique et que, toutes choses égales par ailleurs, il vaut mieux miser sur la moyenne, c'est-à-dire sur la tendance dominante, plutôt que sur la marginalité.

Tout cela a été examiné à fond. Maintenant, pendant qu'ils dégustent leur repas, ils passent à une deuxième étape où, tout bien considéré, c'est elle qui a les atouts en mains. En effet, si tout cela doit se terminer dans la chambre à coucher, il est avant tout nécessaire qu'elle dise oui. Elle doit être convaincue que leur intimité ne comporte aucun risque, que son partenaire est doux et digne de confiance. Et pour le savoir, elle a besoin qu'il lui fasse la cour. Elle a besoin de preuves. En termes d'évolution, elle doit être sûre que l'homme peut et veut rester assez longtemps à ses côtés pour pourvoir à ses besoins et à ceux de sa progéniture. Pour une femme, cette décision est cruciale. Aussi, pour la négocier, les femmes ont développé des mécanismes qui les rendent beaucoup plus discriminatoires, méfiantes et conservatrices que les hommes à l'égard de la sexualité, et que l'on retrouve également chez les femelles de toutes les espèces animales.

En d'autres mots, elle affronte son partenaire avec un héritage distinct, un héritage qui se manifeste dans la chimie et dans la structure de son cerveau. Elle a une grande facilité à déterminer son caractère à partir de gestes, de pauses et d'inflexions de voix. Ses sens sont plus subtilement ajustés, et son cerveau est structuré de telle sorte que, comme l'affirme Jerre Levy, elle est plus en contact avec ses émotions. Elle est prompte, par conséquent, à réagir au moindre signe de danger. Et elle répond sexuellement non pas aux stimuli *immédiats*, mais à l'atmosphère, à tous ces indices qui concourent à créer la chaleur, l'intimité et la confiance : l'attention, une voix calme, les confidences et les caresses.

Tandis qu'elle l'observe et le met à l'épreuve, son comportement reflète le stéréotypes véhiculés par l'énorme industrie des magazines romantiques et de la littérature à l'eau de rose ; elle réclame une certaine *ambiance* pour auréoler sa sexualité. Mise en présence de représentations de l'acte sexuel (dans des livres ou sur des photographies, par exemple) elle réagit surtout à celles où les relations semblent *crédibles*. Pour ce qui est de sa propre vie sexuelle, elle a besoin, pour passer aux actes, qu'une lumière verte s'allume dans sa tête. John Wincze de la Brown University Medical School et Patricia Schreiner-Engel de la Mount Sinaï School of Medicine à New York ont découvert, dans des recherches menées séparément, que la femme présente souvent des signes physiologiques d'excitation vaginale lorsqu'elle regarde un film pornographique ou qu'elle écoute des cassettes érotiques. Mais elle ne se sent pas toujours excitée par le fait même, contrairement aux hommes. Il semble y avoir une coupure, un vide, entre les réactions de son corps et la partie consciente de son cerveau.

C'est ainsi qu'elle est protégée par la nature qui l'empêche de prendre une décision hâtive face à lui. En outre, l'évolution l'a dotée d'un mécanisme protecteur *additionnel*, dont les effets sont omniprésents dans la société occidentale. Elle est tout simplement moins visuellement excitable que lui, et son cerveau ne réagit pas de la même manière à tout ce qui peut constituer une excitation visuelle. Dans une étude récente, on a demandé à des hommes et à des femmes de regarder un film érotique, puis on a mesuré leur taux de noradrénaline. La noradrénaline, comme nous l'avons déjà vu, varie sous l'influence de la testostérone ; elle augmente en cas d'agression, d'affirmation de soi, d'euphorie et d'hyperactivité.

Après la projection du film, ce taux était beaucoup plus élevé chez les hommes que chez les femmes.

Le fait que les femmes soient moins excitables visuellement est tout à fait plausible dans le cas de notre femme imaginaire. Ce serait contraire à son but de reproduction si elle ressentait une excitation à la simple vue d'un corps d'homme. Lui ne réprime pas ses passions à ce point; il ne vise pas les mêmes buts évolutifs. C'est pourquoi il la dévore des yeux, la déshabille en pensée, constamment attiré par sa bouche, ses lèvres et par la fente entre ses deux seins. Il n'est pas étonnant que l'industrie pornographique empoche des millions de dollars en exploitant visuellement la libido de l'homme et non celle de la femme. Aucun magazine pour femmes fondé uniquement sur les nus d'hommes ne pourrait trouver un marché; si ce marché existe, il est essentiellement constitué d'hommes homosexuels. Enfin, l'on imagine difficilement un salon de massage où des hommes masseraient leurs clientes sans manifester le moindre signe d'excitation. Et pourtant, les femmes y parviennent sans difficulté avec les hommes.

A quoi tout cela rime-t-il quant à l'attirance qui s'exerce entre elle et lui? Eh bien, s'il est par trop agressif, il se peut qu'il n'ait aucun succès auprès d'elle. Des études révèlent qu'il existe une plus grande compatibilité entre une femme et un homme lorsque ce dernier n'est pas autoritaire au point de vue sexuel. Il doit se souvenir que sa façon à elle d'aborder la sexualité est loin d'être ce que le poète W.H. Auden a déjà appelé «une démangeaison nerveuse intolérable». Cela ne signifie pas qu'elle ne puisse être attirée instantanément par un homme ou ne recherchera pas un grand nombre de partenaires sexuels. Mais cela revient à dire qu'il est peu probable que l'attirance qu'elle ressent soit purement physique. Cela signifie aussi que, si elle a de nombreuses aventures sexuelles, il est possible qu'elle éprouve certaines difficultés à déroger aux programmes d'évolution fermement ancrés en elle car elle adopte un comportement qui, au cours de l'évolution, n'a pas joué en sa faveur mais en celle des hommes. Elle n'est pas un homme. Elle n'a pas hérité des mêmes modèles de comportement sexuel que les hommes. Et, qu'on le veuille ou non, d'après certaines études, il est *moins* probable qu'elle parvienne à l'orgasme lors d'une aventure passagère que lorsqu'elle vit une relation stable et durable.

La notion de contrainte évolutionniste exercée sur le comportement sexuel est particulièrement défavorable dans le cas des femmes. Nous sommes tout disposés à accepter que le programme des transformations spectaculaires de la puberté s'effectue en fonction d'une évolution chronologique rigoureuse. Mais, une fois ce stade franchi, nous imaginons être devenus, en quelque sorte, les seuls maîtres à bord. Ce que nous concevons difficilement, c'est que les hormones, par leur action au cours de la puberté, influencent, de manière subtile, notre comportement sexuel tout au long de notre vie.

A la puberté, lorsque le garçon et la fille commencent à ressentir une attirance l'un pour l'autre, l'axe hypothalamus-hypophyse-glandes sexuelles arrive à maturité. L'hypothalamus transmet à l'hypophyse l'hormone médiatrice, la LHRH. Celle-ci amène ensuite l'hypophyse à libérer dans le sang deux autres hormones, la FSH (prolan A) et la LH (prolan B) qui s'y fixeront dans un but particulier. Chez l'homme, la FSH commence alors à produire des spermatozoïdes. La LH commande aux testicules de produire de la testostérone qui se propage alors dans les divers tissus du corps pour revenir à l'hypophyse et à l'hypothalamus, créant ainsi une boucle rétroactive.

Les hommes produisent sans cesse des quantités plus ou moins importantes de ces trois hormones et leur taux de testostérone monte et baisse plusieurs fois par jour. Il est donc très difficile de déterminer de quelle manière ce système agit sur leur vie sexuelle, si ce n'est qu'il les aide peut-être à maintenir constant leur appétit sexuel.

Pour les femmes, toutefois, il en va autrement. En effet, les trois hormones sont intimement liées à la fois à la régulation rigoureuse des événements qui se déroulent pendant leur cycle menstruel et aux fluctuations de leur appétit sexuel. La manière dont ces hormones agissent est très complexe. La FSH est en grande partie responsable de la production d'oestrogènes et la LH de la production de progestérones; tout au long du cycle menstruel, le flux et le reflux de ces deux hormones s'accompagnent de changements dans le désir sexuel. En 1978, un groupe de l'université Wesleyan, dans le Connecticut, publiait dans la revue The New England Journal of Medicine, une étude révélant que le désir et le comportement sexuels chez la femme s'amélioraient d'environ 25 p. 100 pendant la période d'ovulation de trois jours mais que ce phénomène était absent chez les femmes qui prenaient la pilule. Robert Rose, un pionnier dans la recherche sur le comportement sexuel, à l'Université du Texas, signait l'éditorial accompagnant cette étude. « L'affirmation plutôt radicale, écrit-il, selon laquelle, chez les femmes, la sexualité est devenue indépendante des influences biologiques ne tient aucunement compte de l'héritage que nous a légué l'évolution, des nombreuses expériences menées sur les animaux et du rôle crucial de la biologie de la reproduction en général, (...) sans compter les nombreuses données pertinentes recueillies à partir d'études effectuées sur les humains. »

Cinq ans plus tard, cette science n'en est encore qu'à ses balbutiements, car le nombre des facettes sous lesquelles elle peut analyser la sexualité humaine est limitée; il en est de même pour le cerveau. On peut projeter des films érotiques devant des hommes et des femmes dont les parties génitales sont branchées à des appareils servant à mesurer la tension ou la constriction de leurs vaisseaux sanguins. On peut également mesurer le taux d'hormones dans le plasma sanguin et l'urine. On peut raccorder à toutes sortes d'appareils la tête et le corps d'hommes et de femmes en train de faire l'amour et de se masturber. On peut étudier le comportement d'hommes et de femmes qui souffrent de troubles ou de dysfonctions sexuels parce que le rapport d'oestrogène et de testostérone, ou le fonctionnement de leur hypophyse, de leurs glandes surrénales et de leurs hémisphères cérébraux a été perturbé. Et dans ce dernier cas, on peut essayer sur ces sujets divers médicaments, y compris les hormones et les médiateurs chimiques, découverts au cours de l'étude de la vie sexuelle des animaux. En dépit du fait qu'elle soit encore très rudimentaire, cette science nous révèle, petit à petit, que même dans un comportement apparemment soumis au libre choix de l'individu, la chimie fait son oeuvre.

De retour au restaurant. Ce que l'on peut imaginer, entre autres, sur son apparence ici, c'est qu'elle se soit mis un peu de rouge aux lèvres, qu'elle ait souligné ses yeux et se soit légèrement parfumée derrière les oreilles et entre les seins. C'est ce que les femmes font en pareilles occasions depuis des milliers d'années. Ce sont d'anciens rites sexuels. Or, ces soins nous intéressent avant tout parce qu'ils reproduisent les phénomènes hormonaux qui se déroulent dans le corps de la femme. Le rouge à lèvres représente le gonflement et le rougissement des lèvres lors de l'excitation sexuelle. Le maquillage des yeux découle d'une science ancienne selon laquelle nos pupilles se dilatent automatiquement lorsque nous apercevons quelque chose que nous estimons attrayant, ce qui, en retour, nous rend aussi plus séduisants. (La belladone, jadis de l'arsenal cosmétique des femmes, reproduisait directement l'effet de dilatation des pupilles.) Enfin, les parfums étaient fabriqués, comme le voulait la coutume, à partir d'odeurs sexuelles animales afin d'ajouter une note d'agrément à notre propre système de communication hormonale.

Si elle se pomponne ainsi, c'est qu'elle se sent bien dans sa peau, sûre d'elle et sexy, sans vulgarité. On peut supposer que la raison de tout cela est que sa période d'ovulation approche. L'oestrogène est, en gros, l'hormone de la première partie du cycle. Il prépare son corps en vue de la fécondation de l'ovule et de la relation sexuelle, affermit la membrane de sa matrice et de son vagin et la fait ainsi se sentir attrayante et bien dans sa peau. Il fait légèrement augmenter sa température et donne à son corps de la tonicité et de la couleur. Elle rayonne. Au moment de la période d'ovulation, il se produit alors une augmentation du taux de progestérone qui aura d'abord pour effet de la rendre réceptive. Ce phénomène s'accompagne d'une montée de la testostérone produite par les glandes surrénales, qui rend son clitoris plus sensible et aiguise son appétit sexuel. A aucun autre moment de son cycle, l'action conjuguée de ces trois hormones ne s'harmonise de la même manière. C'est uniquement pendant l'ovulation qu'elles agissent de concert pour lui donner cette prédisposition particulière à la sexualité, ce renforcement de son système immunitaire et cet affinement de trois de ses sens: la vue, le goût et l'odorat.

Il ne fait aucun doute que c'est là un vestige d'un mécanisme très ancien faisant que les primates femelles ne sont en chaleur qu'à un certain moment au cours de leur cycle. Mais il fait encore partie du programme d'évolution chez la femme. En outre, il continue, comme chez les primates, à influencer mystérieusement la façon dont « il » se comporte avec elle. D'une manière ou d'une autre, il peut pressentir ce qui se passe à l'intérieur du corps de la femme. Des études ont révélé que l'appétit sexuel des hommes diminue pendant la seconde partie du cycle de la femme, c'est-à-dire après la formation et la mort de l'ovule. Bien que cela puisse être imputable à des signes extérieurs (changements quant à l'attrait de la femme), cela n'explique pas pour autant certains phénomènes étranges qui se produisent entre hommes et femmes. La fréquentation assidue d'un homme, comme nous l'avons vu auparavant, ou la manipulation au cours de son travail de substances mâles, comme le musc, influencent le cycle de la femme en le régularisant. Il s'est avéré aussi que, lorsqu'un homme et une femme vivent ensemble, leur niveau de testostérone et peut-être aussi leurs désirs sexuels augmentent et diminuent en même temps. Les changements de température qu'elle subit au cours de son cycle se répercutent aussi sur *lui.*

Il est alors possible que, dans ce restaurant, cet homme et cette femme parlent un langage qu'ils connaissent mais dont ils n'ont pas conscience: un langage phéromonal qui influence l'attrait qu'ils éprouvent mutuellement. Il est possible que l'homme soit doté de mécanismes qui lui permettent de sonder l'état hormonal de la femme, c'est-à-dire de pressentir si sa période de fécondation est proche. Quant à elle, peut-être possède-t-elle des mécanismes grâce auxquels elle peut recueillir toutes les données sur le taux de testostérone de l'homme. Chez les animaux, les taux de testostérone sont des repères qui indiquent la position relative de chaleur dans la hiérarchie. Chez les humains, ces taux augmentent lors d'une réussite *et* lorsqu'il y a anticipation de relation sexuelle. Ils représentent donc pour elle, dans la mesure où elle peut les décrypter, un excellent moyen de mesurer la valeur potentielle des gènes de son partenaire éventuel *et* l'intérêt qu'il lui porte.

Et maintenant, sans plus de manières, au lit... dans les montagnes russes de l'EPOR de Masters et Johnson. Que nous révèle la science à propos d'«elle» et de «lui» à ce stade? Jusqu'à tout récemment, la seule science qui n'eût quelque chose à dire était la sociologie. Après des années de recherches acharnées, elle nous révélait, par l'intermédiaire de Kinsey, que la femme a 89 p. 100 de chances d'avoir un prélude sexuel d'une durée de plus de trois minutes et 22 p. 100 de chances que ce dernier dure plus de vingt minutes. Elle nous disait aussi que son coït dure en moyenne deux minutes (Kinsey) ou dix minutes (Hunt) et qu'elle met environ huit minutes pour atteindre l'orgasme alors que son partenaire masculin n'a besoin que de deux minutes. Elle nous apprenait également qu'il est peu probable qu'elle soit entièrement satisfaite de sa relation. Sur ce chapitre, les hommes occidentaux ont beaucoup à apprendre des hommes de Mangaia, en Polynésie centrale, par exemple. Dans cette région, les garçons de 13 ou 14 ans reçoivent leur éducation sexuelle d'abord d'hommes âgés de la tribu, et ensuite de femmes qui sont également leurs aînées. Ils acquièrent les techniques nécessaires à la jouissance de la femme. Tout au long de cet apprentissage, ils assimilent une connaissance de l'anatomie féminine qui est parfois supérieure, selon l'anthropologue D.S. Marshall, aux connaissances de la plupart des omnipraticiens occidentaux. Ces hommes assurent ainsi une responsabilité tout au long de la phase reproductive de leur vie: celle de procurer à la femme le maximum de satisfaction par des orgasmes répétés.

Il va sans dire que l'écart entre l'homme de Mangaia et l'homme occidental est d'ordre culturel. Les techniques sont apprises et peuvent toujours être améliorées. Nous devons donc à nouveau ignorer ces différences culturelles afin de mieux percevoir les possibilités sexuelles qui existent entre deux hypothalamus, deux hypophyses, deux surfaces d'un mètre carré de chair et deux organes génitaux. La science, avec toute sa rigueur, nous fournit certaines explications sur le système nerveux, les hormones, les glandes et les produits chimiques qui entrent en jeu lorsque deux partenaires sexuels se retrouvent au lit. Mais elle est incapable de répondre à des questions fondamentales sur les différences qui existent entre eux. Elle ne peut expliquer pourquoi un ensemble de tissus humains, celui de l'homme, atteint l'apogée de son activité sexuelle à l'âge de 18 ans environ, alors que l'autre ensemble, celui de la femme, ne l'atteint que beaucoup plus tard, aux environs de 28 ans. Et elle ne nous dit pas non plus pourquoi l'orgasme de l'homme est universel — c'était à prévoir — alors que celui de la femme est irrégulier et sporadique.

C'est le dernier problème que nous tenterons d'élucider sur le comportement sexuel de l'homme et de la femme. Pour ce faire, nous devons analyser les phases de leur évolution afin de rassembler leurs différentes stratégies d'évolution et les mécanismes sexuels qui s'interposent encore entre eux. D'abord, les faits. L'activité sexuelle de l'homme augmente soudainement aussitôt après la puberté et atteint son apogée avant l'âge de 20 ans. Après cet âge, elle commence à diminuer progressivement pour devenir nulle bien après 70 ans. Par contre, chez la femme, l'activité sexuelle augmente lentement après la puberté et n'atteint son apogée qu'aux alentours de 28 ans. Elle se maintient à ce niveau jusqu'à l'âge de 45 ans, avant d'amorcer un lent déclin.

Cela est assez facile à comprendre dans le cas d'un mâle de type agressif. Dans les sociétés primitives où nous avons évolué et où la vie était dure, brutale et de courte durée pour les mâles, ceux-ci avaient naturellement avantage à atteindre leur apogée sexuel le plus tôt possible. Plus le mâle s'accouplait jeune, plus il avait de chances de se reproduire, et s'il se reproduisait, le même scénario se répétait chez ses descendants mâles, comme c'est le cas chez les hommes dans notre société actuelle. Le déclin de l'activité sexuelle chez l'homme n'est que la contrepartie de l'atteinte précoce de son zénith sexuel. Il est lent et très graduel. Or c'est le résultat d'un comportement perpétué de génération en génération et qui poussait les hommes à avoir des enfants le plus tôt possible. Une fois que ces enfants avaient été mis au monde, la nature sélectionnait les hommes qui étaient de moins en moins portés vers la sexualité et qui se préoccupaient davantage d'assurer la survie de leurs gènes.

Au premier coup d'oeil, le modèle d'évolution de la femme est plus complexe. Néanmoins, il a également trait à la sélection et à la survie de ses gènes. Il est intéressant de noter qu'une grossesse qui survient entre la puberté et les dernières années de l'adolescence comporte plus de risques; les enfants ont notamment plus de difficultés à survivre. Une femme n'atteint sa pleine maturité de reproduction qu'entre 19 et 24 ans. La femme a aussi besoin, répétons-le, de ressources pour assurer la survie de ses rejetons. Il est donc dans son intérêt d'attendre l'arrivée du mâle idéal. Des pressions de sélection entrent en jeu à ce moment-là, favorisant les femmes qui ont tendance à se contenir jusqu'à ce que des liens durables aient été établis. Ce n'est qu'à ce moment précis qu'elles atteignent l'apogée de leur activité sexuelle.

Tout bien considéré, on pourrait, et avec raison, s'attendre à ce que les femmes de 28 ans se mettent à fréquenter des hommes de 18 ans. Mais s'il n'en est rien, c'est pour des raisons de sécurité. Les femmes ne peuvent compter, c'est bien connu, sur les hommes de 18 ans. Ils ont peu à offrir en tant que ressources. Ils sont agressifs et, en matière de sexualité, ils ne comprennent pas très bien le sens du mot « partage ». Si la sexualité humaine n'était qu'une épreuve d'athlétisme, les hommes de 18 ans et les femmes de 28 ans réaliseraient à coup sûr la meilleure performance. Mais ce n'est pas le cas. Que la femme prenne ou non des contraceptifs, c'est la reproduction et la survie de l'espèce qui sont en jeu. Car, en ce qui concerne l'évolution, la sexualité procure des joies incommensurables capables d'unir deux êtres humains dans les buts communs de se reproduire et de se perpétuer dans leurs enfants. Pour cela, une femme a besoin d'intimité, de confiance et de respect, et c'est précisément ce qu'un homme expérimenté et plus âgé qu'elle peut lui offrir. L'apprentissage est en réalité une partie très importante de la sexualité, tant pour lui que pour elle. C'est ainsi qu'un homme plus âgé est mieux en mesure de comprendre le besoin d'engagement psychologique de sa compagne. Il sait comment s'y prendre pour lui faire la cour, cette toute première étape avant le prélude sexuel. Par son expérience, il sait aussi comment lui faire vivre l'ultime expérience de l'orgasme féminin.

« L'orgasme, affirme Donald Symons, n'est pas, semble-t-il, un phénomène courant chez les autres primates femelles. Même chez les humains, il n'est en aucune façon universel. Chez certains peuples, il n'existe même pas d'appellation pour ce phénomène. Ils ignorent son existence. Dans notre propre société, entre 5 et 10 p. 100 des femmes ne l'ont jamais connu ; et de 30 à 40 p. 100 y parviennent de façon intermittente. Il n'est donc nullement relié au phénomène de la reproduction, comme c'est le cas pour l'orgasme masculin. Il est intéressant de noter que chez l'homme, le plaisir intense que procure l'orgasme survient au moment même de l'éjaculation. En d'autres termes, cet ultime plaisir sexuel est une force motivante qui entraîne l'homme vers l'aboutissement de ce point crucial de la reproduction. Chez la femme, ce point crucial n'existe pas comme tel, car elle est le receveur. Elle ne possède donc pas de mécanismes de renforcement comparables à ceux de l'homme. Ainsi, l'orgasme féminin est en puissance, c'est-à-dire qu'il ne peut s'exprimer que par une habile intervention de l'homme. Dans les rares sociétés où, rapporte-t-on, toutes les femmes parviennent à l'orgasme, les partenaires pratiquent un long prélude au cours duquel le clitoris joue un rôle important, ou encore font durer leurs rapports sexuels à bon escient.

« Pourquoi alors, s'il n'est que virtuel, l'orgasme féminin existe-t-il ? A mon avis, bien que la sélection naturelle ait favorisé les hommes sur ce plan, l'orgasme subsiste chez les femmes au même titre que les mamelons chez les hommes, lors même qu'ils ne peuvent produire de lait. L'éjaculation peut se produire au moment de l'orgasme chez certaines femmes qui possèdent une prostate atrophiée. Et je crois que c'est le même genre de phénomène.

« Ce qui ne veut pas dire que l'orgasme féminin ne soit pas important, mais plutôt qu'il ne représente pas pour la femme l'élément essentiel. On a longuement écrit sur l'orgasme féminin, le reliant le plus souvent à l'idée d'insatiabilité de la femme. Je pense que nous avons fait fausse route. Premièrement, je ne crois pas que la femme soit insatiable. Ce n'est pas du moins ce que l'on constate dans les différentes cultures. En outre, il est difficile de concevoir que l'insatiabilité féminine puisse être favorisée par la sélection naturelle. Et deuxièmement, pour la majorité des femmes, l'orgasme n'est pas *du tout* le but suprême. Le *Rapport Hite*, par exemple, nous révèle qu'une grande majorité de femmes recherche avant tout dans les relations sexuelles de l'affection, de l'intimité et de l'amour, et non pas le plaisir que leur procure l'orgasme. Pour la plupart d'entre elles, c'est le moment de la pénétration qui leur donne la sensation physique la plus appréciée. »

Selon Symons, les femmes de notre culture se leurrent en se persuadant que ce qui importe pour les hommes est aussi de la plus haute importance pour elles. Ce qui ne veut pas dire que les hommes ne doivent pas améliorer leur performance pour devenir de meilleurs amants. Mais, rappelons-le, c'est au sein d'une relation stable et chaleureuse que l'orgasme féminin est le plus susceptible de s'exprimer. Lorsque la femme recherche le plaisir dans la variété, elle utilise alors une stratégie essentiellement mâle — elle joue le jeu de l'homme — et se retrouve probablement brimée dans sa propre satisfaction. Il faut se rappeler qu'elle est soumise à des contraintes d'évolution mais aussi à des contraintes hormonales. Tout comme son vagin s'est développé pour s'adapter au pénis de l'homme, et vice versa, ses défenses ont aussi évolué pour faire face aux dangers que l'homme représente pour elle. Si, par le passé, les besoins de reproduction de la femme avaient été comblés par des orgasmes faciles et automatiques, il en serait encore ainsi aujourd'hui; autrement dit, son clitoris serait dans son vagin. Mais ce n'est pas le cas. La femme est différente de l'homme. Elle est programmée différemment, elle s'excite de manière différente, son plaisir est différent aussi.

Si vous administrez à une femme et à un homme des doses d'hormones et de médiateurs chimiques qui interviennent dans la sexualité, ils ont tendance à réagir de manière très distincte. Il est évident d'abord que les hormones présentes dans la pilule ne rendront pas un homme infertile. Par contre, sur un autre plan, il se produit un phénomène très bizarre. Si l'on administre à un homme de la testostérone, par exemple, on constate une augmentation de sa libido. Mais jusqu'à un certain point. Si on augmente la dose, aucune amélioration ne se produit. Par contre, chez la femme, l'effet diffère quelque peu. Non seulement la testostérone augmente son désir sexuel mais celui-ci continue à s'accroître avec l'administration de doses plus fortes. En dépit des effets secondaires que cette hormone entraîne, comme l'apparition de poils sur le visage, on constate que chez la femme le désir sexuel augmente proportionnellement aux doses de testostérone administrées.

Depuis des milliers d'années, les êtres humains connaissent d'instinct la chimie de la sexualité. Ils ont préparé les parfums, rappelons-le, à partir d'odeurs sexuelles animales. Et ils ont consommé spontanément, non seulement tout ce qui évoque les organes sexuels (bananes, avocats et huîtres, par exemple), mais aussi les organes sexuels eux-mêmes (vulves de truies, pénis de moutons et testicules de taureaux). Ils étaient autrefois en quête de l'*essence* qui pourrait améliorer leur performance sexuelle. Surtout dans le cas des testicules de taureaux, ils ne se trompaient pas. Mais ce qu'ils ignoraient, c'est que « l'essentiel » des testicules de taureaux, la testostérone, se décompose dans l'estomac sous l'effet des enzymes avant même d'être distribuée dans le sang.

Ils ne se trompaient pas parce que certains éléments contiennent effectivement des substances à partir desquelles sont fabriqués les hormones et les neuro-transmetteurs qui interviennent dans la sexualité. La dopamine, par exemple, provient de la tyrosine, présente en grandes quantités dans les céréales. Cette substance a un effet stimulant sur l'homme mais non sur la femme, comme le montrent les études effectuées jusqu'ici. Quant à la sérotonine, issue du tryptophane présent dans les aliments à haute concentration d'hydrates de carbone, elle semble exciter la femme alors qu'elle a un effet dépressif sur l'homme. On ne doit pas non plus omettre les oeufs dans les régimes alimentaires. En effet, ils renferment en forte quantité la substance qui produit l'acétylcholine, laquelle, selon des études préliminaires effectuées à l'Université de Tulane, à la Nouvelle-Orléans, produit un effet extraordinaire sur l'accouplement du mâle et de la femelle chez les animaux.

A vrai dire, il faudrait sans doute consommer des quantités considérables de céréales, d'amidon ou d'oeufs pour obtenir l'effet désiré. Mais il existe, bien sûr, une façon plus simple et plus directe d'assimiler ces substances, ou d'autres encore qui procurent le même effet : les comprimés et les injections hypodermiques. C'est inévitablement dans cette voie que la science se dirige. A l'heure actuelle, on est sur le point de découvrir une substance qui, à première vue, paraît tout à fait inoffensive. Cette découverte s'avère utile dans la mesure où l'on envisage de l'utiliser chez l'être humain dans le traitement de l'impuissance, de l'infertilité, de même que dans la régulation des naissances. En cours de route, cependant, dans notre société axée sur la pilule, il est possible que ces découvertes puissent servir à d'autres fins. Mais n'anticipons pas. La LHRH, une substance contraceptive mise à l'essai chez l'homme et la femme, a pour effet de diminuer la libido chez l'homme alors que chez la femme, suivant des études qui n'ont pas encore été publiées, elle produit l'effet contraire. Selon l'expression de l'un des chercheurs, l'une des femmes traitées « était vraiment tout feu tout flamme au lit ». En ce qui concerne l'impuissance chez l'homme, un groupe de chercheurs canadiens effectuent présentement des recherches très prometteuses sur une substance provenant de l'écorce d'un arbre d'Afrique, la yohimbine. Il existe toute une pharmacopée d'autres substances dont les propriétés restent encore à vérifier; certaines d'entre elles sont présentes dans le corps et le cerveau humains et d'autres proviennent de différentes sources. La parachlorophénylaniline (PCPA), administrée avec ou sans testostérone, a des effets aphrodisiaques· sous son influence, le corps semble s'épuiser avant la libido. Et trois autres substances produisent un effet semblable. Selon des travaux effectués à Vassar, la naloxone produit le même effet chez les animaux; elle transforme les mâles apathiques en véritables « séducteurs ». L'ACTH 4-10, présentement à l'étude chez un groupe de chercheurs italiens, provoque chez les animaux « des érections, des mouvements et des éjaculations copulatoires qui surviennent dans un état d'inconscience proche du rêve ». Tous les alpha-MSH, qui contribuent à la production de phéromones chez les animaux et que l'on trouve en très forte concentration chez la femelle au moment de l'ovulation, augmentent considérablement le désir sexuel chez les mâles et les femelles.

La science a démontré, il y a un certain temps déjà, qu'en permettant à un rat de stimuler électriquement certaines régions de son cerveau, celui-ci continue à pousser le levier qui lui procure cette sensation jusqu'à ce qu'il meure de faim et d'épuisement. Il a été également démontré que lorsqu'on stimule une certaine région de l'hypothalamus d'un rat mâle, celui-ci entre en érection environ vingt-quatre fois en une heure et éjacule environ quinze fois au cours de cette même période. C'est la *chimie* de ces deux phénomènes que la science a maintenant entrepris d'étudier. Le temps est donc venu de se poser la question: souhaitons-nous vraiment entreprendre de telles recherches pour nous-mêmes, pour tous ceux qui n'ont *pas* de difficultés sexuelles? Avons-nous le droit de modifier pour notre propre plaisir (encore faut-il que nous le puissions) le comportement sexuel qui nous est prescrit de manière naturelle par l'évolution?

Ces questions, comme toutes celles qui se rapportent aux liens existant entre l'action des hormones et le crime, sont graves et nous devons y songer sérieusement dans les années à venir, puisqu'elles mettent en cause les deux choix dont nous avons discuté au début de ce livre. L'un d'eux nous ramène à la nature: notre place au sein de celle-ci, les contraintes qu'elle impose, tout ce dont, en fait, nous avons hérité et que la science a mis tant d'années à comprendre. L'autre choix nous conduit sans doute vers une technologie du plaisir. Il pourrait, par conséquent, déboucher sur le stade *ultime* de l'égalité de l'homme et de la femme, où nous nous retrouverions pris au piège de notre propre égoïsme.

SIXIÈME PARTIE

La société

Chapitre 19

Au-delà du tumulte

LE CHOC DU FUTUR. Les parents qui peuvent maintenant choisir le sexe de leurs enfants grâce à la séparation du sperme ou à une intervention dans la matrice visant à changer le sexe. Le génie génétique que l'on utilise pour éliminer les caractères humains indésirables. Un monde contrôlé par un gigantesque réseau d'ordinateurs. La population: entre 7 et 8 milliards. L'information: doublant tous les cinq ans. En Occident, les robots remplacent les ouvriers et même les travailleurs spécialisés. Le chômage n'est plus désormais temporaire mais permanent. La semaine de travail est de quinze heures en moyenne. Les communautés, les masses, les collectivités, sont maintenant les plus importantes unités sociales. Les villes continuent à s'étendre entre New York et Boston, Los Angeles et San Francisco. Il existe des pilules pour mémoriser, apprendre, se concentrer et s'amuser. Et l'on possède suffisamment d'armes nucléaires, sur Terre et dans l'espace, pour détruire notre système planétaire ou allumer un nouveau Soleil.

Selon certains futurologues, c'est dans un monde comme celui-ci que vivront les écoliers d'aujourd'hui au terme de leurs études vers l'an 2000. C'est aussi dans ce monde que notre culture est en train de nous précipiter. « C'est comme si nous étions à bord d'un avion à réaction filant à une vitesse vertigineuse », affirme Stanley Lesse, neurologue, psychiatre et éditeur pour la revue *The American Journal of Psychotherapy*. « Aussi est-il tout à fait inutile de regarder par le hublot, car à peine avons-nous admiré le paysage, qu'il appartient déjà au passé. Pour avoir une bonne perspective du présent, nous devons alors regarder en avant. Nous devons considérer l'avenir, parce que la culture change trop rapidement. »

La culture change trop vite. Les signes de ces changements commencent à se manifester à tous les niveaux, notamment, comme l'affirment Lesse et d'autres spécialistes, dans nos relations les plus fondamentales, soit les relations entre les deux sexes. Dans une étude menée récemment aux États-Unis, George Serban, du New York University Medical Center, a constaté que les Américains consommaient une quantité effarante de tranquillisants, de sédatifs, de médicaments variés agissant sur l'humeur, et qu'ils étaient rongés par le stress, l'anxiété et la dépression. A son avis, la sexualité serait la racine profonde de tous ces maux. Le caractère permissif de la sexualité est l'une des principales causes d'anxiété et, de fait, la plus importante source de stress: 53,8 p. 100 des hommes et 81,8 p. 100 des femmes en souffrent. Autre cause importante: « Les nouveaux rôles sociaux des sexes » et « les relations interpersonnelles »; chez les célibataires, plus de la moitié des femmes et presque la moitié des hommes souffrent d'un stress modéré ou grave, en raison de « la superficialité de leurs relations émotionnelles » et de l'insécurité occasionnée par celles-ci. Au demeurant, les Américains ne semblent pas davantage satisfaits au sein du mariage. Une perte d'intérêt et un ressentiment diffus ont pour résultat que seulement 23 p. 100 des femmes et 37,9 p. 100 des hommes sont heureux en mariage. Ce phénomène ne se limite d'ailleurs pas aux États-Unis où, à l'heure actuelle, presque la moitié des unions conjugales se solde par un divorce. En Grande-Bretagne, un mariage sur trois échoue. Robert Chester de l'Université de Hull prévoit qu'entre 5 et 6 millions de Britanniques divorceront au cours des dix-sept dernières années du XXe siècle — « soit environ la population de Bristol, chaque année ».

Ces données nous amènent à nous poser les questions suivantes: Pourquoi les hommes et les femmes ne sont-ils pas heureux ensemble? Pourquoi le pourcentage de divorce est-il si élevé, alors que les hommes et les femmes semblent encore plus malheureux après un divorce ou une séparation? Aux États-Unis, où l'on se penche sérieusement sur ces questions, le taux d'admission dans les instituts psychiatriques est de huit à dix fois plus élevé chez les personnes séparées et divorcées que chez les personnes mariées. Le taux de mortalité est de deux à trois fois plus élevé chez certains types de maladies, y compris le cancer des poumons, la tuberculose et les maladies coronariennes. En outre, les accidents de la route, les suicides, les homicides et les problèmes d'alcoolisme sont aussi plus fréquents dans cette catégorie d'individus.

Pourquoi? Que se passe-t-il dans cette culture occidentale en plein essor qui rend les hommes et les femmes si malheureux et si instables dans leur vie commune? Les êtres humains, après tout, sont des créatures capables de s'adapter à toutes sortes de situations et des créateurs infatigables de cultures et de civilisations. Ils naissent avec un cerveau qui quadruplera de volume et leur permettra d'assimiler, d'apprendre et de grandir dans pratiquement tous les milieux. Alors pourquoi notre société dite «évoluée» constitue-t-elle aujourd'hui une si grande menace pour les relations entre individus?

Dans cet ouvrage, nous avons exploré la biologie et le cerveau de l'homme et de la femme, la longue route qu'ils ont parcourue ensemble, ainsi que les programmes et les contraintes d'évolution qui sont susceptibles d'influencer leurs capacités et leur comportement. Les êtres humains, cependant, sont à la fois biologiques et culturels; ils transmettent non seulement leurs gènes mais aussi leurs connaissances et leurs institutions de génération en génération. Un autre type d'évolution entre maintenant en jeu et nous devons en tenir compte: c'est l'évolution culturelle. L'évolution biologique, rappelons-le, se déroule à un rythme extrêmement lent. Par contre, l'évolution culturelle — ou l'accumulation dynamique des connaissances qui inaugurent l'ère nouvelle de la science du cerveau, du génie génétique, de la cybernétique et des loisirs — a commencé, voilà quelques décennies, à suivre un rythme de plus en plus accéléré. Comme le dit un homme de science, tout évolue tellement vite maintenant, qu'à l'université, les étudiants de quatrième année n'arrivent plus à comprendre les attitudes et les aspirations des débutants de première. La question qu'il faut donc se poser est la suivante: dans sa marche effrénée, l'évolution culturelle est-elle en train de nous confiner en tant qu'hommes et femmes dans des rôles pour lesquels nous n'avons pas été conçus au point de vue biologique? Serait-il possible qu'au cours des deux dernières décennies du XXe siècle, la culture qui nous a été transmise, à laquelle nous avons participé et vers laquelle nous sommes propulsés soit, en définitive, incompatible avec l'héritage conservateur que nous a légué notre évolution biologique? La culture serait-elle en voie de nous aliéner d'une part de nous-mêmes, en nous suggérant ce que nous devons désirer et en nous dictant ce qu'il faut devenir?

Il est extrêmement difficile de traiter d'un sujet, aussi controversé. S'il suscite une telle levée de boucliers, c'est qu'il laisse entendre d'abord que nous nous laissons emporter par le courant et modeler, bon gré mal gré, par tout ce que la culture nous impose; mais aussi, qu'il se peut que nous ayions à payer un lourd tribut, et que nous avons peut-être déjà commencé. Il est également controversé par le fait qu'il heurte une croyance libérale naïvement entretenue selon laquelle nous pouvons nous transformer instantanément en l'homme et la femme nouveaux, et partager un jour le paradis de la parfaite égalité sexuelle. On conviendra aisément que tout cela ne pourra prendre place sans bouleversements sociaux et personnels considérables et ce, en raison des différences biologiques fondamentales entre les deux sexes. Ces différences, inscrites dans nos os, notre cerveau et notre sang, ne pourront jamais être exorcisées de l'esprit humain, à moins que la science n'arrive à extirper des futurs hommes et femmes les mécanismes de la sexualité et de la reproduction auxquels ils doivent la vie.

La possibilité, qu'à l'intérieur de nous-mêmes, la culture et la biologie soient en conflit, ébranle notre conscience. Certains prétendront sans hésiter que cette hypothèse est réactionnaire et antilibérale par ce qu'elle sous-tend. Il est très difficile d'essayer d'y voir clair non seulement parce que nos pulsions et nos instincts fondamentaux sont profondément enfouis sous un amoncellement d'expériences et de comportements individuels variés, mais aussi parce que les différentes forces en présence dans la société — la publicité, les médias, l'aide sociale, la contraception, les fluctuations démographiques et un climat économique et industriel en perpétuel changement — ont un impact direct sur ces comportements et expériences.

Pour bien analyser ce qui se passe entre les hommes et les femmes, nous devons démêler l'écheveau des influences qui entrent en jeu et voir comment celles-ci se combinent pour modifier notre attitude les uns envers les autres. Nous croyons que cette tentative pourrait être fructueuse, car le stress et l'anxiété ne sont pas seuls en cause. Il est vrai que les psychologues, les sociologues, les spécialistes en études de marché, les recenseurs et les auteurs de best-sellers nous ont démontré que les temps ont bel et bien changé. Le nombre de personnes seules, les foyers monoparentaux et les divorcés sont en hausse; la famille se meurt; les hommes et les femmes ne se font plus confiance et ne veulent plus s'engager pour la vie. Mais si l'on prête mieux l'oreille à ce qui se passe autour de nous, on entendra un autre son de cloche, qui n'est pas en harmonie avec les propos des professionnels qui auscultent le malheur de l'humanité. Malgré le tapage organisé des médias, l'idéal dans notre société occidentale, selon des chercheurs comme John Nicholson de l'Université de Londres et Theodore Caplow de l'Université de Virginie, est encore de se marier, d'avoir des enfants et de vivre heureux avec une autre personne et cela, semble-t-il, envers et contre toutes les prédictions. Tout le monde espère voir apparaître, un jour dans sa vie, l'âme sœur. Et ni les hommes ni les femmes ne désirent autant d'aventures sexuelles qu'on veut nous le laisser croire. Ce qu'ils recherchent, c'est l'intégrité, la sensibilité, la bonté, la compréhension et, par-dessus tout, l'intimité et la responsabilité.

Les hommes et les femmes d'aujourd'hui ne seraient-ils que des optimistes béats, s'accrochant contre toute espérance à un bonheur qu'ils n'atteindront jamais? Ou bien s'agit-il d'un appel lancé par la biologie qui parvient encore à se faire entendre en cette époque de turbulence et de bouleversements? Quelques rares hommes de science commencent à s'interroger.

Pour percer l'épais brouillard de la culture occidentale, nous devons d'abord remettre en question plusieurs mythes qui sont à la source de ce que nous pensons nous-mêmes.

Le premier mythe est celui qui veut que la génération qui a atteint sa majorité dans les années 1960 ait inventé d'abord la sexualité, et ensuite les problèmes qui en découlent aujourd'hui. C'est tout simplement faux. Pour le prouver, il suffit de se reporter aux journaux des années 1920. À cette époque, les journaux n'hésitaient pas à proclamer: «Au cours des cinquante dernières années, le taux des divorces a augmenté de *1500 p. 100* et le taux des naissances à diminué. Les hommes et les femmes se marient plus vieux, pour autant qu'ils se marient. La position des femmes, avaient-ils l'habitude de claironner, est en train de changer de façon radicale. Et l'on assiste aujourd'hui à une révolution des moeurs, aiguillonnée par l'invention du nouveau condom de caoutchouc. Les statistiques révèlent que les relations sexuelles avant le mariage et hors mariage sont en hausse. Enfin, la famille, mais oui, la famille, est en crise.»

Tout cela nous semble terriblement familier. Du reste, les rayons de bibliothèques et les articles des magazines de l'époque — la contribution documentée des sciences encore toutes jeunes telles que la psychologie et la sociologie — nous seraient tout aussi familiers. Les livres de développement personnel et les manuels sur la sexualité se vendaient extrêmement bien dans les années 1920. Les titres offerts au public par les éditeurs évoquent étrangement ce que nous retrouvons aujourd'hui. *Où s'en va le mariage? Les facteurs de la vie sexuelle de 2200 femmes. L'effritement du mariage. Divorce et réajustement.*

«A la vérité, affirme Alice Rossi, professeur de sociologie à l'Université de Massachusetts à Amherst, c'est la génération des parents des jeunes adultes d'aujourd'hui qui était la plus aberrante. Ce sont eux qui, après la Seconde Guerre mondiale et la Grande Dépression, se sont mariés dans le but de peupler les banlieues et d'assurer leur descendance. Ils ne vivaient que pour la famille. Aujourd'hui, ils détiennent le pouvoir dans la société et contrôlent les politiques d'embauchage. Ils se plaignent des jeunes mais, ce dont ils ne se rendent pas compte, c'est que leurs propres parents — maintenant à la retraite ou décédés — ressemblaient beaucoup plus aux jeunes d'aujourd'hui. Ils étaient de la génération de Kinsey, la première à nous parler de sexualité. Et ce qu'ils nous ont rapporté de cette époque se rapproche énormément de ce qui se passe de nos jours.»

Alice Rossi est du nombre des rares scientifiques qui, pour la première fois, cherchent un fil conducteur entre les sciences sociales et la nouvelle science du cerveau. Quoiqu'elle est elle-même féministe, ses collègues féministes l'ont soumise à un mitraillage en règle. «D'accord, dit-elle, confortablement assise dans sa résidence d'Amherst, la manière dont nous vivons n'est donc pas aussi révolutionnaire que nous l'avions pensé. Nous pouvons maintenant soulever le voile des ressemblances qui rapprochent la génération actuelle de la génération des années 20 et voir si nous ne pourrions pas y trouver des distinctions importantes. Et je crois que nous le pouvons. Prenons l'exemple des relations sexuelles avant le mariage. C'est dans les années 1920 que les femmes ont commencé en grand nombre à avoir des relations sexuelles avant le mariage. Eh bien, lorsque cette pratique fut courante, la majorité des couples qui s'y adonnaient, savaient, somme toute, que si la femme tombait enceinte, ils devraient s'épouser. Cette pratique était réservée, en d'autres termes, aux couples qui avaient l'intention de se marier et qui, de fait, se mariaient généralement. Aujourd'hui, évidemment, le tableau n'est plus le même. Les jeunes commencent très tôt à avoir des relations sexuelles qui n'ont plus rien à voir avec le mariage. Avant de se marier, la femme a probablement connu plusieurs partenaires sexuels, et non plus un seul. Elle est en mesure de comparer la performance sexuelle de son mari avec celle des autres hommes qu'elle a connus. A la longue, ce genre d'expériences peut avoir pour résultat de réduire les aventures sexuelles extra-conjugales des femmes. Je crois qu'aujourd'hui, le mariage subit des tensions qui n'existaient tout simplement pas avant. Le système des freins et contrepoids qui avait coutume de fonctionner dans la vie sexuelle des hommes et des femmes des années 1920 a subi d'importantes modifications.

«Nous devons nous rappeler une chose très importante, c'est que ce sont les femmes qui portent les enfants et non les hommes. Les hommes peuvent être trompés mais non les femmes; une femme sait toujours qu'un enfant est le sien. Voilà un déséquilibre biologique fondamental. Il est au coeur de tous les échanges sexuels entre hommes et femmes et, par conséquent, du mariage. Le mariage, après tout, est essentiellement un échange, une conséquence de ce déséquilibre: l'homme procure à la femme tout ce dont elle a besoin pour porter et élever ses enfants, en échange de quoi celle-ci lui garantit — par toutes sortes de restrictions sociales — que ses enfants sont réellement de lui. Et qu'arrive-t-il lorsque les restrictions sociales se relâchent et que la garantie perd de sa valeur? Le stress s'installe, un stress qui influe considérablement sur nos relations sexuelles. De plus, les hommes deviennent extrêmement ambivalents sur des sujets comme l'avortement, la sexualité féminine et la libération des femmes.»

Tout le monde conviendra que la nouvelle liberté sexuelle des femmes est attribuable, en grande partie, aux progrès réalisés dans le domaine de la contraception. Ce qui nous amène à parler du deuxième mythe que nous voulons remettre en question, à savoir que la contraception féminine est la meilleure chose qui soit arrivée aux femmes depuis le droit de vote car elle n'entraîne aucune conséquence sociale, mise à part une grande liberté pour les hommes et les femmes.

«Personne, je crois, n'a vraiment idée des effets sociaux et personnels causés par la contraception féminine», affirme Lionel Tiger, professeur d'anthropologie à l'université Rutgers. «Prenons la pilule, par exemple. Personne ne sait ce que cela représente pour une femme que de vivre dans un état de grossesse artificielle, car c'est effectivement de cela qu'il s'agit, pendant la majeure partie de sa vie de reproduction. Les hommes de science essaient de mettre au point des pilules plus efficaces, plus *puissantes* et dont l'effet dure plus longtemps, au lieu d'analyser l'effet des pilules que les femmes utilisent depuis un bon moment déjà. Nous ne savons pas *non plus* quel effet cela peut avoir sur les hommes avec lesquels elles vivent. Or, il se peut que cela exerce une influence *considérable* si l'on en juge par les expériences que mes collègues et moi-même avons menées sur des singes macaques. Ces singes ont de nombreux points communs avec nous; ils s'accouplent toute l'année et les mâles ont leurs préférences. Mais, au cours d'une de nos expériences, un des mâles destinés à la reproduction n'était tout simplement plus attiré par ses femelles préférées lorsqu'on leur administra la pilule. Le mâle était en quelque sorte inhibé.»

Dans une série d'ouvrages écrits avec ou sans la collaboration de son ami et collègue Robin Fox, Lionel Tiger revient sans cesse sur le fait que les êtres humains sont des animaux: des animaux complexes, peut-être, mais qui, comme tous les autres animaux, font partie de la nature et sont exposés à des contraintes biologiques. Aussi, estime-t-il que la contraception féminine entrave et sape ces contraintes. Les risques de grossesse ont toujours représenté une sorte de contrôle que les hommes ont exercé sur les femmes, une sorte de levier dont les femmes se sont servies pour obtenir ce qu'elles désiraient des hommes. Je ne veux pas être cynique à ce sujet; je décris simplement un aspect de la réalité. Et la réalité est telle que les risques de grossesse sont depuis toujours au coeur des négociations sexuelles et de la responsabilité mutuelle de l'homme et de la femme.

«Voyons maintenant ce qui se passe aujourd'hui. Pour la première fois dans l'histoire de l'humanité, la femme peut prendre le contrôle total de notre futur génétique. Pour des raisons médicales et psychologiques, lui a-t-on dit, elle a pris en charge une responsabilité qui avait coutume d'être partagée. Quel effet cela a-t-il eu sur l'homme? Et sur la femme? Songez-y bien. Au cours des deux dernières décennies, les femmes ont pris le contrôle de la conception. En ce qui concerne les hommes, en séparant la sexualité de la reproduction, les femmes les ont dégagés de toute responsabilité en ce qui concerne la reproduction. En réalité, la femme a libéré l'homme — qu'il le veuille ou non, mais cela est une autre question — et non *elle-même*. Regardons les choses en face : combien d'hommes s'interrogent encore sur la contraception? Ils s'opposent à l'idée de recourir aux condoms; en fait, ils n'y pensent même pas.

« Quelle ironie, alors, poursuit Tiger, que l'on perçoive comme une forme d'émancipation de la femme ce qui n'est en réalité que de l'asservissement. Aujourd'hui, les femmes ressentent une grande culpabilité lorsqu'elles tombent enceintes, comme si ce n'était que de leur faute, comme si l'homme n'y était pour rien. Elles recourent souvent à l'avortement et en subissent des séquelles psychologiques dont on sait très peu de chose. Par ailleurs, la contraception ayant permis à la femme d'élargir le choix de ses partenaires sexuels, l'homme met beaucoup plus en doute sa paternité lorsque sa partenaire tombe enceinte. C'est un véritable cercle vicieux. » Tiger lève les bras au ciel. « Responsabilité et culpabilité chez la femme. *Irresponsabilité* subie, bravades et cruauté chez l'homme. Il n'est pas étonnant que les femmes ressentent une certaine amertume face à la contraception, même si elles ne savent pas toujours pourquoi. »

Le troisième mythe auquel nous voulons nous attaquer, histoire d'extraire la part de vérité qu'il renferme, est relié aux deux premiers mythes que nous venons d'évoquer. Il dit ceci : Étant donné que la contraception nous a libérés (deuxième mythe), et que nous pouvons ainsi vivre pleinement de nouvelles expériences sexuelles (premier mythe), le célibat est donc (troisième mythe) le meilleur choix à faire parce qu'il est un gage de bonheur, d'autonomie et d'indépendance et qu'il permet de vivre sa sexualité sans le boulet de l'engagement. C'est ce que la majorité des personnes mariées doivent croire, si l'on en juge par l'insatisfaction qu'elles éprouvent face à leur mariage. Et c'est aussi ce que la majorité des célibataires semblent croire, même s'ils admettent pour la plupart qu'ils ne peuvent appliquer cet idéal à leur situation.

Dans une récente publication, *Singles: The New Americans*, Jacqueline Simenauer et David Carroll ont analysé les résultats d'un sondage et d'un questionnaire élaborés en vue d'examiner, à partir d'un échantillon représentatif de 3 000 personnes, la vie, les émotions et les attitudes d'hommes et de femmes américains célibataires. Certaines de leurs conclusions sont assez frappantes. La plupart des personnes interrogées, par exemple, ont admis franchement et ouvertement qu'elles détestaient les bars pour célibataires qu'elles fréquentaient. Quarante pour cent des femmes ont été victimes d'abus physiques ou mentaux par suite de rencontres faites dans ces bars. Les hommes admettent qu'ils sont souvent très agressifs dans ces endroits, n'ayant aucun respect pour le genre de femmes qui les fréquentent. Selon eux, elles «couchent avec n'importe qui». Ainsi, les féministes, que l'on imagine se récriant contre un double jeu aussi flagrant, reçoivent toutefois de ces hommes une sorte d'éloge indirect. De l'avis général de ces derniers, la poursuite de l'égalité sexuelle a pour résultat que les femmes passent directement à la chambre à coucher, sans qu'ils aient à adopter le lent et coûteux cérémonial de la séduction et des fréquentations.

Il est également intéressant de voir ce que Simenauer et Carroll ont découvert sur les vraies valeurs que les célibataires entretiennent, malgré une façade désinvolte et mondaine: Près de 75 p. 100 des hommes interrogés se sont déclarés indifférents ou opposés à l'idée de coucher avec une femme lors de la première rencontre. Ni les hommes ni les femmes ne semblent priser les aventures sexuelles. Ce qu'ils désirent avant tout, c'est s'engager, donc se marier. Environ la moitié des femmes et plus du tiers des hommes interrogés sont d'avis que le concubinage n'est pas un choix satisfaisant et que c'est précisément le «manque d'engagement qui empêche les partenaires d'être comblés par ce type de relation.» En d'autres mots, les célibataires ne choisissent pas leur état en fonction de ses privilèges. La majorité d'entre eux sont célibataires parce qu'ils n'ont pas trouvé le conjoint idéal. Il semblerait que le mariage ou le remariage reste toujours leur but ultime. Et le prix qu'ils payent pour leur soi-disant liberté, comme ils l'appellent eux-mêmes, c'est la solitude.

Si malgré toute cette liberté, le célibat n'occasionne que solitude et insatisfaction, tout en constituant, comme nous l'avons vu, une menace pour la santé, alors pourquoi tant de gens y sont-ils inexorablement entraînés? Quels courants traversent la société occidentale qui poussent ainsi les gens à faire des choses qu'ils ne semblent pas, au fond, vouloir faire — différer un mariage ou divorcer et rester seuls? L'un de ces grands courants est évidemment le malaise et la méfiance qui prévalent entre les hommes et les femmes, la disparition du système de freins et de contrepoids dont ont parlé Alice Rossi et Lionel Tiger: le stress dont nous souffrons dans toutes nos relations, à cause de la sexualité féminine, la contraception, la mise en doute de la paternité, l'arrogance du mâle libéré. Par conséquent, les hommes et les femmes ont de plus en plus de difficulté à trouver un partenaire en qui ils peuvent avoir confiance; ils ont tendance à douter de leur partenaire du moment et finissent inéluctablement par rompre.

N'oublions pas tous les autres courants sociaux qui se sont conjugués pour créer le climat qui règne de nos jours. Ces forces trouvent leur expression la plus pure et la plus directe dans les médias et la publicité. Comme le confie une femme citée dans le livre de Simenauer et Carroll : « La notion d'un mode de vie célibataire est une pure invention du « marché libre » … dans le but de vendre toute une gamme de produits inutiles, du type produits cosmétiques « naturels », séchoirs à cheveux, désodorisants, clubs de rencontres, agences de voyages pour célibataires, vie de bar, et ainsi de suite, ad nauseam. »

Les médias et la publicité dont ces produits et services dépendent, agissent de connivence pour produire la voix la plus puissante et la plus persuasive au sein de la société. Ce sont eux qui ont créé le mythe de la vie célibataire, ainsi que le mythe du « meilleur des mondes », où sexualité et contraception sont présentées comme des objets de consommation courante à la portée de tout le monde. Ils ont ainsi fabriqué l'une des images qui s'est le plus propagée dans la culture : celle de la femme célibataire, qui travaille, qui n'a pas de soucis, qui est libérée de la corvée du ménage, du maternage, qui n'est attachée à aucun homme en particulier et ne subit pas les contraintes biologiques qui influent sur son comportement. Peu importe que cette image, une fois de plus, trouble profondément les hommes. Peu importe que ce mode de vie ne soit nullement une sinécure pour la majorité des femmes. Non, ce qui importe avant tout comme l'affirme Barry Day, vice-président de McCann-Erickson Worldwide, c'est que « la femme au travail a un pouvoir d'achat deux fois plus élevé que la femme au foyer. La femme au travail représente le secteur du marché qui augmente le plus rapidement. Aux États-Unis, par exemple, la femme a un pouvoir d'achat de 115 milliards de dollars par année. Plus de 30 p. 100 de toutes les nouvelles polices d'assurance sont contractées par des femmes; 25 p. 100 de tous les détenteurs de cartes American Express sont des femmes, et 20 p. 100 de tous les billets d'avion sont achetés par et pour des femmes. »

Il est vrai que le travail est la garantie de l'indépendance des femmes et qu'il étaye leur égalité avec les hommes. Et de fait, la culture doit encourager la poursuite de ces deux objectifs. Or c'est de l'image que nous parlons et non pas de la réalité quotidienne monotone, où la femme est généralement sous-payée. L'image de la femme « nouvelle », que l'on nous présente comme étant forte, prête à vivre la grande aventure sexuelle et autonome jusqu'au bout des doigts, entraîne, qu'on le veuille ou non, de véritables conséquences sur le plan personnel et social. Ces conséquences vont droit au coeur des rôles de l'homme et de la femme qui ont été prescrits par la biologie, et perturbent leur relation. Premièrement, cette image confère à la vie de célibataire, qu'il soit homme ou femme, un prestige artificiel qui n'a rien à voir avec la réalité. Deuxièmement, elle *dévalue* par le fait même la maternité, ainsi que la collaboration et l'engagement nécessaires pour avoir et élever des enfants. Elle a contribué à produire une génération de femmes profondément en conflit avec elles-mêmes, lorsqu'elles travaillent, lorsqu'elles ne travaillent pas et surtout, comme l'affirme Alice Rossi, lorsqu'elles sont confrontées à l'éventualité d'avoir un enfant au début de la trentaine. Le célibat peut avoir été jusque-là relativement satisfaisant, sur le plan affectif ou professionnel. Mais le mécanisme biologique de la reproduction, qui contrôle les relations sexuelles entre les hommes et les femmes, peut alors réclamer, de manière insistante, quelque chose de moins séduisant peut-être que la vie de femme «nouvelle» mais beaucoup plus au coeur du processus de notre évolution.

Au-delà de tous les mythes que nous nous sommes forgés, nous devons nous rappeler que l'évolution, elle, poursuit toujours sa route, dans le but ultime de la reproduction de l'espèce. Et les gènes qui sont responsables de notre besoin de procréer l'ont toujours emporté sur toutes les combinaisons de gènes qui nous poussaient à ne pas nous reproduire. Nous sommes tous les enfants d'autres enfants, depuis des centaines de milliers de générations. Les gènes qui favorisaient l'absence d'enfants ne se sont pas reproduits. C'est dans ce sens que le mécanisme de la reproduction demeure fondamentalement enraciné en nous. C'est dans ce sens aussi que l'accession des femmes au pouvoir, dans la mesure où son fondement est génétique, ne sera réalisable que dans la mesure où celles qui l'atteignent auront plus d'enfants que celles qui n'y parviendront jamais.

Ces propos modérateurs doivent nous rappeler que, sous le tumulte de notre civilisation moderne, l'évolution, telle qu'exposée par Darwin, suit un processus extrêmement lent. Du point de vue génétique, nous sommes restés les chasseurs qui erraient sur la planète, il y a de cela 15 000 ans. D'ailleurs, la manière dont on s'accouple vient confirmer ce fait: oui, les mâles ont tendance à rechercher davantage les aventures sexuelles, mais cela est dû au fait que, au cours de l'évolution humaine, ils pouvaient engendrer un enfant et partir, n'ayant pas à en prendre soin. Et s'ils n'épousent pas des femmes qui recherchent des partenaires sexuels variés, c'est parce qu'ils désirent que leurs *propres* épouses puissent leur donner le maximum de garanties au sujet de leur paternité. Oui, la polygamie existe encore aujourd'hui dans certaines cultures, mais c'est parce que depuis toujours, les femmes, en raison de leur besoin de sécurité, ne risquent rien en devenant l'une des nombreuses femmes d'un homme très riche. Non, les femmes ne recherchent pas les aventures sexuelles avec autant d'avidité que les hommes parce que, en termes d'évolution et en dépit de la contraception, elles ont encore trop à y perdre.

Le fait est que, en dépit de toute mésentente sexuelle moderne, nous sommes encore forcés d'exécuter ensemble «le pas de deux» de l'évolution, pour lequel nous avons été conçus différemment. Ce qui ne signifie pas, évidemment, que la biologie ait un rôle à jouer dans l'égalité sociale des hommes et des femmes. Bien au contraire. Dans les sociétés de cueillette et de chasse où nous avons évolué, le partage des tâches était clair, sans qu'il y ait pour autant inégalité. Les mâles les plus accomplis — ceci est une hypothèse — assuraient une protection contre les prédateurs et chassaient pour rapporter aux mères et aux enfants en pleine croissance les protéines dont ils avaient besoin. Quant aux femelles, en plus de porter et d'élever les enfants, elles allaient chercher les autres éléments nécessaires à leur alimentation — les plantes et les fruits, les insectes et les petits animaux. Elles cuisinaient et confectionnaient sans doute les vêtements. Enfin, elles exerçaient leur propre pouvoir de mères par le biais d'un réseau de parenté assez complexe. Lorsque les premiers missionnaires chrétiens arrivèrent en Amérique du Nord, ils furent souvent horrifiés par ce qu'ils constataient chez les «sauvages», c'est-à-dire l'importance et le prestige qu'on accordait aux femmes dans de nombreuses tribus.

Ils étaient scandalisés parce que leur propre culture, la culture qu'ils transmettaient aux Indiens, avait en réalité réduit les femmes en esclavage. Tel est le point essentiel de toute cette question: *c'est la culture qui engendre l'inégalité et non la biologie.* Lorsque la société fondée sur la chasse et la cueillette a cédé la place à l'agriculture, les hommes ont acquis une nouvelle importance, puisqu'ils étaient plus grands et plus forts et qu'ils n'étaient pas astreints à élever les enfants. En outre, la terre et les biens étaient les pivots de ces nouveaux modes de vie. Avec l'avènement d'une économie collective, le pouvoir des femmes commença à décliner. La terre et les biens passaient maintenant aux mains des hommes. La femme n'était plus alors un membre clé du système de parenté. Au lieu de cela, elle et ses enfants étaient cédés par affermage à la famille du mari; elle leur appartenait.

Il y a deux cents ans pourtant, la culture humaine, au moment où elle commença à progresser à un rythme accéléré, prit un nouveau tournant. Elle entra dans la phase industrielle; cette phase qui, petit à petit, allait libérer les femmes occidentales de leur isolement et de leur dépendance. Plus l'industrie se développait, plus elle avait besoin de travailleurs instruits et intelligents. Les femmes jouèrent ainsi un rôle vital en tant que mères et éducatrices, préparant la future génération au monde du travail et de la consommation. On glorifia la maternité. Pour la première fois en 1500 ans, affirment Lionel Tiger et Robin Fox, l'égalité qui avait prévalu dans la société fondée sur la chasse et la cueillette refit en quelque sorte surface. C'est un peu ce que nous connaissons aujourd'hui.

« La première chose que l'on peut dire de la société actuelle, affirme Stanley Lesse, c'est qu'elle n'est plus une société essentiellement industrielle. Nous nous acheminons rapidement vers une société postindustrielle, axée sur la culture et sur la cybernétique, et où les mâles ne peuvent plus exclusivement tirer profit de leur force physique et de leur taille. Ces caractéristiques sont de plus en plus périmées dans notre société industrielle, voire même dans l'industrie de la guerre. Les mâles ne sont plus les seuls et uniques pourvoyeurs et n'ont plus rien à décider également quant à la reproduction de l'espèce. Ce phénomène a déjà un impact considérable sur les relations entre hommes et femmes, et je crois qu'il existe une relation entre celui-ci et l'émergence d'une homosexualité latente chez les hommes. Je pense aussi qu'il est responsable pour une large part du nombre sans cesse croissant d'hommes qui n'ont plus le respect de leur virilité.»

Au cours des vingt dernières années, Stanley Lesse, un homme trapu aux traits larges, dans la cinquantaine, a longuement soupesé les grandes forces en présence dans la société occidentale, afin de tenter d'identifier le stress psychologique ainsi que les exigences qui nous seront imposées à l'avenir. C'est une tâche extrêmement difficile, impossible selon certains chercheurs. « Voyez-vous, tout se tient. L'industrie moderne, par exemple, n'a plus besoin du fort roulement de travailleurs de soutien que le noyau familial avait coutume de fournir. Par conséquent, la maternité, les enfants et le concept même de la famille ont été dévalués. Le travail est devenu, pour les femmes, un besoin essentiel auquel on a accordé « un glamour» factice. Mais parallèlement, d'autres phénomènes sont apparus. Étant donné que la population croît à un rythme plus lent, l'industrie doit également s'adapter à un taux de croissance ralenti. Ce phénomène se traduit progressivement par une réduction des heures de travail ou, si l'on préfère, par une augmentation des heures de loisirs. Le mot loisir est maintenant synonyme de consommation. La vie familiale est désuète. Et les hommes et les femmes sont dépeints comme des êtres de plus en plus ressemblants, partageant les mêmes aspirations et le même besoin de consommer. Un fossé s'est creusé entre les femmes qui travaillent et les femmes au foyer, et tout laisse croire que ces dernières seront méprisées dans un avenir assez rapproché.

« Tous ces facteurs socio-économiques — la valorisation du travail, le déclin de l'industrialisation, l'augmentation des heures de loisir, l'automation et la publicité — forment un tout homogène et s'entrecroisent avec d'autres courants dont ils sont indissociables. La politique. La religion. La montée du féminisme. Et même les changements démographiques.

Les changements démographiques. Le facteur démographique constitue la dernière force qui influe sur notre culture, qui façonne nos relations. Et si le terme « démographie » ne vous inspire pas, sachez donc ceci : « démographie » laisse entendre que si vous venez à peine d'accéder au marché du travail, vos problèmes commencent. En effet, d'ici la fin du siècle, alors que vous travaillerez encore, vous devrez faire vivre une imposante population de personnes âgées et de retraités. La plupart des politiciens ont pris conscience de ce problème il y a quelques années à peine, et c'est l'une des questions les plus graves que la société occidentale devra résoudre à l'avenir.

La démographie a aussi joué un rôle crucial dans le malaise qui s'est installé progressivement entre les hommes et les femmes et qui nous a tous influencés au cours de notre croissance. Lionel Tiger affirme : « Tout le monde sait qu'au cours de la Seconde Guerre mondiale, un nombre relativement peu élevé d'enfants sont nés, ce qui signifie, pour les besoins de notre discussion, un nombre relativement peu élevé de garçons. Et tout le monde sait aussi qu'*après* la guerre, un nombre *effarant* d'enfants sont nés, ce qui signifie encore une fois pour les besoins de notre discussion, un nombre effarant de filles. Quels ont été les effets sociaux et sexuels de cette augmentation de population ? Je crois qu'il y en a eu plusieurs.

« Les femmes, rappelons-le, ont tendance à épouser des hommes plus âgés qu'elles ; ce comportement correspond au modèle biologique. Toutefois, ce « baby boom » mentionné plus haut a eu une conséquence importante : en effet, une forte population de femmes se retrouve aujourd'hui face à une population beaucoup plus réduite d'hommes appartenant à la tranche d'âge qu'elles recherchent. Le modèle biologique s'en trouve donc sérieusement atteint. Les femmes sont forcées soit d'épouser des hommes *beaucoup* plus vieux qu'elles, qui en sont à leur second mariage — union qui se termine généralement par un divorce ; soit de rester sur le marché du travail beaucoup plus longtemps qu'elles ne l'auraient fait en temps normal. Deux autres choix seulement s'offrent à elles. Elles peuvent soit épouser des hommes de leur âge, incapables, comme nous l'avons dit plus haut, de leur apporter la sécurité dont elles ont besoin et par conséquent les obligeant à continuer de travailler ; soit renoncer au mariage à moins de rencontrer l'homme idéal. En raison de cette pression démographique, il y a de fortes chances qu'elles ne le rencontrent jamais. Ainsi, en attendant, ces femmes qui doivent rivaliser avec des femmes plus jeunes qu'elles, n'ont d'autre alternative que d'aller puiser leur satisfaction dans une carrière. Et si elles ont jamais désiré avoir des enfants, elles auront sans doute une crise difficile à traverser au début de la trentaine.

« Voilà donc un bref aperçu des suites très compliquées d'un phénomène aussi simple qu'un changement démographique. L'augmentation du taux de divorce, les tensions dans le mariage. Les hommes qui, bien qu'ils ne soient plus seuls à subvenir aux besoins de leur progéniture, continuent à agir comme auparavant tandis que les femmes, bon gré mal gré, doivent assumer leur double responsabilité de femmes au travail et de mères de famille. Les femmes ne se fiant plus aux hommes pour satisfaire leurs besoins sur le plan de la reproduction. La montée du féminisme. Maintenant, rassemblez tous ces éléments et ajoutez-y la contraception, l'avortement légal, et les pressions économiques. Qu'obtenez-vous ? Tiger fait une courte pause avant de répondre à sa propre question. Un défi. Une provocation. Mais rien de vraiment rassurant. »

Non, pas tellement rassurant. Nous entrons maintenant dans une période où la situation démographique du « baby boom » — qui était à son plus fort entre 1957 et 1960 — fait place à un phénomène inverse. Il y a maintenant trop d'hommes adultes pour trop peu de jeunes femmes. Quel effet ce mouvement aura-t-il à plus long terme ? Personne ne le sait encore. Mais si Lionel Tiger dit juste, il est probable que dans les années à venir, la rivalité entre mâles sera très vive face à la faible population de jeunes femmes. Et si le modèle de la jeune femme actuelle se perpétue, c'est-à-dire travail, indépendance, mariage tardif, il est possible que l'on soit confronté à une forte population de jeunes hommes insatisfaits, déracinés et potentiellement violents. On peut s'attendre aussi, dans un tel cas, à une augmentation de la criminalité et de toutes les formes de violences faites aux femmes.

C'est un équilibre délicat. Et nous ne pourrons l'améliorer tant que nous continuerons à soutenir qu'il n'existe pas de différences biologiques entre les hommes et les femmes. Il existe *bel et bien* des différences biologiques. Et sous les tumultueux bouleversements de la culture, le vibrant appel lancé par la biologie se fait encore entendre. Les femmes commencent à abandonner la pilule (avec une certaine appréhension peut-être) parce qu'elles ont l'impression que celle-ci a un effet dévastateur sur l'équilibre biologique de leur organisme. De leur côté, les hommes s'efforcent de plus en plus d'exercer leurs droits de pères, en prenant part aux décisions concernant l'avortement et en manifestant leur désir d'assumer plus de responsabilités face aux enfants après un divorce. Le mouvement en faveur de l'accouchement naturel prend de l'ampleur. Et le condom, que Tiger appelle « le seul contraceptif social que nous ayons», connaît une nouvelle popularité. L'homme et la femme, malgré leur confusion et leur indécision, malgré tous les assauts encore dirigés contre la notion de famille, continuent à se battre, semble-t-il, pour leur propre bonheur et pour assumer leurs responsabilités l'un envers l'autre et envers leurs enfants.

Il n'en demeure pas moins que la culture occidentale, par son industrialisation, a considérablement étouffé l'appel de la biologie. «Nous avons reproduit le modèle industriel dans notre psychisme et notre organisme en adoptant une attitude arrogante, antibiologique, et en recourant aveuglément à des médicaments et à des expédients de toutes sortes,» avance Lionel Tiger. Si cet appel doit s'amplifier dans les années futures — comme il se doit, si l'être humain ne veut pas être déformé davantage — il y a alors une chose que nous, hommes et femmes, devons faire. Nous devons reconnaître que nous sommes une espèce animale, que nous faisons partie de la nature. Nous devons accepter modestement le fait qu'il existe des différences entre les hommes et les femmes et redonner son sens social au projet commun pour lequel les individus s'unissent: la reproduction. Nous devons réexaminer notre attitude face à la grossesse et à la maternité. Et nous devons mettre en application, sur le plan social, les leçons que la science du cerveau — la science des hommes et des femmes — commence à nous donner.

Chapitre 20

Pour l'amour de nos enfants

Dans les pays occidentaux, au cours de ces cinq ou six dernières années, divers groupes et diverses sociétés se sont voués à la défense des droits des animaux et à leur protection contre les expériences effectuées par les scientifiques. Mais aucun groupe ne s'est porté à la défense des animaux de laboratoire les plus vulnérables de tous : l'homme et la femme. Au cours des deux dernières décennies, la science et la médecine se sont de plus en plus infiltrées dans la vie des hommes et des femmes. Aussi, il est probable qu'au cours des dernières années de ce siècle, elles interviendront encore plus ouvertement pour tenter de régler des facteurs qui font partie de notre nature biologique. Selon certains savants, vers la fin de ce siècle, chaque gène du patrimoine chromosomique humain sera connu et pourra être obtenu sous forme synthétique. Lorsque cela se produira, notre évolution culturelle pourra prendre en charge, une fois pour toutes, les processus assumés jusque-là par notre évolution biologique, pour éliminer toute possibilité de gâchis ou de ratage.

« Le meilleur des mondes » nous fait signe, non seulement celui des bébés-éprouvettes et des ovules « bokanovskifiés », mais aussi celui du soma, la pilule du plaisir — probablement à base de neurotransmetteurs — qui maintient artificiellement la cohésion de cette société imaginée par Aldous Huxley.

Le futur surviendra lentement, par petites étapes, et sera abordé, comme à présent, avec un sentiment d'angoisse muet et une opposition diffuse. Les savants feront valoir, à chaque étape, les bienfaits que la science peut apporter à chaque individu : la guérison, dans l'utérus même, du foetus atteint de thalassémie, ou anémie méditerranéenne, l'élimination d'un gène qui prédispose à la dépression vitale et la mise au point d'un médicament qui permettra aux étudiants médiocres d'acquérir une meilleure mémoire et de meilleures facultés d'apprentissage. Toutes ces inventions, nous diront les savants, n'ont pas de répercussions sur le plan personnel et social, si ce n'est des conséquences favorables. L'opposition sera sans doute une fois de plus forcée de battre en retraite. Et nous serons aspirés, petit à petit, vers un avenir dont aucun de nous ne veut, par une science qui est encore, en dépit de sa nouvelle technologie raffinée, profondément ignorante des mécanismes biologiques de base de notre condition humaine.

Tout cela se réalisera inéluctablement, à moins que les hommes et les femmes ne prennent profondément conscience des effets que la science, la médecine et la technologie exercent *déjà* sur leur vie, et sur la vie de leurs enfants. Tous ces événements se produiront à moins que la communauté au sens large ne force ce que nous pourrions appeler la coalition gouvernement-recherche-enseignement-sociétés pharmaceutiques à examiner en détail, dans un très proche avenir, les conséquences de ce qui a déjà été réalisé. Nous avons évoqué dans cet ouvrage la manière dont la subtile machinerie du sexe et de la reproduction a évolué chez les hommes et chez les femmes et les raisons de cette évolution. Nous avons évoqué les chimies différentes des cerveaux et des organismes masculins et féminins: les aptitudes, les inaptitudes, les stratégies, les troubles et les maladies qui se répartissent différemment à cause du sexe et de cette évolution. En outre, nous avons évoqué les conséquences *sociales* que pourrait entraîner la modification des processus naturels par lesquels notre évolution, comme celle de tous les animaux qui se reproduisent sexuellement, progresse. A présent, dans ce dernier chapitre, nous voulons poser et essayer de résoudre une dernière question: Quelles sont les conséquences *individuelles* de ces progrès techniques qui nous permettent de modifier et de réprimer de plus en plus les mécanismes naturels par lesquels la sexualité et la reproduction s'expriment? Quels sont les effets de nos interventions, par des moyens hormonaux ou mécaniques, sur le système cerveau-corps, et les relations fragiles qu'entretiennent le cerveau, le système immunitaire et les organes sexuels et de reproduction?

Nous ignorons encore les principaux éléments de réponse à cette question; un nombre très restreint de scientifiques n'en sont encore qu'au stade de la recherche. Ou bien, lorsque nous obtenons enfin des éclaircissements, le mal a déjà été fait. C'est dans ce sens que les humains peuvent être tenus pour des animaux de laboratoire. Prenons l'exemple de la vasectomie, une méthode de contraception de plus en plus courante en Amérique du Nord. On a récemment signalé qu'une certaine proportion d'hommes vasectomisés produisent des anticorps contre leur propre sperme et que ce phénomène peut avoir des effets encore inconnus sur leur système immunitaire; et chez les singes macaques qui font l'objet d'expériences scientifiques, la vasectomie a été associée à un accroissement de l'artériosclérose. Citons également le cas de la pilule. Depuis maintenant quelques années, on sait que la pilule est associée chez la femme à des troubles de l'humeur et de la motricité, à des problèmes de circulation et de coagulation du sang et aux maladies et attaques cardiaques. Or ce n'est que tout récemment qu'un lien a été établi entre la pilule, l'attirance sexuelle et la libido. Tout récemment également, la pilule a été reliée à l'exacerbation de la tension prémenstruelle et à certaines maladies auto-immunitaires comme le LEAD. Cela dit, il est encore trop tôt pour essayer de déterminer les *autres* effets de l'absorption de quantités même minimes d'hormones sexuelles. Il se peut, par exemple, que le fait d'avoir maintenu des jeunes femmes pendant des années en état de grossesse artificielle ait profondément affecté leur système immunitaire et soit à l'origine de l'apparition de maladies auto-immunitaires. Grâce à une étude récente, on a découvert que la pilule pouvait précipiter les symptômes de la dépression vitale ou endogène, maladie qui gagne rapidement du terrain dans les pays occidentaux, chez les femmes qui y sont génétiquement prédisposées. Il est possible que la dépression endogène soit en fait une maladie auto-immunitaire. Enfin, la pilule pourrait bien exercer une certaine influence sur une autre maladie du type auto-immunitaire qui, elle aussi, fait de plus en plus de ravages dans nos pays occidentaux: l'anorexie mentale. Mais pour le moment, nous n'en sommes qu'au stade des hypothèses.

Nous ignorons à peu près tout également des effets que la pilule a pu avoir sur la progéniture des femmes ayant absorbé régulièrement ce contraceptif. En 1977, James Nora de l'Université du Colorado a estimé «qu'environ 10 p. 100 des foetus américains ont été exposés aux hormones contenues dans les contraceptifs oraux au début de la grossesse — environ 300 000 par année — principalement parce que la pilule a été prescrite après le début de la grossesse réelle des patientes. Il faut ajouter à cela, souligne-t-il, le fait que les progestogènes soient encore utilisés pour tester et maintenir la grossesse, même après les mises en garde que la United States Food and Drug Administration a publié pour déconseiller leur usage.» Cette mise en garde était la conséquence directe des travaux du docteur Nora qui ont permis d'établir en 1973 un lien entre l'absorption d'hormones sexuelles et l'accroissement du taux des anomalies graves à la naissance. Ces travaux, ainsi que des études effectuées ultérieurement, ont démontré que le risque de naître avec des malformations du coeur, des membres, de la colonne vertébrale, de la trachée, de l'oesophage et du système nerveux central était de deux à quatre fois plus grand chez les bébés qui ont été exposés à ces hormones dans l'utérus.

Il s'agit là de faits clairs et spectaculaires. Mais les oestrogènes et les progestogènes comportent également des contrecoups beaucoup plus subtils mais tout aussi nocifs pour la fonction de reproduction et le comportement social et psychosexuel d'individus qui y ont été exposés au cours de leur vie foetale. Ces agents extrêmement puissants peuvent de manière évidente modifier le milieu chimique dans lequel le foetus se développe et transformer, dans une plus ou moins large mesure, la manière dont se déroule le programme normal d'apparition des caractères sexuels. Quelle est la gamme des effets que l'absorption continue de ces substances aura sur les *personnalités* de nos enfants? Nous l'ignorons encore complètement. Ces substances exerceront-elles une influence sur le développement des hémisphères? Sur la migration des cellules? Sur l'équilibre des neuro-transmetteurs? Et quels effets auront-elles sur le *comportement*?

Nous laisserons de côté la question de l'homosexualité masculine et féminine — l'homosexualité est parfaitement acceptable dans la plupart des sociétés occidentales. Mais il est tout à fait possible que la modification de l'environnement hormonal dans l'utérus puisse produire, au cours de la vie, l'apparition d'*autres* types de comportements — comportements antisociaux et criminels ou déviations sexuelles —, comme résultat direct de la modification des taux de neuro-transmetteurs et d'hormones et des transformations structurelles et chimiques au cours du développement du cerveau humain. Il est parfaitement possible, également, que les hormones sexuelles, qui jouent un rôle considérable au sein d'un très ancien programme d'évolution, provoquent l'apparition de troubles du développement et de l'apprentissage comme l'autisme, la dyslexie et l'hyperactivité. Et il se pourrait que leurs effets ne soient pas restreints à une seule génération. Les femmes qui ont été exposées à des taux modifés d'hormones sexuelles dans l'utérus fourniront également à leur propre foetus un milieu hormonal déséquilibré.

Ces scénarios ne sont pas de simples ruminations académiques; petit à petit, une vision d'ensemble commence à s'imposer et nous révèle l'ampleur du désastre que nos interventions inconsidérées sur les mécanismes naturels de la grossesse ont provoqué, par l'intermédiaire d'un certain nombre de médicaments qui font partie de l'arsenal de la médecine. June Reinisch, par exemple, la nouvelle directrice du Alfred Kinsey Institute de l'Université de l'Indiana, a estimé qu'entre 1950 et 1977, plus de 22 millions de foetus américains ont été exposés à des barbituriques, dans l'utérus. Les barbituriques sont des produits chimiques extrêmement puissants, qui influencent à très long terme les degrés d'hormones

sexuelles — une simple dose protectrice de phénobarbital administrée à la naissance, dans certains cas, à des bébés prématurés peut
causer *six mois plus tard* la baisse des taux de testostérone. Pourtant, des préparations à base de barbituriques sont utilisées dans le
traitement de quelque 67 maladies et troubles humains, variant des
douleurs musculaires à la tension nerveuse et au rhume des foins.
Les barbituriques sont prescrits de manière tout à fait ordinaire
pour soigner l'insomnie *et* les nausées matinales. Et les foetus continuent à y être exposés. Dans une étude effectuée à Édimbourg, en
Écosse, au cours des années 1970, 28 p. 100 des femmes enceintes
observées avaient pris des barbituriques au cours de la grossesse
durant une moyenne de 32 jours. Après l'aspirine, ce sont les médicaments le plus largement utilisés par les femmes enceintes.

On sait peu de chose sur les répercussions des barbituriques sur
les foetus humains, si ce n'est que ces derniers semblent souffrir
d'un taux plus élevé de vices de conformation à la naissance. Dans
un article publié à la fin de 1982, June Reinisch a passé en revue les
résultats de travaux effectués sur des animaux. «Les expériences
effectuées sur des animaux de laboratoire, écrit-elle dans sa conclusion, indiquent que l'exposition aux barbituriques au cours d'une
période précoce du développement foetal provoque une différenciation neurale et biochimique anormale du système nerveux central, des déficits au niveau de l'apprentissage, des retards au niveau
des étapes de développement, une modification des différences
sexuelles au niveau du comportement et de la physiologie, un accroissement de l'activité, un affaiblissement des réponses aux stimuli qui déclenchent l'appétit ou la répugnance et une interférence
avec le fonctionnement des organes reproducteurs. Ainsi, on peut
prédire que l'exposition, au cours de la vie prénatale, à ces puissantes substances peut conduire, chez le sujet humain, à des troubles
de l'apprentissage, à un affaiblissement du quotient intellectuel, à
un déficit sur le plan de la performance, à un accroissement de
l'apparition des troubles psychosociaux, et à une démasculinisation
de l'identité et du rôle sexuels, chez les sujets masculins.» Les travaux effectués sur les animaux nous permettent également de prédire les mêmes effets chez les sujets humains exposés au médicament présentement le plus largement prescrit aux États-Unis: le
Tagamet.

Les hommes, les femmes et leurs enfants subissent peut-être
déjà les graves conséquences des interventions maladroites de la
grande industrie de la médecine et des produits pharmaceutiques
qui, avec notre bénédiction, dominent notre vie. Il est fort probable
que la grossesse et la maternité soient un autre domaine où les
interventions sauvages de la science ont fait des ravages.

Au XVIIᵉ siècle, Louis XIV exprima le désir d'assister à l'accouchement d'une de ses maîtresses, sans que rien ne vienne gêner sa vue. Ainsi, en raison de ce caprice de monarque, elle accoucha à l'horizontale. Il insista également pour qu'au palais de Versailles, les sages-femmes soient remplacées par des docteurs de sexe masculin au chevet des accouchées. A partir de cette époque, on peut dire que l'obstétrique a pris un nouveau tournant. Peu à peu, tous les processus de la maternité et du maternage ont été envahis par les mâles — d'abord les obstétriciens, puis les psychologues, les spécialistes en publicité, les diététiciens, les sociologues et le Dr Spock. Dans ce domaine, les mères n'étaient plus désormais celles qui détenaient le savoir. Elles furent bourrées de médicaments durant l'accouchement, placées dans la position la plus difficile et la plus dangereuse durant le travail, puis on leur déclara que leur lait n'était pas nécessaire et trop peu nourrissant pour le développement de l'enfant. Après la naissance, elles devinrent les proies nerveuses et timides de tous les soi-disant spécialistes et mercanti du marché des produits pour enfants, désireux de placer leurs marchandises. Finalement, les féministes — qui luttaient pour l'indispensable égalité des droits au travail — leur porta en quelque sorte le coup de grâce. Elles proclamèrent que l'instinct maternel n'est pas inné; il s'agit seulement d'un inconvénient temporaire. Libre à vous d'avoir un enfant, mais après cela, retournez à votre carrière. Les mères, après tout, ne sont pas indispensables. N'importe quel gardien ou gardienne pourra faire l'affaire.

Non seulement injustes pour les femmes, ces arguments sont également d'une fausseté criante. Il existe à présent un large éventail de preuves à l'appui de l'hypothèse selon laquelle les liens à long terme entre la mère et l'enfant jouent un rôle crucial dans l'évolution de notre espèce, et selon laquelle ces liens sont favorisés par des mécanimes neurologiques et hormonaux qui se trouvent encore de nos jours à l'intérieur de chaque organisme féminin. Ils constituent le fondement biologique de la constitution féminine. Certains de ces mécanismes contrôlent la manière dont une femme est attirée par les bébés en général; la manière dont elle porte instinctivement un enfant près de son coeur, qu'elle soit gauchère ou droitière. Et la manière dont l'organisme féminin est automatiquement préparé à l'allaitement lorsque l'enfant se met à pleurer. D'autres mécanismes aident la femme à surmonter les douleurs de l'accouchement, au cours duquel la femme devrait adopter la position debout ou accroupie, qui est la plus conforme à la morphologie naturelle. Certains autres régularisent le lien spontané entre la mère et l'enfant après la naissance — par la vue, l'ouïe et l'odorat.

Au cours de la grossesse, une femme peut développer une capacité extrahypophysaire pour la sécrétion d'une substance appelée endorphine (la morphine interne). Cette substance présente un double effet: elle met la mère dans un état d'euphorie, de calme et de relative insensibilité à la douleur et produit les mêmes effets sur le *foetus,* avec en outre un ralentissement des mécanismes respiratoire et intestinal. Le foetus est, de fait, en état d'hibernation, et David Margules de l'université Temple de Philadelphie est persuadé que l'endorphine et les produits reliés à cette substance jouent un rôle central dans l'hibernation chez les animaux. Enfin, le foetus est *également* protégé des réactions immunitaires normales de sa mère et l'on a récemment découvert que les endorphines jouaient un rôle dans ce phénomène.

Peu avant la fin de la grossesse, la protection immunitaire, qui varie probablement en fonction de la sécrétion d'endorphine, est graduellement levée, ce qui est sans doute dû en grande partie à une baisse rapide de la progestérone et à une hausse simultanée de l'oestrogène, qui a pour conséquence l'expulsion du foetus à terme. Le haut taux d'oestrogène semble être important pour le développement post-natal du comportement maternel, de même qu'une autre hormone qui produit les contractions du travail: l'ocytocine. L'ocytocine est responsable de l'érection des mamelons que l'on observe chez les mères qui allaitent, en réaction aux cris de leurs enfants. Et l'ocytocine, injectée dans les cerveaux des rats femelles vierges au cours d'une récente expérience à l'Université de la Caroline du Nord, provoque chez ces animaux l'apparition de la gamme complète des aptitudes maternelles.

Dans quelle mesure ce délicat équilibre chimique est-il détruit lors des accouchements par césarienne — qui ont triplé aux États-Unis au cours des dix dernières années — ou lorsque l'on administre à la mère analgésiques et drogues pour provoquer les contractions — ce qui peut, en retour, bouleverser l'équilibre biochimique de l'enfant — cela, nous l'ignorons. Mais il semble de plus en plus évident que toutes les interventions médicales peuvent entraîner des effets nuisibles. Les césariennes, selon Edmund Quilligan de l'Université de la Californie à Irvine, provoquent chez les femmes en couches un taux de mortalité trente fois plus élevé, dans certaines parties des Etats-Unis, que celui des naissances normales. L'utilisation de médicaments provoquant artificiellement les contractions occasionne un taux élevé d'ictère néo-natale, particulièrement chez les garçons. Deux études anglaises ont récemment allongé cette liste noire. Si des analgésiques ont été utilisés au cours de l'accouchement, il est fort peu vraisemblable, qu'une année plus tard, les mères se remémorent avec plaisir l'expérience de la naissance. Et si elles ont subi une césarienne, il est deux fois plus probable qu'elle souffriront d'une dépression post-partum ou d'une séquelle névrotique au cours de cette année.

Les preuves s'accumulent aussi contre le fait d'enlever le nouveau-né à sa mère immédiatement après la naissance — ce qui se pratique dans la plupart des pays occidentaux — et de permettre à un nombre très restreint de personnes seulement de s'approcher du nouveau-né, tout cela pouvant avoir une influence considérable sur le développement ultérieur de l'enfant. Marshall Klaus et John Kennell de la Case Western Reserve School of Medicine dans l'Ohio ont également démontré que si l'on permet à une femme de rester avec son bébé nouveau-né, dévêtue et dans une pièce chaude, pendant une heure après la naissance et qu'on lui permet de rester avec son enfant cinq heures de plus qu'à l'ordinaire durant chacun des trois jours suivants, les résultats de ces 16 heures supplémentaires d'interaction pourront être observés une année plus tard. L'enfant sera plus attentif, réagira avec plus de vivacité et la mère sera plus stimulée. Elle parlera beaucoup plus à son enfant; elle utilisera plus de mots et d'adjectifs et elle posera plus de questions.

Ces conclusions pourront paraître étranges aux personnes qui prennent pour acquis que la naissance est un événement ponctuel qui se termine avec la fin de l'enfantement. Il n'en est rien. Il s'agit d'un processus qui se poursuit non seulement par l'interaction mère-enfant, mais aussi grâce à l'allaitement naturel, en dépit des efforts considérables de la grande industrie pour dissuader, d'abord les femmes des pays occidentaux, et à présent les femmes du Tiers Monde. Au cours de ces deux ou trois dernières années, on a découvert que le lait maternel est essentiel au développement de l'enfant. Il contient des éléments qui ne peuvent être trouvés dans aucune préparation industrielle: un facteur de croissance humaine, des anticorps pour la protection immunitaire, des sels minéraux, des vitamines, des hormones et des protéines. Qui sait les effets du retrait de cette nourriture naturelle sur l'enfant? Une étude effectuée en 1981 posait la question suivante: « L'alimentation artificielle joue-t-elle un rôle dans l'apparition ultérieure de l'hypertension, de l'obésité et des maladies auto-immunitaires? » Nous ignorons tout de cela. Cependant, il y a une chose que nous connaissons. L'allaitement naturel est un processus automatique placé sous le contrôle d'une hormone particulière, la prolactine, qui, a-t-on pensé jusqu'en 1971, existait chez l'animal mais non chez les humains. Si un enfant est prématuré, le lait de sa mère contiendra deux ou trois fois plus d'anticorps et sera deux fois plus riche en protéines par rapport à la normale. Aussi, il contient toujours de l'endorphine et de petites quantités de morphine provenant de produits végétaux, ce qui permet à l'enfant de rester calme et heureux, littéralement dépendant de sa mère.

Les quantités de protéines dans le lait humain sont un trait caractéristique de notre société où les tétées ne sont pas très espacées, et où l'enfant peut avoir accès en permanence au sein maternel. Ce qui nous amène à traiter du thème suivant: les modèles de soins aux enfants jugés acceptables par notre société. Car ce modèle d'allaitement est caractéristique des !Kung San, une société tribale primitive d'Afrique du Sud fondée sur la chasse et la cueillette. Tels que présentement connus, les !Kung peuvent nous en apprendre long sur un style de soins prodigués aux enfants qui soit parfaitement adapté aux facteurs biologiques de notre espèce.

Les femmes !Kung, comme l'ont démontré Melvin Konner de l'Université d'Harvard et d'autres, sont presque constamment en contact physique avec leurs enfants nouveau-nés, soit pendant plus de 70 p. 100 du temps, alors que dans nos sociétés occidentales le contact mère-enfant n'a lieu que pendant 25 p. 100 du temps ou moins. Elles allaitent, non pas périodiquement, mais pratiquement en permanence. La lactation continue jusqu'à ce que l'enfant atteigne l'âge de quatre ou cinq ans. La relation mère-enfant chez les !Kung est extrêmement sensuelle. Et leur système social fait en sorte que cette relation se maintienne. L'écart entre les naissances est d'environ quatre ans — vers l'âge de trois ou quatre ans, les enfants !Kung entrent dans un groupe d'enfants de tous âges et des deux sexes — parce que la lactation continuelle et la production de prolactine agit comme un contraceptif naturel.

« Je ne crois pas, déclare Alice Rossi, au cours d'un entretien chez elle à la fin d'un long après-midi, que les femmes des pays occidentaux adoptant un tel régime seraient retenues prisonnières par des facteurs biologiques. Mais je pense *réellement* qu'il y a des contraintes biologiques dans la relation entre la mère et l'enfant ; en ce sens, j'estime qu'il est très instructif de comparer le type de soins que les !Kung prodiguent aux enfants avec ce qui se pratique dans notre société. En Occident, nous séparons l'enfant de la mère, nous l'installons dans un berceau et une poussette, dans une nurserie séparée du reste de la maison ou dans une garderie. De manière typique, les naissances sont espacées de deux ans plutôt que de quatre. Et le couple mère-enfant est isolé presque complètement. Il ne reçoit aucun soutien social. Par conséquent, la maternité est ressentie par les femmes comme un rôle stressant et difficile, et il n'est guère étonnant que les femmes le considèrent comme de moins en moins acceptable.

« La question *doit* donc être, par conséquent, la suivante : les comportements qui sont exigés, sur le plan culturel, de la mère et de l'enfant ne sont-ils pas tout à fait étrangers à leurs besoins biologiques? Il est fort intéressant de constater que le rapport d'étape d'une étude à long terme menée par Eleanor Maccoby et Carol Jacklin à Stanford démontre que les taux d'hormones sexuelles sont plus bas chez le second et le troisième enfant que chez le premier, *à moins* qu'il n'y ait un écart de plusieurs années entre les naissances. Et si nos exigences culturelles nous aliénaient vraiment de nos besoins biologiques, quels pourraient être les signes concrets de stress qui en découlent? Les enfants hyperactifs, craintifs ou qui ont des problèmes dans leurs relations émotionnelles? Les parents qui sont insatisfaits de leurs enfants, qui leur offrent de médiocres modèles ou qui deviennent même à l'occasion de véritables bourreaux pour leur progéniture? Les femmes qui travaillent et qui se révèlent tout simplement incapables d'établir un équilibre entre les attirances et les exigences respectives de leur carrière et de la maternité?

«Nous ignorons tout de cela. Mais nous devons réfléchir très sérieusement à ce problème, parce que si nous désirons atteindre l'égalité véritable entre les femmes et les hommes, il est nécessaire que nous changions profondément certaines de nos institutions afin de tenir compte du rôle féminin le plus profondément enraciné sur le plan biologique. Il faut que les entreprises soient persuadées de la nécessité de modifier leurs descriptions de tâches et leurs horaires de travail afin d'offrir plus de flexibilité aux femmes qui travaillent ou à leurs maris. Et il se peut que nous ayons à envisager de nouveau et à réviser nos attentes relatives à la contribution d'une mère et d'un père qui travaillent à plein temps. L'une des solutions pourrait consister à accorder légalement des congés de maternité et de paternité plus longs, car, l'installation de garderies plus grandes et mieux organisées n'est peut-être pas la seule réponse adéquate aux problèmes des parents qui travaillent et de leurs enfants. Cette solution comporte pour les parents un aspect pratique, sans aucun doute, mais parents et enfants ne devront pas moins en payer le prix, un prix qu'en tant que membres de l'espèce humaine, nous ne pouvons nous permettre de payer.»

Tels sont les problèmes auxquels les hommes et les femmes doivent faire face. Ces questions ne seront jamais résolues si nous persistons à abonder dans le sens de la vieille orthodoxie scientifique, reflet du système idéologique qui influence nos opinions. Ces problèmes ne seront résolus sainement que si nous apprenons à accepter, à reconnaître et à apprécier les différences qui nous séparent.

Du continent noir de la science du cerveau humain jaillit déjà une nouvelle forme de psychiatrie, une nouvelle interprétation et de nouvelles formes de traitement pour les dysfonctions et les troubles cérébraux. Cette science nous apporte également des éléments nouveaux au sujet de nos héritages distincts en tant qu'hommes et femmes que nous devrons un jour ou l'autre revendiquer. Cette nouvelle science nous apprend que nous sommes en fait beaucoup plus vieux que nous le croyons. L'état où nous nous trouvons aujourd'hui n'est que l'expression actuelle d'une très, très longue histoire qui est loin d'être terminée. Nous avons été — et nous sommes toujours — conçus selon des programmes d'évolution enracinés au plus profond de nous-mêmes. Ceux-ci nous ont permis de faire ce long voyage à travers le temps en fonction de déterminismes qui se reflètent encore dans nos forces et dans nos faiblesses. Les femmes jouissent encore d'une protection directement issue de leur déterminisme maternel — tout à fait indépendamment de leur désir d'avoir ou non des enfants. Les hommes sont encore fortement orientés vers la chasse et la recherche avide d'une partenaire sexuelle — même si, sur le plan individuel, cet aspect de leur condition virile les répugne. Ils sont également moins stables et plus versatiles que les femmes; ces dernières évoluent d'une manière plus équilibrée.

Les éléments positifs et les éléments négatifs — dans le système immunitaire, les hormones sexuelles, l'organisation du cerveau et le comportement social et sexuel —, ces pour et ces contre, rassemblés dans des héritages qui sont au coeur même de ce que Freud a nommé «une chimie particulière» de l'homme et de la femme, nous rendent complémentaires les uns aux autres. Dans ce domaine, tout jugement de valeur est superflu. Pour que les fonctions vitales puissent se perpétuer, la collaboration est préférable à la concurrence.

Et pourtant, au seuil de cette civilisation cybernétique et postindustrielle où nous nous préparons à entrer, la concurrence semble devoir être le pivot de notre évolution culturelle, comme «un avion à réaction qui traverse la stratosphère à une vitesse phénoménale» — la concurrence dans les milieux de travail, la concurrence pour les sensations et pour les maigres satisfactions que nous procurent l'intimité sexuelle et une vie familiale limitée. Ce sombre avenir ne pourra être évité si les femmes continuent à tomber dans le piège qui consiste à croire qu'elles sont pareilles aux hommes. Au contraire, cela ne fera que précipiter la catastrophe. Pour sortir de l'impasse, il faudra tout d'abord que les hommes prennent à la lettre les conditions du contrat d'évolution originel par lequel les femelles ont accordé aux mâles une partie de leur pouvoir. Ils doivent se souvenir que s'ils veulent recevoir, ils doivent être en mesure de donner. Ils doivent se souvenir du rôle essentiel que la paternité a joué au cours de l'évolution. En l'occurrence, il ne s'agit pas seulement de fournir des ressources vitales. Ni seulement de prendre soin des enfants et d'aider les femmes aux travaux ménagers. Ce rôle consiste également à s'assurer que, d'une manière générale, les femmes reçoivent ce dont elles ont un besoin essentiel: une société assez souple pour leur accorder une égalité complète des chances dans le milieu du travail, et qui leur fournit en même temps une considération toute particulière et un traitement de faveur en tant que mère virtuelle ou réelle. Cela implique que la société permette aux femmes de commencer à exercer leurs aptitudes particulières qui ont si longtemps été ignorées et méprisées par les hommes. Les hommes sont doués d'un esprit analytique et déductif; dans le domaine des sciences, ils ont réduit l'univers à ses composantes, ils l'ont en quelque sorte découpé en morceaux. Les femmes sont plutôt axées sur la communication et sur la synthèse. Peut-être pourront-elles trouver un moyen de réunifier l'univers.

Les femmes doivent également se remémorer les termes du contrat. Elles doivent se rappeler que leur pouvoir particulier provient de leur rôle de mère. Qu'elles décident ou non, sur le plan individuel, d'assumer ce rôle, c'est la valeur de la maternité qui cimente la communauté féminine. Comme les femmes peuvent s'en rendre compte, les hommes ont été déformés par la culture qu'ils ont construit égoïstement en fonction d'eux-mêmes. Du reste, ils ne se départiront pas si facilement de leurs privilèges traditionnels, à moins que les femmes ne leur offrent quelque chose en échange. Il n'est pas facile de prévoir ce que cela pourra être: un engagement plus complet dans les processus de reproduction, de nouvelles orientations pour les institutions qui dominent nos vies, une action concertée des femmes, en tant que mères, pour sauver la planète de la destruction. Quoi qu'il en soit, les femmes, garantes de la perpétuation de l'espèce, doivent désormais devenir les chefs de file.

Les différences entre les hommes et les femmes — qu'il soit question du cerveau, du corps, de l'héritage biologique, des aptitudes, de la vulnérabilité ou de l'immunité — sont dans l'espèce humaine des facteurs biologiques fondamentaux. Elles sont l'élément moteur de notre évolution biologique et culturelle. Elles créent entre les hommes et les femmes des relations d'interdépendance subtilement équilibrées. Si nous ignorons ces différences, si nous faisons comme si elles n'existaient pas, nous n'arriverons qu'à nous aliéner les uns des autres et à éliminer la possibilité de résoudre ensemble les problèmes qui se poseront à l'avenir. Et si cela se produit, la bataille pour la survie de l'institution familiale sera finalement perdue. Les fonctions de reproduction seront petit à petit grignotées par la science et par l'industrie, et le cauchemar du *Meilleur des mondes* sera un beau jour une réalité; l'espèce humaine sera la seule espèce sur terre dans laquelle le sexe n'est qu'un jeu et où les différences entre les deux sexes n'ont aucune signification.

« Le savoir, a récemment écrit Jerre Levy, favorise beaucoup plus le bien-être humain que les fausses certitudes. » Ce savoir ne servira peut-être pas la transformation des institutions monolithiques de notre société, y compris les grandes entreprises. Il ne doit pas être utilisé pour servir, comme cela se passe bien trop souvent, les stratégies politiques des féministes et des divers mouvements de libération, qui prennent pour prétexte le développement psychologique de l'individu. Il ne doit pas servir à promouvoir l'idée de justice sociale comme condition essentielle de la santé psychologique. Mais il pourra peut-être contribuer à mieux faire comprendre, pour notre propre bonheur et surtout celui de nos enfants, l'intégrité essentielle du corps et du cerveau, mâle et femelle, et l'importance de la collaboration des deux sexes pour la conservation de la vie humaine et la perpétuation de l'espèce.

BIBLIOGRAPHIE GÉNÉRALE

ADLER, Norman T. (édit.): *Neuroendocrinology of Reproduction*, Plenum Press, New York et Londres, 1981.

BARASH, David: *The Whisperings Within*, Harper and Row, New York, 1979.

BELL, Graham: *The Masterpiece of Nature*, University of California Press, Berkeley, 1982.

BLAKEMORE, Colin: *Mechanics of the Mind*, Cambridge University Press, New York, 1977.

CALVIN, William et OJEMANN, George: *Inside the Brain*, New American Library, New York, 1980.

CAMPBELL, Bernard (édit.): *Sexual Selection and the Dissent of Man, 1871 - 1971*, Aldine, Chicago, 1972.

CHAGNON, Napoleon A. et IRONS, William (édit.): *Evolutionary Biology and Social Behavior: An Anthropological Perspective*, Duxbury Press, North Scituate, Massachussetts, 1979.

Ciba Foundation Symposium: *Sex, Hormones and Behavior*, Excerpts Medica, Amsterdam, New York, 1979.

DALY, Martin et WILSON, Margo: *Sex, Evolution and Behavior*, Duxbury Press, North Scituate, Massachussetts, 1978.

DAWKINS, Richard: *The Selfish Gene*, Oxford University Press, New York, 1976.

DE WIED, David et VAN KEEP, Peter A. (édit.): *Hormones and the Brain*, MTP Press, Lancaster, Angleterre, 1980.

FOX, Robin: *The Red Lamp of Incest*, E.P. Dutton, New York, 1980.

GHISELIN, Michael T.: *The Economy of Nature and the Evolution of Sex*, University of California Press, Berkeley, 1975.

GOULD, Stephen Jay: *The Mismeasurement of Man*, W.W. Norton, New York, 1981.

GOY, Robert et McEWEN, Bruce: *Sexual Differenciation of the Brain*, MIT Press, Cambridge, Massachussetts, 1980.

HAPGOOD, Fred: *Why Males Exist?*, William Morrow, New York, 1979.

HOLLIDAY, Laurel: *The Violent Sex*, Blue Stocking Books, Guerneville, California, 1978.

HOPSON, Janet I.: *Scent Signals*, William Morrow, New York, 1979.

HROY BLAFFER, Sarah: *The Woman that Never Evolved*, Harvard University Press, Cambridge, Massachussetts, 1981.

HUTCHISON, J.B.: (édit.) *Biological Determinance of Sexual Behaviors*, John Wiley and Sons, New York, 1978.

HUTT, Corinne: *Males and Females*, Penguin Books, Harmondsworth, Angleterre, 1972.

KONNER, Melvin: *The Tangled Wing*, Holt, Rinehart and Winston, New York, 1982.

LASCH, Christopher: *Haven in a Heartless World*, Basic Book, New York, 1977.

LESSE, Stanley: *The Future of the Health Sciences*, Irvington Press New York, 1981.

LUKER, Kristin: *Taking Chances: Abortion and the Decision not to Contracept*, University of California Press, Berkeley, 1975.

MILLEN, Sidney L. W.: *The Evolution of Love*, W.H. Freeman, Oxford et San Francisco, 1981.

MICHELMORE, Susan: *Sex*, Eyre and Spottiswoode, Londres, 1964.

MOUNT, Ferdinand: *The Subversive Family*, Johnatan Cape, Londres, 1982.

NEELEY, James C.: *Gender: The Myth of Equality*, Simon and Schuster, New York, 1981.

NOWAK, Mariette: *Eve's Rib*, Syd Martin Press, New York, 1980.

RESTAK, Richard M.: *The Brain: The Last Frontier*, Double Day, New York, 1979.

REYNOLDS, Peter C.: *On The Evolution of Human Behavior*, University of California Press, Berkeley, 1981.

ROSE, Steven: *The Conscious Brain*, Alfred A. Knopf, New York, 1973.

SHEPHERD, Gordon M.: *The Synaptic Organization of the Brain*, Oxford University Press, New York, 1979.

SIMENAUER, Jacqueline et CARROLL, David: *Singles: The New American*, Simon and Schuster, New York, 1982.

SPRINGER, Sally P. et DEUTSCH, Georg: *Left Brain, Right Brain*, W.H. Freeman, San Francisco, 1981.

STEBBINS, G. Ledyard: *Darwin to D.N.A. Molecules to Humanity*, W.H. Freeman, San Francisco, 1982.

SYMONS, Donald: *The Evolution of Human Sexuality*, Oxford University Press, New York, 1979.

SZASZ, Thomas: *Sex by Prescription*, Anchor/Doubleday, New York, 1980.

THOMAS, Lewis: *The Life of a Cell*, Viking, New York, 1974.

TIGER, Lionel: *Optimism: The Biology of Hope*, Simon and Schuster, New York, 1979.

VENDER, Paul H. et KLEIN, Donald F.: *Mind, Mood and Medicine*, Farrar, Straus and Giroux, New York, 1981.

WILLIAMS, George C.: *Sex and Evolution*, Princeton University Press, New Jersey, 1975.

WITZMANN, Rupert F.: *Stereoids, Keys to Life*, Van Nostrand Reinhold, New York, 1981.

YOUNG, J.Z.: *Programs of the Brain*, Oxford University Press, New York, 1978.

Index

LES AUTEURS

Jo Durden-Smith et Diane Desimone ont collaboré à «Man and Woman», série en sept parties publiée dans la revue *Playboy*. Leurs articles sur la science et autres sujets ont paru dans *Omni, Reader's Digest, MacLean's, The Village Voice, The Guardian* et *Connoisseur*. Ils vivent à Baltimore, dans le Maryland.

Ce qu'ils ont dit de l'ouvrage, *Le sexe et le cerveau*:

«Je crois qu'ils (les auteurs) ont fait un travail remarquable... Je suis convaincu que le public sera mieux informé après avoir lu *Le sexe et le cerveau*.»

— Robert Lahita, professeur
adjoint en immunologie à l'Université
Rockefeller.

«Un ouvrage scientifique bien documenté et instructif qui mérite d'être lu par tous ceux qui désirent comprendre la condition humaine — hommes et femmes.»

— Derek Freeman, professeur
d'anthropologie (émérite) à
l'Université nationale d'Australie
et auteur du livre *Margaret Mead
and Samoa: The Making and Unmaking
of an Anthropological Myth*.

La composition de ce volume
a été réalisée par
les Ateliers de La Presse, Ltée

Achevé d'imprimer sur les presses
de Laflamme et Charrier,
lithographes

IMPRIMÉ AU CANADA